Bewust sterven ...

MARINUS HUMMELEN

Bewust sterven...

Handboek voor
sterven en stervensbegeleiding

servire

Servire maakt deel uit van Kosmos-Z&K Uitgevers, Utrecht/Antwerpen

Omslagontwerp: Mesika Design
Typografie: Julius de Goede
ISBN 90 215 8926 5
D/2000/0108/214
NUGI 611/758

Deze uitgave is met de grootst mogelijke zorgvuldigheid samengesteld.
Noch de maker, noch de uitgever stelt zich echter aansprakelijk voor
eventuele schade als gevolg van eventuele onjuistheden en/of
onvolledigheden in deze uitgave.

Dankwoord

Dank aan alle stervenden en hun geliefden die ik heb mogen bijstaan en die bewust of onbewust een bijdrage aan dit boek hebben geleverd.

Ook dank aan de intelligenties voor hun kennis en inzichten en aan het medium Eugène Arends († 1994 White-Field, India).

Ik dank alle mensen die me gesteund en geholpen hebben bij het schrijven van dit boek: de bloemenmensen in Meerssen, Maastricht, Wijnandsrade, Utrecht en Eyzahut.

Maar bovenal richt ik hier mijn liefde tot mijn zonen Kirtan en David en mijn vrouw Carolien. Zij hebben mij jarenlang zoveel avonden als vader en echtgenoot moeten missen.

God, ik dank u voor de eenvoud van uw lessen, de schoonheid van uw schepping. God, ik dank u dat ik temidden van uw schepping mag knielen.

Marinus Hummelen, Maastricht, zomer 1999

Voorwoord

Beste lezer, eigenlijk zou ieder mens een boek over leven, sterven en stervensbegeleiding moeten lezen, omdat we hier allemaal, vroeg of laat, een keer mee te maken krijgen.

Het doel van dit boek is een praktisch handboek te zijn voor stervensbegeleiders die een stervende en de dierbaren van een stervende zo goed mogelijk willen bijstaan, voor, tijdens en na het sterven.

Dit boek is voortgekomen uit mijn vijftien jaar lange praktijkervaring met stervenden en uit vele gesprekken met een bijzondere intelligentie. Ik ben als verzorgende werkzaam in de gezondheidszorg en ik weet daardoor dat er rond het sterven veel onbegrip en waandenkbeelden heersen.

Dit is in feite een boek over liefde; moge het voor u een handreiking zijn.

In de woestijn zijn er bepaalde gebieden die een aantrekkingskracht hebben op alles wat leeft. Ook schapen trekken bij voorkeur naar een dergelijke plek om daar de nacht door te brengen. Een herder weet dat als men op zo'n plek zou gaan graven, men op een waterader zal stuiten. Dit waren dan ook de plekken waar men vroeger de waterputten groef.

De schacht van zo'n waterput is in de diepte verbonden met diverse wateraders, zodat er altijd vers, levend water onder in de put stroomt. Daarom laat men de emmer waarmee het water omhoog wordt gehaald, ook tot op de bodem van de put zakken. Zo kan men het levende water omhoog halen en drinken. Boven in de put staat het stilstaande – dode water, vol bacteriën en ziektekiemen. Moge dit boek u wat van dit Levend Water aanreiken. Ik schenk u mijn liefde, mijn overtuiging en mijn ervaringen en ik hoop uit de grond van mijn hart deze met u te mogen delen.

Mogen alle mensen in alle werelden gelukkig zijn.

Inhoud

1 Inleiding

'Ken Uzelf' schreven de oude Grieken boven de ingang van hun tempel in Delphi, en ook wij zien ons al bij aanvang van dit boek geplaatst voor deze opdracht. Immers zonder te beseffen wie of wat we nu in werkelijkheid zijn, zonder ook maar enig idee te hebben waarom we hier zijn en waar we naar toegaan, blijft de begeleiding die we aan een stervende geven een betrekkelijk oppervlakkige aangelegenheid.

De eerste bladzijden van dit boek zullen dan ook de bekende grote levensvragen aan u voorleggen. Daarna zullen we begrippen als aura's, chakra's, karma en reïncarnatie de revue laten passeren, want zonder enige kennis hiervan is het onmogelijk te begrijpen wat er tijdens het sterven gebeurt.

Dit inleidende hoofdstuk kan gezien worden als de centrale zon, waar omheen alle verdere hoofdstukken in dit boek draaien. Ik hoop vurig dat het licht dat door deze inleiding straalt uw werk als begeleider mag verlichten. Zodat u een medemens die op de drempel van een nieuw leven staat ook daadwerkelijk kunt voorbereiden en begeleiden, ondersteunen en troosten. Ik vraag u het hierna volgende kritisch te lezen en te overdenken.

Wie zijn wij, waar komen we vandaan, waar gaan we naar toe?

De mens is van nature een zoekend wezen. We wroeten diep in de aarde en lanceren raketten naar verre planeten in de hoop zo wat meer over het leven aan de weet te komen. Met deze kennis hopen we ons geluk te bevorderen, hoewel we ons kunnen afvragen of dit soort kennis ons ook werkelijk gelukkig maakt.

Wanneer we op zoek zijn naar geluk, zullen we bij onszelf te rade moeten gaan. Geluk is niet afhankelijk van kennis of bezit van uiterlijke zaken; ons geluk komt uit onszelf voort. Geluk, liefde en vrede zijn innerlijke kwaliteiten.

Bovendien zijn geluk, liefde en vrede 'slechts' andere namen voor God. God is gelukzaligheid, vrede en de liefde-Zelf. Hij is de bron van leven. In werkelijkheid is het dus God die we zoeken, en God ligt in onszelf besloten.

God ligt in onszelf besloten, maar we kunnen nog een stapje verdergaan en ons aansluiten bij de Groten van geest die ons zijn voorgegaan. Zij zeggen namelijk dat God niet alleen in ons is, maar dat we ook goddelijk zijn!

• Jezus zegt: 'De mens is naar Gods evenbeeld geschapen. Het koninkrijk

der hemelen is in u. Staat er niet in de wet geschreven: Gij zijt Goden?'
- De islam: 'De essentie van de mens is zijn hart, zijn innerlijke Godheid.'
- Krishna: 'God is de kern van je wezen.'
- Boeddha: Er is geen klein, persoonlijk zelf; er is alleen Waarheid.'

We zijn niet zoals we onszelf zien, we zijn niet zoals een ander ons ziet, we zijn datgene wat we in werkelijkheid zijn, namelijk goddelijk. Of, zoals Sai Baba* heeft gezegd: 'De mens, minus ego, is gelijk aan God.'
We zijn in essentie goddelijk en we kunnen altijd, op een veel eenvoudiger manier dan we meestal geneigd zijn te denken, bewust met onze essentie in contact komen. We kunnen altijd naar ons eigen Zelf terugkeren.

Sta hier eens bij stil! Probeer met uw innerlijke wereld in contact te komen. Doe uw ogen eens een paar minuten dicht en voel liefde in u. Wees zelf geluk, wees het licht, de liefde en vrede zelf. U denkt misschien: hoe kan ik nu gelukkig en vredig zijn, als ik tot over mijn oren in de ellende zit? Bedenk dan dat, of u nu ronddoolt in de diepste mijnschachten, of dat u nu staat op de hoogste bergtop, in welke situatie u zich ook bevindt of hoe u zich ook voelt, deze goddelijke kwaliteiten er altijd zullen zijn, want God is er altijd, Hij woont in uw hart.

In het begin zal het zeker niet meevallen onze aandacht naar binnen te richten. Onze gedachten en zintuigen zullen ons gewoontegetrouw weer naar de buitenwereld terugbrengen. Echter, door middel van meditatie* beginnen we ons te herinneren. Door meditatie en door een liefdevol leven zal het goddelijke in ons geactiveerd worden. Zo beginnen we ons bewust te worden van datgene wat we in werkelijkheid zijn.

Alleen al door het stellen van de vraag 'Wie zijn wij', is de eerste stap gezet op de lange weg naar volledig bewustzijn*. Maar tegelijkertijd dienen zich nog meer vragen aan.

Waarom God aan Zijn schepping begonnen is, weet ik niet. Maar de uitspraak die mij in dit verband het meeste trof, is dat God gekend wil worden. Hij heeft in Zijn liefde de schepping voortgebracht, zodat deze kan delen in Zijn heerlijkheid.

Vóór de schepping bestond er niets, dat wil zeggen geen enkele vorm van welke aard dan ook. Vóór het begin bestond er niets anders dan een onmetelijk grote oceaan van ongestructureerde, kosmische energieën. Deze oceaan is God zelf.

* Verwijst naar de verklarende woordenlijst achterin het boek.

En dan...: 'In den beginne is het Woord', de uitgesproken gedachte van God. Het Woord veroorzaakt trillingen in deze kosmische oceaan.

Er ontstaat beweging, er begint zich wat te roeren. Bepaalde energieën beginnen samen te klonteren, beginnen zich te bundelen, nemen zo een bepaalde vorm aan, overeenkomstig Zijn wil.

Zo is alles ontstaan, of het nu dieren of mensen zijn, of wezens die buiten ons waarnemingsvermogen liggen, mineralen, planten of hele universa.

'Alle dingen zijn door het Woord geworden en zonder dit is geen ding geworden dat geworden is.' (Joh. 1:1-18)

Omdat iedere vorm in Gods schepping uit zuiver goddelijke energieën is ontstaan, is al het bestaande in wezen zuiver goddelijk. Dit wezenlijke in een vorm noemen wij ziel. In essentie zijn wij mensen, net als alle andere vormen van leven, een ziel.

WE ZIJN EEN ZUIVER GODDELIJKE ZIEL

Daar dreven wij als schitterende, zuivere zielenbloemen op deze onmetelijke kosmische oceaan. Alleen, er ontbrak iets aan onze paradijselijke toestand. We zaten dan wel tot over onze oren in de Gelukzaligheid, een objectieve kijk op onze situatie hadden we niet.

Om een objectieve kijk te hebben, om volledig van iets bewust te kunnen zijn, moeten we afstand nemen. Net zoals een vis er alleen achter kan komen wat het betekent een waterdier te zijn als hij op het droge ligt, zo kunnen ook wij alleen volledig bewust worden van ons Zelf en onze paradijselijke toestand als we hiervan afstand doen.

De Schepper zelf gaf ons de mogelijkheid om volledig bewust te worden. Hij plantte daartoe midden in ons paradijs 'de boom der kennis van goed en kwaad', en volledig vrijwillig hebben we er voor gekozen haar vruchten te proeven. We proeven de vruchten van duisternis en negativiteit, om zo bewust te worden van de zegeningen van licht en liefde. We kiezen voor het aardse om zo bewust te worden van Zijn totale schepping. We plukken de vruchten van deze boom van kennis, omdat we zelf willen weten, zelf willen doen en zelf verantwoordelijk willen zijn voor onze daden. Hiermee deden we tijdelijk afstand van het paradijs en bedekten onze natuurlijke staat, onze naaktheid met 'kleren van bladeren'. Dat wil zeggen, de ziel hult zich in een stoffelijk lichaam (incarneert), om zo in de materiële wereld ervaringen op te gaan doen. (Gen.2:8 – Gen.3)

De gelijkenis die Meester Jezus* vertelde over de verloren zoon gaat over de ziel die afstand doet van het paradijs. De zoon in dit verhaal doet vrijwillig afstand van zijn Vader (God), om door middel van velerlei persoonlijke ervaringen uiteindelijk weer als een volledig bewuste ziele-persoonlijkheid in het Vaderhuis terug te keren. (Luc. 15:11-32)

Voordat we als onpersoonlijke goddelijke ziel onze eerste incarnatie aangingen, maakten we kennis met diverse levenssferen. Uiteindelijk kozen we voor de aardse wereld, verbleven eerst nog enige tijd in de buurt van het mineralen-, planten- en dierenrijk, om dan op een gegeven moment de grote stap te zetten: het bezielen van een menselijk lichaam. Deze eerste incarnatie doen we in een omgeving die ons daarvoor het beste lijkt. We beginnen ons aardse avontuur in een gezin, temidden van eenvoudige levensomstandigheden. Dat wil zeggen: meestal in een derde-wereldland, of ergens in een klein dorpje, zodat onze eerste lessen in bewustzijn op een eenvoudige manier kunnen beginnen.

Deze eerste incarnatie doen we altijd samen met een andere ziel, onze oerpartner of tweelingziel, en soms gaan meerdere stellen oerpartners tegelijk in incarnatie. Op deze reis, die als einddoel heeft volledige bewustwording, kan iedere ziel in vrijheid die wegen inslaan die voor hem of haar het meest aantrekkelijk lijken. Zo kan het gebeuren dat twee oerpartners elkaar (tijdens een van de daaropvolgende incarnaties) uit het oog verliezen omdat zij verschillende wegen of andersoortige levens kiezen. Maar als de reis op aarde definitief ten einde loopt, zullen zij elkaar zeker weer ontmoeten om samen verder te gaan.

Zo hebben wij allemaal vrijwillig voor het leven op aarde gekozen. Om zo, door middel van vele ervaringen, in verschillende levensomstandigheden, tot inzicht te komen. Door kennis te maken met de vruchten van goed en kwaad en door het goede te kiezen, groeien wij dichter naar het einddoel toe.

Vroeg of laat, en na veel vallen en opstaan, zullen we weer in het Vaderhuis terugkeren, niemand uitgezonderd. Ook al zijn we tijdelijk nog zo ver uit de koers geraakt. We keren weer terug in het absolute goddelijke, maar met dit verschil: we zijn nu een volledig bewuste ziele-persoonlijkheid geworden, met een eigen geschiedenis en een eigen karakter.

We zijn een goddelijke ziel.
Ontstaan door – en gemaakt uit – zuiver goddelijke energieën,
die er altijd waren en er altijd zullen zijn.
U en ik zijn altijd geweest en we zullen er altijd zijn.
Geen begin en geen einde.
Geen geboorte, geen dood.

We waren een ongevormde, onpersoonlijke ziel
en maakten ons vrijwillig los uit ons zuiver geestelijk bestaan,
om door middel van vele ervaringen
te kunnen uitgroeien tot een volledige, persoonlijk bewuste ziel.
Zo gaan we weer op in Zijn volledigheid.

Het is iets heel moois als iemand actief over het bovenstaande kan gaan nadenken. Dit duidt op bewustwording van het Zijn en de eigen plaats in de schepping. Het duidt op gevoeligheid en groei. Natuurlijk zal dit verhaal ook de nodige vragen bij ons losmaken, maar ik ben ervan overtuigd dat iedere vraag op Zijn tijd, hoe dan ook, een antwoord krijgt.

Sta mij voorlopig toe nog wat dieper op deze zaken in te gaan, in de verwachting dat u samen met mij zult zien hoe prachtig en liefdevol Gods schepping in elkaar zit. Laten we in kinderlijke verwondering kijken naar het werk van de Vader.

De zeven werelden

We hebben het tot nu toe over de twee uiterste werelden gehad: aan de ene kant de zuiver geestelijke wereld en aan de andere kant de stoffelijke wereld, de aarde. Maar in werkelijkheid zijn er meer werelden dan alleen deze twee uitersten van zuivere geest en stof. In werkelijkheid bestaat er een hiërarchie van zeven werelden of bewustzijnstoestanden, die verloopt van grof naar onvoorstelbaar verfijnd. In de stoffelijke wereld, de aarde, is Zijn energie grof van aard, gestold in een tijdelijke, vaste vorm. In de zuiver geestelijke wereld, het absolute, is Zijn energie vrij van iedere beperking.

Hieronder volgt een schematisch overzicht van deze zeven werelden. Op ons huidige punt van evolutie* hebben we praktisch alleen met de oorzakelijke, de astrale en de stoffelijke wereld te maken. Daarom zullen we in het vervolg van dit boek alleen op deze drie werelden ingaan. De werelden die boven het oorzakelijke uitstijgen zijn voor ons huidige bewustzijn te verfijnd om er bewust aan deel te kunnen nemen, laat staan dat ik er iets zinnigs over kan schrijven. Bovenaan staat het absolute, dit is het begin en het einde van onze reis, de Alfa en de Omega. Dit is het volledige leven dat ons wenkt en waar we allemaal, bewust of onbewust, een diep goddelijk heimwee naar hebben.

7 HET ABSOLUTE – het begin en het einde – de Alfa en Omega.
6 Monadisch
5 Atmisch
4 Boeddhisch
3 OORZAKELIJK – de wereld waarin we kunnen scheppen in overeenstemming met onze gedachten (soms ook wel mentale wereld genoemd)
2 ASTRAAL – de wereld van emoties
1 STOFFELIJK – de aarde

Nu wil ik niet de indruk wekken dat de aardse wereld, zo ver verwijderd van het goddelijke absolute, een goddeloze wereld zou zijn; niets is minder waar. Onze aarde is net zo goddelijk als welke andere wereld dan ook; immers er bestaat niets dat niet door God is voortgebracht, er bestaat niets dat niet uit God is ontstaan. Hij is de volledige schepping zelf. Hij is alles wat is en manifesteert zich door middel van ontelbare vormen.

We staan echter wel voor een keuze: we kunnen deze aardse wereld, oftewel ons aardse lichaam, als ons hoogste goed beschouwen en onszelf daarmee bestempelen tot eindige, stoffelijke wezens, of we kunnen ons richten op de oneindige Liefde Zelf en daarmee kiezen voor ons geboorterecht, namelijk volledige goddelijkheid. In het eerste geval houden wij ons bezig met aardse beslommeringen, zoals in het verhaal van de verloren zoon die de bordelen afliep en zich bezighield met het hoeden van varkens, in het tweede geval kiezen we voor ons werkelijke Zelf en slaan we de weg in die ons terugbrengt naar ons Vaderhuis. In deze keuze zijn we vrij.

De drie lichamen

God heeft in Zijn Liefde de zeven werelden of graden van bewustzijn geschapen, omdat Hij wist dat een ziel zo tot een enorme persoonlijke ontwikkeling kan komen. Bovendien gaf God ons als ziel de mogelijkheid om lichamen of voertuigen te creëren, zodat wij ook daadwerkelijk in deze werelden kunnen vertoeven.

Een ziel creëert dan ook, als zij vrijwillig afstand doet van haar onpersoonlijke paradijselijke toestand, zeven lichamen. Ieder afzonderlijk lichaam stemt overeen met een van de zeven werelden. Nu kan een ziel, door gebruik te maken van een bepaald lichaam, in een overeenkomstige wereld werkzaam zijn.

Nu, hier op aarde maakt, een ziel hoofdzakelijk gebruik van drie lichamen, te weten:

1 Het stoffelijk lichaam*, het lichaam van vlees en bloed. Dit fysieke lichaam is voor ons als ziel het voertuig om de aardse levensweg te kunnen bewandelen, het instrument om aan het aardse leven te kunnen deelnemen.
2 De ziel maakt contact met de wereld van emoties, de astrale wereld, via het astrale lichaam.
3 Het oorzakelijke lichaam is het instrument voor de ziel om in de oorzakelijke wereld te kunnen zijn, de wereld van scheppende gedachten.

Aan het begin van onze reis, onze eerste incarnatie, zijn wij hoofdzakelijk werkzaam in het stoffelijke, en slechts tot op zekere hoogte in het astrale lichaam. Vooral het kennismaken en in stand houden van onze stoffelijke wereld, of wel ons stoffelijk lichaam, dat wil zeggen het fysiek overleven, speelt dan een grote rol. Maar naarmate de reis vordert, worden we ons meer en meer bewust van het stoffelijke en kan steeds meer energie uitgaan naar het astrale, de wereld van emoties. Op den duur worden we ons ook van onze emoties bewust en krijgen we ook deze wereld voldoende onder controle. Zo strekt het bewustzijn zich steeds verder uit, naar het oorzakelijke en daarna nog verder. Zo worden we ons van alle werelden bewust en worden we vroeg of laat Meester over de hele schepping.

De aura's

Ieder lichaam heeft een krachtveld om zich heen. Dit krachtveld noemen we een aura. Omdat we zeven lichamen hebben, hebben we dus ook zeven aura's, maar we zullen hier voorlopig alleen ingaan op de aura van het stoffelijk lichaam.

De aura van het stoffelijk lichaam strekt zich enige centimeters buiten het fysieke lichaam uit en is helderziend waar te nemen als een violet-witte band die om het lichaam loopt. Deze aura is de grondslag, het sjabloon van het stoffelijk lichaam. Zonder deze aura, dit krachtveld, is geen leven in een fysiek lichaam mogelijk, en zou deze aura uit elkaar vallen, dan heeft dit onmiddellijk de dood van het fysieke lichaam tot gevolg.

Net zoals de aura's van de andere lichamen is ook de aura van het stoffelijk lichaam een middelaar tussen diverse energieën en het lichaam.
1 Via deze aura worden de energieën die tot de stoffelijke wereld behoren, overgebracht naar ons stoffelijk lichaam; bijvoorbeeld de energieën die in ons voedsel zitten en de energieën die in de lucht en het zonlicht aanwezig zijn (prana). Ook de energie van het mineralen-, planten- en dierenrijk en

de energieën van de mensen om ons heen hebben, via de stoffelijke aura, invloed op ons stoffelijk lichaam, en omgekeerd.

2 De stoffelijke aura staat ook in contact met de astrale aura. Vanuit de astrale aura worden, via de stoffelijke aura, emotionele energieën overgebracht naar het stoffelijk lichaam. Emoties zijn daardoor medebepalend voor het wel en wee van het fysieke lichaam. En andersom zal een goed functionerend fysiek lichaam onze emotionele wereld op een positieve manier beïnvloeden.

3 De stoffelijke aura maakt contact met de astrale aura en op haar beurt staat de astrale aura in verbinding met de oorzakelijke aura. Daarom stromen er ook oorzakelijke energieën via deze hiërarchie van aura's naar ons stoffelijk lichaam. Een en ander is wel afhankelijk van onze plaats in de evolutie, ofwel van het bewustzijn dat we verworven hebben, c.q. de zuiverheid van de diverse aura's.

De ziel impulseert via deze hiërarchie van aura's het stoffelijk lichaam met haar goddelijke wil en haar goddelijke levenskracht. Het stoffelijke lichaam wordt zo door de goddelijke ziel gevormd, onderhouden en ook weer op haar tijd losgelaten. Leven en dood van het stoffelijke lichaam is daarmee volledig afhankelijk van de intentie van de ziel. De goddelijke ziel die we in werkelijkheid zijn, of zo u wilt God zelf heeft altijd het laatste woord over het moment van sterven.

Niet alleen zijn de aura's middelaars voor verschillende energieën, in de aura's ligt ook ons bewustzijn. Hoe vreemd het ook mag klinken, ons bewustzijn – het vermogen tot gewaarwording en ons denkvermogen – ligt niet besloten in onze fysieke hersenen, maar bevindt zich in de aura's van de drie lichamen.

We kennen dus drie niveaus van bewustzijn, die vloeiend in elkaar overgaan. Hoewel dit van persoon tot persoon enigszins kan verschillen, is voor de meeste mensen op aarde het bewustzijn in de aura van het stoffelijk lichaam het meest actief. Er is wat minder bewustzijn in de astrale aura aanwezig en een nog kleiner deel bevindt zich in de aura van het oorzakelijke lichaam.

Dat het bewustzijn niet in onze fysieke hersenen ligt, valt eigenlijk gemakkelijk te bewijzen. Er zijn vele duizenden mensen geweest die verslag hebben gedaan van een buitenlichamelijke ervaring. Dat wil zeggen dat deze mensen uit hun stoffelijk lichaam traden tijdens de narcose in de operatiekamer, tijdens een ernstig ongeluk of door middel van een bepaalde meditatietechniek. Deze mensen zijn met hun bewustzijn uit de stoffelijke aura overgestapt in de astrale aura. Zij konden, terwijl zij hun lichaam, inclusief hersenen, beneden zich zagen liggen, wel degelijk waarnemen. Zij hebben bewezen dat we ook zonder hersenen bewust kunnen zijn, dat we ook zonder hersenen gewaar kunnen worden en kunnen nadenken.

Bovendien, als het bewustzijn zich in de hersenen zou bevinden, is ook het geloof in een hiernamaals niet langer vol te houden. Immers, met verteerde of gecremeerde hersenen zal het moeilijk zijn nog te kunnen waarnemen. We kunnen ons dan na de dood niets meer herinneren, we kunnen niet meer nadenken, geen bewustzijn meer hebben. Zou ons bewustzijn in de hersenen liggen, dan is de dood het definitieve einde van ons leven.

Onze hersenen en bijbehorend zenuwstelsel zijn het medium tussen de aura van het stoffelijk lichaam en het stoffelijk lichaam.

Chakra's

In werkelijkheid bestaat de hierboven beschreven aura van het stoffelijk lichaam uit miljoenen ragfijne energielijnen (nadi's), die over en door het stoffelijke lichaam lopen. Waar deze nadi's zich verdikken tot bredere energielijnen vormen zich de zenuwbanen in het stoffelijk lichaam. Het zenuwstelsel is daarmee de grofstoffelijke tegenhanger van de fijnstoffelijke, etherische nadi's.

Op sommige plaatsen verstrengelen de nadi's c.q. zenuwbanen zich tot een vlechtwerk. Een dergelijk vlechtwerk ligt bijvoorbeeld ter hoogte van de maag: de plexus solaris. (Plexus = Latijn voor vlechtwerk of netwerk.)

Op plaatsen waar de nadi's elkaar kruisen ontstaat een energiecentrum. Daar waar betrekkelijk weinig lijnen elkaar kruisen ontstaat een klein sub-centrum, waar veel lijnen elkaar kruisen ontstaat een groot hoofdcentrum van energie. Omdat dergelijke energiecentra ronddraaien, sprak men in een ver verleden al van wielen. Vandaar de naam chakra, dat in het Sanskriet wiel betekent. De snelheid waarmee een chakra ronddraait en ook de kleuren en de grootte van een chakra zijn voor ieder mens verschillend. Bovendien kan een chakra ook veranderen wanneer we van omgeving veranderen of wanneer we onze aandacht op iets anders richten. Een chakra kan het ene moment een somber, klein ronddraaiend schijfje zijn en vijf minuten later een miniatuurzon vol levendig gekleurd licht.

Ieder mens heeft ongeveer zeventig kleine chakra's in de aura van het stoffelijk lichaam. Deze liggen onder meer op de vingertoppen, op de voetzolen en achter de ogen. Daarnaast hebben we zeven hoofd-chakra's. Deze hoofd-chakra's regeren over de kleine chakra's en zijn verbonden met de endocriene klieren in het lichaam. Bovendien geven de hoofd-chakra's de verschillende energieën door (zoals in de paragraaf over de aura's is beschreven) aan één of meerdere fysieke organen die in de buurt van het chakra liggen. Ons hart krijgt zijn energie door middel van het hart-chakra, de organen die met spijsvertering te maken hebben krijgen hun energie vanuit het navel-chakra, enzovoort

We kunnen een chakra ook vergelijken met een bloem waarvan de steel, althans bij de hoofd-chakra's, geworteld is in het ruggenmerg en de kelk reikt tot aan de omtrek van de aura van het stoffelijk lichaam. Door deze kelk stromen de energieën naar het stoffelijk lichaam en worden ze geabsorbeerd door één of meerdere organen.

De chakra's zijn specifieke energiecentra in de aura van het stoffelijk lichaam. Zoals eerder werd vermeld, ligt ook het bewustzijn grotendeels in deze aura. Dit maakt dat een chakra bovendien een centrum van bewustzijn is in een overeenkomstige belevingswereld. Zo ligt onze persoonlijke belevingswereld betreffende liefde in het hart-chakra. De inzichten die men erop na houdt, de eigen visie, liggen in het voorhoofd-chakra besloten. Het gaan en staan in deze wereld wordt met name beleefd in het stuit-chakra.

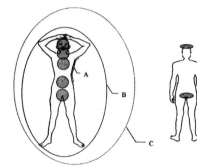

A Aura van het stoffelijk lichaam met daarin de chakra's.
B Aura van het astraal lichaam.
C Aura van het oorzakelijk lichaam.

Chakra	heeft o.a. energie aan	belevingswereld
7 kruin-chakra	hersenen	(scheppende) gedachten
6 voorhoofd-chakra	ogen, oren, neus	inzicht
5 keel-chakra	longen, keel	creativiteit, communicatie
4 hart-chakra	het hart	hogere gevoelens, het menselijke
Plexus solaris als verbinding tussen het dierlijke en menselijke		
3 navel-chakra	spijsverteringsorganen	lagere gevoelens, het dierlijke
2 geslachts-chakra	geslachtsorganen	voortplanting, seksualiteit
1 stuit-chakra	benen, wervelkolom	het gaan en staan op aarde

Het stuit-chakra is het energiecentrum waar de eenheid met de stoffelijke wereld wordt ervaren. In dit centrum onderaan de ruggengraat ligt, als een opgerolde slang, de zogenoemde kundalini-levenskracht te slapen. Niet alleen in

India en Tibet zijn hele mysteriescholen rond deze wonderlijke kundalini-kracht ontstaan, ook in de Bijbel kunnen we lezen hoe Mozes het morrende volk in de woestijn een verticale 'verhoogde' slang voorhield, zodat iedereen die zijn blik naar boven richtte niet verstrikt zou raken in aardse beslommeringen. (Num. 21:4-9)

Door positieve daden, door een liefdevol leven, worden onze chakra's en nadi's gezuiverd, zodat er voor deze levenskracht geen belemmeringen meer bestaan om wakker te worden en op te stijgen tot in ons kruin-chakra. Pas dan kan de ziel onze aardse persoonlijkheid volledig doorstralen en zo de leiding van ons kleine ik overnemen. We kunnen dan met recht zeggen: 'Niet mijn wil, maar Uw Wil geschiede.'

Bewustzijn

Als er zes miljard mensen op aarde leven, zijn er zes miljard manieren om het leven te ervaren. Ik neem echter voor het gemak de vrijheid om iedereen in te delen in drie groepen van bewustzijn. Dat wil zeggen, er zijn onbewuste, half-bewuste, en bewuste mensen.

Onbewuste mensen laten zich op een bijna primitieve manier in beslag nemen door materiële, aardse genoegens. Onder het motto 'wat je met je (fysieke) ogen niet kunt zien, daar geloof ik niet in', gaan zij door het leven. Onbewuste mensen identificeren zich met hun stoffelijk lichaam en maken daarmee hun bestaan afhankelijk van geboorte en dood. Onbewuste mensen zullen bij hun naderend einde dan ook heel anders zullen reageren dan bewuste mensen. Onbewuste mensen kunnen op hun sterfbed enorm in opstand komen; angst, onrust en vertwijfeling zullen dan een grote rol spelen. Zij zijn ervan overtuigd dat als hun lichaam ophoudt te bestaan, hun eigen persoonlijkheid en daarmee voor hen al het bestaande ophoudt te bestaan.

Dan komt veruit de grootste groep, de halfbewuste mensen. Halfbewuste mensen voelen de betrekkelijkheid aan van al die zaken waar een onbewust iemand steeds maar weer achteraan rent. Halfbewuste mensen staan ook meer open voor verfijnde energieën; zij zijn gevoeliger. Zij weten dat zij meer zijn dan hun fysieke verschijning. Zij gaan min of meer bewust op zoek naar de zin van het leven.

Bewuste mensen proberen zo veel mogelijk het goede te doen en kunnen zich belangeloos voor hun medemens inzetten. Zij richten zich op de Liefde Zelf.

Bewustzijn heeft absoluut niets te maken met maatschappelijke status. Het kan dan ook zijn dat een eenvoudige huisvader een verfijnder bewustzijn, diepere inzichten heeft, dan bijvoorbeeld een professor. Een professor zal zich inzake zijn eigen vakgebied wel meer bewust zijn dan een ander, maar daar kan het dan ook mee ophouden.

'Vele eersten zullen de laatsten zijn', staat er in de Bijbel geschreven. Dat wil zeggen dat mensen die op aarde maatschappelijk gezien een vooraanstaande plaats innemen, na het sterven nog wel eens in een weinig te benijden levenssfeer kunnen terechtkomen.

We leven overeenkomstig ons bewustzijn en zullen ook sterven overeenkomstig ons bewustzijn. Aan gene zijde zullen we overeenkomstig ons bewustzijn verdergaan.

Ervaren we het leven als een strijd om het bestaan, dan hebben we een vechtersbewustzijn. Zien we het leven als een tranendal, dan hebben we een tranendalbewustzijn. Zien we de schepping als zijnde vol liefde, dan hebben we een liefdevol bewustzijn.

Ieder mens, of hij nu rijk is of arm, in vrijheid leeft of in een gevangenis zit, iedereen leeft zijn of haar leven overeenkomstig zijn of haar bewustzijn. We leven als het ware van binnenuit naar buiten toe.

Karma

Karma betekent letterlijk handelen. Karma zijn onze daden, woorden, gedachten en gebaren. De wet van karma is de wetmatigheid die we ook kennen als oorzaak en gevolg, of zoals Meester Jezus het zei: 'Wat men zaait, zal men oogsten.'

Iedere actie die we ondernemen, dat wil zeggen iedere daad, woord, gedachte of gebaar brengt een reactie teweeg in ten minste één van de chakra's. (Omdat liefde, bij onze daden altijd in min of meerder mate een rol speelt, zal het hart-chakra er altijd bij betrokken zijn.) Positieve, liefdevolle acties, dat wil zeggen acties overeenkomstig de intentie van de ziel, activeren een chakra in positieve zin. Positieve acties brengen ons dichter bij God en zullen een chakra op den duur zodanig zuiveren, dat het chakra een vrije doorgang wordt voor de diverse energieën. Positieve acties doen de chakrabloemen openbloeien, zodat we ons bewuster worden van Gods schepping. Door positieve daden, woorden en gedachten komt ons aardse leven meer en meer in overeenstemming met Gods wil en groeien we naar heelheid van lichaam en ziel.

Negatief gerichte acties trekken negatieve energieën aan in het chakra. Deze negatieve energieën verlagen het chakra in trilling en zuiverheid, en volhardt men in dit negatieve gedrag, dan zullen deze energieën in het chakra gaan samenklonteren tot een blokkade. Deze blokkades versluieren het bewustzijn, dat immers in de chakra's c.q. aura's ligt. Ziekten kunnen het gevolg zijn, omdat de chakra's de verschillende organen in het lichaam van energie voorzien.

God straft ons niet met een ellendig leven; we leven overeenkomstig het bewustzijn dat we verworven hebben en ons bewustzijn bepaalt onze kijk op het leven. God straft ons niet met ziekten. Ziekten (epidemische ziekten die voortkomen uit groeps- of planetair karma uitgezonderd) komen voort uit onze eigen negatieve daden, woorden of gedachten tijdens dit leven of een vorig leven. Iedereen is in eerste instantie zelf verantwoordelijk voor zijn of haar ziekte.

In het hoofdstuk over ziekten zullen we dieper op dit onderwerp ingaan. Daar zullen we ook zien dat we niet altijd direct voor onze ziekten verantwoordelijk zijn, maar dat er ook nog andere oorzaken voor ziekten bestaan.

Een ziekte laat vaak zien op welk gebied we verkeerde keuzen hebben gemaakt. Hij drukt ons met de neus op de les die we nog te leren hebben. De wet van karma is dan ook geen wet van vergelding, maar een middel om tot diepere inzichten en groter bewustzijn te komen, zodat we ons gedrag kunnen corrigeren. God straft ons niet met rampen en tegenspoed en God houdt er geen lievelingetjes op na. God is de liefde en vrijheid Zelf. Het is aan ons om de goede keuze te maken.

Wat wij misschien een straf noemen, is het gevolg van verkeerde keuzen die we zelf in het verleden hebben gemaakt. Wat wij geluk noemen, is het gevolg van onze eigen positieve acties. We zijn het product van ons eigen verleden en leggen nu de grondslag voor onze toekomst. Door van het negatieve te leren en het goede te doen, komen we stap voor stap dichter bij ons doel.

Omdat de aarde een leerschool is, maken we fouten en hebben we ook het recht om fouten te maken. Om erachter te komen waar we fout zitten, krijgen we vroeg of laat onze lessen, ons karma, voorgeschoteld. Soms werkt karma zich snel uit: als we bijvoorbeeld te diep in het glaasje kijken, hebben we de volgende dag een kater. Of denk eens aan de maffiamoordenaars die elkaar om zeep helpen.

Soms echter wordt karma gedurende vele levens opgespaard om op een bepaald moment tot uiting te komen. Zo kan het gebeuren dat iemand die gedurende vele levens zijn medemens op een negatieve manier heeft bejegend, in een nieuw leven met hartklachten geboren wordt. Zo kan het zijn dat een vader die zijn eigen kinderen verstoot, in een volgend leven zelf als kind door zijn vader wordt verstoten. Zolang we niet tot een liefdevol inzicht komen en volharden in een bepaald negatief gedrag, zal ons karma ons achtervolgen om ons op een ander spoor te zetten.

We hebben onze lessen te leren, anders kunnen we van de lagere school niet overstappen naar de middelbare school. We kunnen dan het aardse niet achter ons laten om verder te gaan in de astrale wereld.

We zijn een goddelijke ziel en iedere goede positieve daad, woord, gedachte, gebaar of houding is als brandstof voor de ziel. Het maakt ons innerlijk licht tot een verterend vuur, zodat blokkades die in het verleden zijn ontstaan, langzaam kunnen worden opgelost. Door positieve, liefdevolle daden worden de chakra's tot zuivere instrumenten van de ziel. Door een positief, liefdevol leven kunnen we opgaan in Zijn liefde.

God heeft deze aarde voor ons geschapen omdat Hij wist dat we zo tot een volledige goddelijke persoonlijkheid kunnen komen. De aarde is daarom te vergelijken met een leerschool, maar dat we onze lessen in één mensenleven op aarde kunnen leren, is iets dat na enig denkwerk een onmogelijkheid zal blijken te zijn.

Reïncarnatie

Het is een triest waanidee dat God ons na een eenmalig, schijnbaar willekeurig aards leven beloont met een al dan niet plezierig, eeuwigdurend verblijf in de hemel. In werkelijkheid zijn het onze eigen acties – ons karma – die bepalend zijn voor datgene wat ons toekomt. Zo wordt de kwaliteit van ons fysieke leven en de kwaliteit van ons geestelijk* leven door onszelf bepaald; we zijn zelf verantwoordelijk voor onze toekomst.

Ons leven is niet willekeurig; we hebben zelf vrijwillig en bewust voor de planeet aarde gekozen om zo onze persoonlijke lessen in bewustzijn te leren. Zijn we in ons leven niet klaargekomen met deze lessen en hebben we nog het een en ander recht te zetten, dan worden we na ons sterven niet voor eeuwig verbannen naar de hel. Gelukkig krijgen we nieuwe kansen: we kunnen naar de aarde terugkeren.

Er wordt wel eens gezegd: 'God bestaat niet, anders zou Hij nooit al die rampen en ellende op aarde toelaten.' Het antwoord hierop is: 'Er zijn zeven werelden, iedere wereld is te vergelijken met een leerschool. We hebben zelf voor dit leerproces gekozen en we kunnen niets leren als we geen lessen krijgen. Zo heeft het voor een kind ook geen zin om naar school te gaan als de juffrouw of meester op het examen alles voorzegt en voordoet. We krijgen de vrijheid om zelf te leren, zelf te ontdekken en zelf te doen, want dit is de enige manier om uit te groeien tot een volledig bewuste ziele-persoonlijkheid.'

Er wordt wel eens gezegd: 'Hoe kun je nu iets weten over het leven na de dood; daar is toch nog nooit iemand van teruggekomen?!' In werkelijkheid zijn we allemaal na ons sterven weer naar de aarde teruggekomen; gelukkig krijgen we de kans om weer naar aarde terug te gaan als we nog het een en ander te leren hebben. We hebben allemaal al vele aardse levens achter de rug.

Laten we nu eens gaan kijken wat er tijdens het sterven gebeurt en hoe we onze persoonlijkheid meenemen naar een volgend leven op aarde.

Tijdens het sterven trekt de ziel zich uit de aura van het stoffelijk lichaam terug. Daardoor raakt de stoffelijke aura zo verzwakt, dat het stoffelijk lichaam geen energie meer ontvangt en sterft. Eerst sterft dus de stoffelijke aura en daarna het stoffelijk lichaam.

Tegelijkertijd beginnen de chakra's hun greep op ons karma en ons bewustzijn te verliezen. Alle informatie die in de chakra's ligt, wordt nu aangetrokken en overgeheveld naar de overeenkomstige chakra's van de astrale aura. Dit komt doordat de astrale aura nu, in vergelijking met de stoffelijke aura, een sterker magnetisch krachtveld is geworden. Zo gaan bij het sterven ons karma en bewustzijn over naar het astrale. Zijn ons karma en bewustzijn negatief, dan worden ook de chakra's c.q. de aura van het astraal lichaam negatief beïnvloed. We krijgen na een negatief leven op aarde na ons sterven te maken met een negatief en grof vibrerende astrale aura. Een liefdevol leven daarentegen zal onze astrale aura positief beïnvloeden.

We zullen nu in gedachten eens een uitstapje naar de astrale wereld maken. De astrale wereld kunnen we (theoretisch) onderverdelen in zeven sferen. De lagere sferen zijn grof van trilling en duister; de liefde staat hier op een laag pitje. De hoogste gebieden zijn vol licht en liefde.

Tijdens ons sterven vloeit onze persoonlijkheid langzaam uit de stoffelijke aura en gaat over in de aura van het astrale lichaam. En net zoals de aura van ons fysieke lichaam ervoor zorgde dat wij hier op aarde konden leven, zal nu de aura van het astraal lichaam ervoor zorgen dat we in het astrale kunnen zijn.

Op aarde is het een bonte mengeling van mensen, mensen met een verschillend bewustzijn. Mensen met een grove en mensen met een verfijnde vibratie lopen kriskras door elkaar. Dit maakt dat we veel verschillende lessen op onze weg krijgen, zodat we snel kunnen groeien. In het astrale echter zou men kunnen zeggen: 'Soort zoekt soort'. Bevrijd van het stoffelijke lichaam, zal de specifieke trilling van onze astrale aura ons meenemen naar de astrale sfeer waarin dezelfde soort vibratie heerst. Ieder mens komt dáár waar hij thuishoort, in een astrale sfeer met gelijkgestemde zielen. Na het sterven komen we in de sfeer waarop we ons op aarde hebben voorbereid, overeenkomstig ons bewustzijn.

Nu kunnen we niet zomaar even vanuit de 'eigen' sfeer een uitstapje maken naar een hogere sfeer, omdat een meer verfijnde sfeer buiten ons bewustzijn valt. Dit betekent dat er voor ons eenvoudigweg geen hogere sfeer bestaat, hoewel dit niet wegneemt dat we deze hogere sfeer wel kunnen aanvoelen en dat we hier ook naar kunnen gaan verlangen. Er is echter maar één mogelijkheid om verder te komen, dat is het aangaan van een nieuw leven op aarde. Op aarde wordt de grondslag voor ons bewustzijn gelegd, en om voldoende bewustzijn te krijgen waarmee we in de hoogste astrale gebieden en later in het oorzakelijke kunnen verdergaan, hebben we vele aardse levens nodig. Hoeveel levens we daarvoor nodig hebben, is geheel afhankelijk van onze eigen intentie. De één doet het snel en heeft aan acht of negen aardse levens genoeg. De ander doet het kalmpjes aan en gebruikt twintig, dertig, of misschien nog meer levens.

Tijdens ons verblijf in het astrale, dat – uitgedrukt in aardse tijdrekening – kan variëren van enkele dagen tot wel honderd jaar, gaan onze aandacht en energie op een gegeven moment meer en meer uit naar een nieuw leven op aarde.

Op aarde hebben de toekomstige ouders elkaar ondertussen gevonden. Bij de conceptie ontmoeten zaad- en eicel elkaar, en omdat deze beide cellen een verschillende polaire lading hebben (plus en min), ontstaat er een magnetisch krachtveld dat het beginsel is voor de stoffelijke lichaams-aura. Deze stoffelijke aura, dit krachtveld, zal een ziel aantrekken en via deze aura gaat de ziel het embryo bezielen. Zonder bezieling is het embryo ten dode opgeschreven en zal een miskraam het gevolg zijn; zonder bezieling kan geen vorm van leven bestaan.

De ziel creëert – door middel van de kundalini-levenskracht – de verschillende nadi's en chakra's in de stoffelijke aura van deze mens in wording. Naarmate de chakra's sterker beginnen te worden, zullen zij meer en meer karma uit de astrale aura gaan aantrekken. Het is een soortgelijk proces als bij het sterven, maar nu omgekeerd: incarneren is ook een soort van sterven.

Zo drukken onze vorige levens een stempel op ons nieuwe leven op aarde. Daarom kan het zijn dat een kind, soms nog vóór de geboorte, soms vlak na de geboorte, te kampen krijgt met een bepaalde ziekte. De oorzaak hiervan ligt in het vorige leven, of vorige levens. We nemen ook allemaal bepaalde verworvenheden uit onze vorige levens mee. Dit is ook de reden dat er bijvoorbeeld kinderen zijn die al op zeer jonge leeftijd subliem viool kunnen spelen; zij zijn in één of meerdere levens al druk bezig geweest met het vioolspel.

In principe kiezen we zelf voor ons toekomstige leven, maar de mate waarin we deze vrijheid kunnen gebruiken is afhankelijk van ons bewustzijn. We maken overeenkomstig ons bewustzijn gebruik van het door de Schepper gegeven levenspatroon, waarin wij zelf onze draden zullen gaan weven.

Een onbewust mens zal onbewust sterven en aan gene zijde wat doorsudderen. Op een gegeven moment trekt de ziel haar aandacht en energie uit de astrale aura terug, zodat deze persoon als het ware weer terugvalt naar het stoffelijke. Men laat zich automatisch aantrekken door de bekende, vertrouwde situaties. Zo kan het zijn dat iemand steeds weer onbewust kiest voor een mannenlichaam en nooit eens voor het lichaam van een vrouw. Iemand kan zich leven na leven door dezelfde stad of landstreek laten aantrekken. Een ander is geobsedeerd door een bepaald beroep of maatschappelijke status, of een bepaald volk of ras.

Op sommige mensen heeft de aarde zo'n enorme aantrekkingskracht dat zij binnen een paar dagen al weer incarneren. Andere zielen kunnen ten volle van het astrale leven genieten. Toch kiezen ook zij op een gegeven moment voor een nieuwe incarnatie, omdat zij inzien dat het een of ander nog moet worden rechtgezet. Zij kiezen bewust voor een leven waarin zij nog bepaalde ervaringen kunnen opdoen. Deze mensen zullen in overleg met hun astrale begeleiders weloverwogen kiezen en zich laten aantrekken door situaties die lang niet altijd even gemakkelijk zijn. Maar zij weten dat zij op deze manier sneller het uiteindelijke doel dat zij voor ogen hebben, kunnen bereiken.

De astrale begeleiders, de intelligenties*, staan ons bij tijdens ons leven en ons sterven. Zij begeleiden ons verder in het astrale en zij helpen ons bij onze reïncarnatie. God zorgt ervoor dat we nooit alleen zijn! Zijn helpers staan ons terzijde.

Bij het opnieuw aannemen van een aards leven worden we geholpen door onze broeders en zusters die in het astrale verkeren. Niet alleen onze eigen intelligentie, ook de intelligenties van de beide toekomstige ouders spelen hierbij een rol. Zo wordt iedereen geholpen. Ook de zielen die zich blindelings door het aardse laten aantrekken, kunnen door de intelligenties geholpen worden, maar het is wel de vraag in hoeverre zij zich voor deze hulp kunnen openstellen.

Zo kiezen wij overeenkomstig ons eigen bewustzijn, al of niet in overleg met de intelligenties, voor een nieuw leven op aarde. Hoe zuiverder ons bewustzijn, hoe meer we onze vrije wil kunnen gebruiken. De enige echte vrije wil is de wil van God.

Op een zeker moment is het voor ons niet zinvol meer om nog eens te incarneren op aarde. We kunnen ons dan voorgoed terugtrekken uit het fysieke en overgaan naar het hogere, astrale, zoals een leerling voorgoed overgaat van de lagere naar de middelbare school. We kunnen onze evolutie ook vergelijken met het uittrekken van bepaalde kledingstukken (lichamen). Wanneer we het leven op aarde voldoende beheersen, trekken we voorgoed onze overjas uit, om in het astrale, in onze trui, verder te gaan. Iedere overgang naar een verfijndere wereld is als het uittrekken van een kledingstuk, totdat we uiteindelijk weer naakt in het paradijs terugkeren.

- De boeddhisten zeggen: 'Dan zullen de twee lichten elkaar ontmoeten.' Het licht van de ziel en het licht van God, die de schepping Zelf is, worden één. Het afgescheiden zijn van de goddelijke bron, het dualisme, bestaat niet meer. We zijn 'Dat wat is'.
- De soefi-mysticus Ibn Arabi: 'De druppel valt in de oceaan van licht; de druppel wordt één met de oceaan.'
- Krishna: 'Welk pad mensen ook gaan, het is Mijn pad. Waar zij ook heengaan, zij bereiken uiteindelijk Mij.'
- Meester Jezus: 'Komt, gij gezegenden, gij beërft het Koninkrijk, dat u bereid is vanaf de grondlegging der wereld.'

Beste lezer, goddelijke ziel, we zijn zuiver goddelijk, omdat we ontstaan zijn úit en ontstaan zijn dóór goddelijke energieën.

We zijn eeuwig, omdat deze energieën er altijd zijn geweest en er altijd zullen zijn.

We zijn een eeuwig goddelijke ziel en we hebben ons volledig vrijwillig losgemaakt uit onze onpersoonlijke paradijselijke toestand, om door middel van vele ervaringen, opgedaan in verschillende levenssferen, weer in het paradijs terug te keren. Maar nu met dit verschil: eerst waren we een ongevormde, onpersoonlijke ziel, nu zijn we een volledig bewuste ziele-persoonlijkheid.

Goddelijke ziel, onze ware aard is liefde. Daarom hebben we ook het enorme offer kunnen brengen om in een zo beperkt stoffelijk lichaam te gaan wonen. Vandaar ook ons min of meer bewuste verlangen naar liefde en bevrijding. Liefde is de basis van het universum, de drijvende kracht van de ziel, ons werkelijke Zelf.

Soms ervaren we liefde, in de omgang met onze medemens, of tijdens een meditatie. En soms speelt ons kleine ikje de boventoon en geven we onze naaste ons egoïsme. Terwijl onze ziel dorst naar liefde, geven we haar maar al te vaak onze verharde en verzuurde gevoelens; zoals we Meester Jezus die aan het kruis om water (om liefde) vraagt, een spons, gedrenkt in azijn toesteken.

De weg is lang en bezaaid met obstakels en struikelblokken van liefde. Zo leren we onze noodzakelijke lessen, zo komen we tot dieper inzicht en tot groter bewustzijn. De weg is niet altijd even gemakkelijk, maar houd vol, doe je best en heb geduld.

'God is het licht, de waarheid en het leven, niemand komt tot de Vader dan door de Liefde Zelf.'

Van onwaarheid, leid ons naar waarheid.
Van duisternis, leid ons naar licht.
Van dood, leid ons naar onsterfelijkheid.

2 Het inlichten van de patiënt

Ga eens bij uzelf na; wanneer u ernstig ziek zou zijn, zou u dan willen weten waar u aan toe bent? Zou u dan willen weten of er nog kans op beterschap bestaat, of dat u voor de medische wetenschap bent afgeschreven?

Ieder mens heeft het recht te weten wat er met zijn of haar lichaam aan de hand is. Wanneer iemand ernstig ziek is en genezing uitgesloten is, heeft iemand het recht te weten waar hij* aan toe is. Ieder mens behoort te weten waar hij aan toe is, omdat er anders van afscheid nemen en voorbereiding op het sterven geen sprake kan zijn. Ieder mens, ook een kind – want kinderen zijn ook mensen – heeft het recht zich te kunnen voorbereiden op het sterven. Het niet inlichten van een patiënt is niet te rechtvaardigen.

Wanneer er geen kans meer bestaat op beterschap is de behandelend arts de aangewezen persoon om dit de patiënt mee te delen. Omdat de meeste terminale patiënten* toch al min of meer zullen aanvoelen hoe het met hen gesteld is, kunnen een paar woorden in deze richting al voldoende zijn om hun hele wereld uit elkaar te laten spatten. De waarheid moet dan ook zo behoedzaam mogelijk ingeleid worden. In eerste instantie kan er zo mogelijk wat hoop op genezing aan de patiënt gelaten worden, omdat de waarheid anders te hard zal aankomen. Zo kan men hem een eventueel nog te volgen behandeling aanbieden. Maar vooral als iemand niet zo erg lang meer te leven heeft, mag men niet te lang wachten met het inlichten van de patiënt.

Wanneer iemand de waarheid te horen krijgt, gaat hij ook sterven. Het stervensproces begint op dit moment! Zo iemand voelt zich afgeschreven. Hij voelt zich een ander soort mens; de bekende wereld stort in elkaar. Hij gaat de omgeving met andere ogen bekijken, alsof hij op een vreemde planeet terechtgekomen is. We kunnen dit vergelijken met een soort bewustzijnsverruiming, waarbij iemand ook flarden van de astrale wereld kan gaan zien, ook al gaat het nog maanden duren voordat hij daadwerkelijk overgaat.

* Waar in verband met de stervende gesproken wordt van hij, hem of zijn, kan steeds ook zij, haar of haar gelezen worden.

De arts, die een patiënt (samen met een familielid of vriend) wil gaan uitnodigen voor dit slecht-nieuws-gesprek, zal eerst contact moeten opnemen met een tweede hulpverlener of stervensbegeleider. Deze begeleider zal dan bij dit gesprek aanwezig zijn. De arts kan nu zijn medische diagnose naar voren brengen en zo een eerste aanzet geven. De begeleider neemt het daarna van de arts over; hij of zij zal de patiënt opvangen en wanneer de patiënt dit wil, ook verder gaan begeleiden. De begeleider heeft meer tijd om de patiënt te steunen en te troosten en is hiervoor in principe ook meer geschikt dan de arts. Bovendien maakt de begeleider op deze manier de stervende van het begin af aan mee. Er kan nu eerder sprake zijn van een vertrouwensrelatie, en vertrouwen is een eerste vereiste als het gaat om het begeleiden van een terminale patiënt.

Iedere ernstig zieke, waarbij de artsen de hoop op genezing hebben opgegeven, ondergaat enorme hoogte- en dieptepunten. Eb en vloed wisselen elkaar af. Als iemand tot het besef komt: 'Ik kan niet meer beter worden', komt er een razende storm aanzetten – een opstand tegen de Schepper. Maar na deze razernij van emoties en gedachten zal er vrijwel altijd een gevoel van ontroering naar boven komen. (Lees ook 1 Kon. 19:11-13.)

Stelt u zich eens voor: een zakenman die, jaar in jaar uit, bijna al zijn belangstelling deed uitgaan naar zijn eigen zaak. Hij wordt ziek en wordt voor onderzoek opgenomen in het ziekenhuis. De arts nodigt hem uit voor een gesprek en de uitslag van het onderzoek wordt hem meegedeeld. Langzaam aan wordt het hem duidelijk: hij heeft een ernstige ziekte en er bestaat een grote kans dat hij niet meer beter zal worden. De wereld vergaat! Hij zal het niet willen geloven, hij komt enorm in opstand. U als begeleider laat dit over u heenkomen, u probeert hem te troosten en op een gegeven moment kunt u ook bij hem doorbreken, bij hem binnenkomen. Er is dan een (tijdelijke) stilte ontstaan. Een dergelijke stilte is niet alleen voor deze persoon, maar ook voor de begeleider een prachtige ervaring. De chakra's, in het bijzonder het hart-chakra, gaan open. Een ontroerende, nieuwe wereld breekt aan, de oude wereld begint steeds minder belangrijk te worden. De patiënt begint te sterven.

Een andere patiënt die dit slechte nieuws te horen krijgt, kan helemaal dichtklappen. Ga rustig naast deze patiënt zitten en vraag: 'Hoe voelt u zich?' Als de ander begint aan te geven wat hij voelt, speel dan op deze gevoelens in. Wanneer het contact moeizaam verloopt, kunt u ook wat algemene vragen stellen, zodat de communicatiekanalen open blijven: 'Wat heeft u voor werk gedaan, waar woont u, heeft u familie in de buurt wonen?'

Als de ander zegt dat hij zeker weet dat hij weer beter zal worden, terwijl de arts heeft gezegd dat er niets meer aan te doen is, dan kunt u vragen: 'Hoe weet u dat zo zeker?' Of u kunt zeggen dat u met de arts in verbinding staat en dat deze weinig hoop meer heeft. 'De medische wetenschap is tegenwoordig zover, dat als uw arts iets had kunnen doen, hij dit zeker ook gedaan zou hebben. We kunnen alleen nog hopen op een wonder.' De ander zal enorm in opstand komen als hem praktisch alle hoop op beterschap wordt afgenomen. Hij zal de arts en ook u niet willen geloven. Toch is het belangrijk dat u zich aan de informatie houdt die de arts eerder aan de patiënt heeft meegedeeld. Waarom iemand iets voorspiegelen dat men niet kan waarmaken? Valse hoop op beterschap zal de ander afhouden van datgene wat er werkelijk aan de hand is. Het is daarom beter open kaart te spelen door te zeggen: 'Er is niets meer aan te doen, tenzij er een wonder gebeurt', want dan kan men open en eerlijk met elkaar praten. Vrijwel iedere patiënt zal nog wat hoop op beterschap blijven houden. Er bestaat een gezegde: 'Zolang er leven is, is er hoop', wat zoveel betekent als dat een stervende tot aan het einde toe blijft hopen op een wonder.

Ieder mens heeft de tijd nodig om de fatale boodschap te kunnen laten bezinken. Sommige mensen kunnen deze boodschap echter niet laten bezinken doordat zij afgeleid worden door allerhande vervolgonderzoeken of therapieën die er louter en alleen op gericht zijn de te verwachten pijn te voorkomen. Het komt voor dat patiënten zo opgaan in deze onderzoeken en therapieën dat er valselijk hoop opbloeit op beterschap.

Er zij ook mensen die er niet tegen kunnen om de waarheid te horen; zij willen er absoluut niet over praten. Vooral mensen die hun hele leven hebben gewerkt aan een of ander project of onderneming, kunnen het nu moeilijk hebben. Hoe mooi en edelmoedig deze zaken ook kunnen zijn, wanneer iemand zijn hart verpand heeft aan een of andere aardse zaak wordt het sterven er wel moeilijker op. Men heeft het sterven buiten het bewustzijn gesloten, men heeft er nooit over nagedacht. Wanneer duidelijk wordt dat iemand de waarheid niet onder ogen wil zien, kunt u zich beter wat gereserveerd opstellen. Wanneer de patiënt de waarheid ontkent, moeten we dit respecteren. Dit neemt echter niet weg dat we hem duidelijk kunnen maken dat hij, eventueel later, altijd nog contact met u op kan nemen. Later kan hij alsnog behoefte krijgen aan een gesprek.

Wanneer iemand te horen krijgt dat hij niet meer lang te leven heeft, gaat zo iemand op dat moment ook sterven! Het is bijzonder zwaar deze waarheid te verwerken. Zo iemand vindt het heel erg wat hem te wachten staat. Wees bewust van zijn enorme moeilijkheden. Laat de ander zijn gevoelens vrijelijk uiten en beperk hem daarin niet met overdadige uitingen van troost. Sta hem bij, houd eventueel zijn handen vast. Wees aanwezig en laat de ander aanwezig zijn.

Probeer uzelf voor te stellen wat de ander doormaakt. Zeg dat u zich kunt voorstellen hoe moeilijk het voor hem of haar is en probeer de waarheid samen onder ogen te zien.

Op een gegeven moment zal de patiënt de behoefte krijgen om afstand van u te nemen. U overhandigt hem daarop een kaartje met uw naam en telefoonnummer en geeft aan op welke tijden u te bereiken bent. U laat hiermee blijken dat iemand altijd op u terug kan vallen, dat u beschikbaar bent.

Nadat de patiënt eerst de nodige tijd heeft gehad om alles enigszins te verwerken, kan er de behoefte ontstaan om weer contact met u op te nemen. Als een patiënt verder contact weigert, dan kunt u er ook moeilijk naar toegaan, maar misschien kunt u hem na een paar weken nog eens opbellen. Daarmee geeft u te kennen dat u aan de ander gedacht heeft; maar ga er niet achteraan zitten. U kunt eventueel aan de familie vragen hoe het met hem of haar is en zeggen dat de patiënt u altijd kan opbellen.

Het is ook mogelijk dat de familie u vraagt de patiënt te begeleiden. Dan is het natuurlijk wel noodzakelijk dat de patiënt dit zelf ook wil.

Mensen kunnen ook bang zijn dat zij te veel tijd van u in beslag nemen. Als u dit vermoedt, moedig deze mensen dan aan, stimuleer ze om contact met u op te nemen. Anderen bellen misschien om het minste of geringste; geef in dat geval duidelijk uw grenzen aan. Zeg op welke tijden u te bereiken bent en dat zij alleen in tijden van grote nood buiten deze tijden mogen bellen.

Een arts die zich niet bekwaam genoeg voelt of niet genoeg tijd heeft, of een arts die denkt dat de tijd nog niet rijp is om de patiënt in te lichten, of bang is voor de emoties die bij de patiënt los kunnen komen, kan ervoor zorgen dat de patiënt niet wordt ingelicht.

Wat betreft de emoties van de patiënt: we kunnen aannemen dat vrijwel alle mensen die ernstig ziek zijn en niet lang meer te leven hebben deze waarheid intuïtief* zullen aanvoelen. De grote levenslijnen liggen bij ieder mens in de aura's besloten. Daarom weet iemand ook, min of meer bewust, dat het einde nabij is. Het is dan ook meestal zo dat, als men denkt dat iemand deze fatale mededeling niet aankan, dit achteraf gezien vaak blijkt mee te vallen. Ook is het zo dat mensen die lang met elkaar hebben samengeleefd, meestal wel aanvoelen wanneer het einde van hun partner in zicht komt.

Een patiënt die niet is ingelicht voelt zich zieker en zieker worden en weet zich hier geen raad mee. Deze mensen sterven in eenzaamheid. Misschien hebben zij pas op het laatste ogenblik in de gaten dat zij aan het sterven zijn en dan kunnen zij gemakkelijk in paniek raken.

Wanneer alleen de familie op de hoogte is, dan is deze meestal erg bezorgd en voorkomend naar de patiënt, waardoor deze zich van alles gaat afvragen of zich in zijn eventuele vermoedens bevestigd weet. De stervende gaat zich nog akeliger en eenzamer voelen. Dit zijn situaties die ik zelf meerdere malen in de praktijk heb meegemaakt. De familie denkt de patiënt te sparen door niet over de waarheid te praten. De stervende voelt wat er met hem aan de hand is en wil er niet over praten omdat hij denkt zo zijn familie te kunnen ontzien. Het kost heel wat energie om deze 'heilige leugen' in stand te houden en rond dit soort situaties hangt meestal een zware, sombere sfeer.

Hoe eerder de begeleider met de stervende over de mooie dingen van het sterven kan gaan praten, des te eerder kan de stervende de ontroerende schoonheid van het sterven gaan zien.

Wanneer men ervan overtuigd is dat de patiënt het slechte nieuws niet aan-kan, roep dan de familie of de meest dierbaren van de patiënt bij elkaar voor een gesprek. Als dan blijkt dat de familie niet wil dat de patiënt wordt inge-licht, zeg dan dat de patiënt zijn situatie waarschijnlijk toch wel aanvoelt en dat het beter is open kaart te spelen, zodat men elkaar kan steunen en troos-ten. Vertel de familie ook dat de patiënt het recht heeft te weten wat er met hem aan de hand is. Hij heeft het recht zich goed op het naderend afscheid en het nieuwe leven te kunnen voorbereiden.

Wanneer iemand niet is ingelicht en na het sterven is aangekomen in die andere wereld, kan de overledene het de arts of de familie bijzonder kwalijk nemen dat men hem de waarheid niet heeft verteld. De overledene vindt het vervelend dat men niet openhartig met hem gepraat heeft, waardoor hij af-scheid van zijn dierbaren had kunnen nemen en zich beter had kunnen instel-len op zijn sterven.

Als de familie niet wil dat de begeleider openlijk met de patiënt praat, dan blijft er voor de begeleider nog maar bitter weinig over. U kunt dan alleen nog voor de ander bidden.

Ook iemand die met een zwaar hartinfarct in het ziekenhuis is opgenomen en waarbij het leven aan een zijden draadje hangt, moet verteld worden dat zijn toestand kritiek is. Het is dan aan de arts om tegen de patiënt te zeggen dat er een begeleider bijgeroepen kan worden. Ook al vindt een patiënt op dat moment begeleiding niet nodig, dan is het toch goed als de arts een kaartje over-handigt waarop staat waar en hoe de patiënt deze begeleider kan bereiken. Dit geeft de patiënt meer rust; hij weet nu dat er iemand op de achtergrond aan-wezig is op wie hij een beroep kan doen.

Er zijn ook mensen die zich eenvoudigweg niet kunnen voorbereiden op het sterven. Bijvoorbeeld mensen die bij een auto-ongeluk omkomen, of ster-ven aan een hartinfarct. Zij vinden zichzelf plotseling vol verwarring aan gene zijde en pas later zal tot hen doordringen wat er met hen gebeurd is. Zij reali-seren zich dat zij, zonder afscheid te hebben genomen, zijn heengegaan. Zij hebben ook geen mogelijkheid meer om onafgemaakte zaken op te lossen. Dit maakt voor hen de eerste tijd aan gene zijde bijzonder zwaar. Men denkt vaak wel dat als (een ouder) iemand plotseling sterft, dit een zegen voor hem moet zijn, want er blijft hem zo immers veel lijden bespaard! Toch moet ook deze overgang wel degelijk verwerkt worden en omdat iemand nu het contact met de achterblijvers mist, is een dergelijk plotseling sterven uiteindelijk zwaarder dan een normaal sterfbed.

3 De ziekte

Door onze pelgrimstocht op aarde maken we kennis met de aardse vorm van God. Zo beginnen we ons bewust te worden van Zijn totale schepping, in al Zijn vormen. Nadat we ons voldoende bewust zijn van Zijn aardse vorm, gaan we verder met onze evolutie. Na de aarde komt de astrale – en daarna de oorzakelijke wereld, die we ook als leerscholen zullen doorlopen. Zo groeien we uit tot een volledig bewuste ziel, met een eigen geschiedenis: een goddelijke persoonlijkheid.

Lang geleden hebben we het Vaderhuis vrijwillig verlaten. Als onbewuste, ongevormde zielen begonnen we aan onze lange reis, en eens zullen we allemaal, niemand uitgezonderd, weer naar huis terugkeren. Dan zullen we volledig bewust, als een goddelijke ziele-persoonlijkheid, opgaan in Zijn liefde.

Ons bewustzijn, onze persoonlijkheid is afhankelijk van onze eigen geschiedenis, dat wil zeggen het karma dat we gedurende vele levens hebben opgebouwd. In de Inleiding heeft u al het een en ander kunnen lezen over karma. We hebben kunnen zien dat elke daad, woord, gedachte en gebaar worden opgeslagen in een van de chakra's. Zo hebben positieve daden een positieve uitwerking op de chakra's, dat wil zeggen positieve, liefdevolle daden zullen de chakra's zuiveren en activeren. Hierdoor ontstaat er een open kanaal tussen het geestelijke (= het astrale en oorzakelijke) en de persoonlijkheid in het stoffelijke lichaam. Negatieve acties zullen zware, trage energieën aantrekken, die op den duur gaan samenklonteren tot een blokkade. Omdat chakra's de organen in het fysieke lichaam van energie voorzien, kan het zijn dat een orgaan dan niet meer voldoende energie krijgt en ziek wordt.

Ziekte is een obstakel op onze weg; er wordt ons een halt toegeroepen. Een pas-op-de-plaats, waardoor we bewust kunnen worden van ons handelen. Zo worden we min of meer gedwongen ons te heroriënteren en een andere weg in te slaan. De bedoeling van een ziekte is dat deze ons weer dichter naar God brengt. Vraag u altijd af: 'Waarom heeft iemand nu juist die of die ziekte?'

Kanker

Wanneer we met onze levensenergieën (gedachten, emoties en lichamelijke activiteiten) gaan woekeren en manipuleren, kunnen ook onze lichaamscellen gaan woekeren en een eigen leven gaan leiden. Kanker duidt op een diep geworteld leed.

Kanker in een orgaan betekent dat we een chakra zodanig verzwakt hebben, dat dit chakra de cellen in het orgaan niet meer in het gareel kan houden. Wanneer de kankercellen zich vanuit een primaire tumor gaan uitzaaien, wil dit zeggen dat de aura van het stoffelijk lichaam ook in zijn geheel verzwakt is. Ook bij leukemie, bot- en huidkanker zal de hele aura verzwakt zijn, misschien doordat we in het verleden op een negatieve manier met het lichaam zijn omgegaan, bijvoorbeeld door het te zwaar met werk te belasten, of door er helemaal niets mee te doen, door er mee te pronken of door het te minachten.

Wanneer een kankerpatiënt weet dat hij kanker heeft en dat hij niet meer te genezen is, verliest hij vaak de moed om verder te gaan. Deze psychische gesteldheid heeft ook zijn invloed op de spijsvertering. Het voedsel wordt niet meer goed opgenomen, waardoor de patiënt gaat vermageren. Trouwens, bij vrijwel alle mensen die bewust of onbewust een gebrek aan levenswil hebben, vermindert ook de trek in eten. We zien dan ook meestal dat mensen gaan vermageren wanneer het leven aan het einde komt.

Dementie

De esoterische*, dieper liggende oorzaak van dementie is dat iemand zich als het ware wil terugtrekken uit het leven, bijvoorbeeld omdat hij in het verleden veel droefenis en ellende heeft meegemaakt. Op deze manier kan hij het een en ander in stilte verwerken.

Laten we het voorbeeld nemen van een moeder. Zij heeft haar kinderen liefdevol grootgebracht, en nu de kinderen het ouderlijk huis hebben verlaten kan er bij de moeder een grote behoefte aan rust ontstaan. Een rust die zij nodig heeft om bepaalde zaken uit het verleden op een rijtje te kunnen zetten. Misschien blijft zij, nu de kinderen het huis uit zijn, achtervolgd worden door zorgen om de kleinkinderen. Terwijl zij achtervolgd blijft door zorgen, wordt het verlangen naar rust en isolatie steeds groter. Zij trekt zich in haar eigen slakkenhuis terug, reageert niet meer adequaat op haar omgeving en wordt wat we noemen dement. Misschien is haar situatie thuis niet meer te handhaven en wordt zij opgenomen in een inrichting. Vergeet dan nooit dat zij nog steeds een liefdevolle vrouw is, net zoals zij vroeger was. Bovendien krijgt zij nog steeds van alles uit haar omgeving mee, maar zij kan hier niet meer op reageren.

Zo kan een man dement worden als hij een erg dominante vrouw heeft; hij

isoleert zich en trekt zich in stilte terug. Het kan ook zijn dat iemand onge-
naakbaar was vanwege zijn eigen intellectuele vermogens, dat het intellect
hem boven het hoofd stijgt. De ziel trekt zich nu grotendeels uit de hersenen
terug, zodat deze persoon het intellect weer op juiste waarde weet te schatten.
Nu kan de innerlijke wereld, die altijd verwaarloosd werd, weer beter tot zijn
recht komen. Zo kunnen mensen zich ook min of meer bewust uit de uiterlijke wereld terugtrekken om diep ingesleten levenspatronen, die men zichzelf
gedurende vele levens heeft aangeleerd, te verwerken.

Er kunnen zoveel verschillende zaken door het hoofd spelen, dat iemand als
het ware verdrinkt in een grote hoeveelheid gedachten. Gedachten over bijvoorbeeld het verleden, de eigen tekortkomingen, angst voor de dood en of er
een leven na dit leven is. Het kan dan moeilijk worden al deze gedachten te
scheiden. Iemand kan niet meer genuanceerd nadenken. Wanneer bij zo iemand ook het leven op aarde ten einde loopt, kan het zijn dat hij ook bij vlagen in het astrale vertoeft, zodat hij op de omgeving verward en gedesoriën-
teerd overkomt. Deze mensen weten soms niet meer, of maar half, waar zij
zijn. Zij staan bij tijd en wijle met het ene been op aarde en met het andere
been in de astrale wereld. Daarom zijn zij soms wel en soms niet geïnteresseerd in de bekende wereld om zich heen. Toch hebben deze mensen niet het
zo in zichzelf gekeerde als de eerder beschreven demente persoon. Zij zijn ook
lang niet zoveel met het verleden bezig. Deze mensen trekken zich niet zo zeer
in stilte terug, maar zijn verward door al die zaken die door het hoofd spelen.
Dit soort verwarring zien we wel eens bij mensen die op sterven liggen, maar
ook bij mensen bij wie het nog een jaar of langer duurt voordat zij deze uiteindelijke stap zetten. Vaak zijn zij angstig, omdat zij niet weten wat er aan de
hand is; en omdat zij hun gedachten niet kunnen scheiden komen zij maar
moeilijk uit hun verwardheid.

Dementie is eigenlijk een soort verzamelnaam. Dementie betekent letterlijk: het afnemen van mentale vermogens. De oorzaak komt voort uit het
zich terugtrekken uit de wereld, omdat iemand dit voor zijn evolutie nodig
heeft. Voor ons als buitenstaander kan dit er als een triest levenseinde uitzien,
maar dit is niet altijd het geval. Zij hebben hun eigen innerlijke belevingswereld.

Demente mensen kunnen zich moeilijk uiten, en zij kunnen moeilijk de
dingen op een rijtje zetten. Omdat zij vaak nog heel wat zaken die zich in hun
omgeving afspelen meekrijgen, kunnen we als we het een of ander te bespreken hebben, dit beter buiten hun gehoorsveld doen. Zij vangen van alles op
en kunnen gemakkelijk argwaan en achterdocht tegen u gaan koesteren. Zij

kunnen ook gemakkelijk een complot vermoeden, wanneer we tegen hen moeten zeggen dat zij in een verpleegkliniek moeten worden opgenomen.

Ook al zijn ze verward, ook al kunnen ze zich niet uiten, demente mensen hebben wel degelijk met hun sterven te kampen, net als ieder ander mens. De meeste dementen die langere tijd met hun ziekte hebben moeten leven, zijn levensmoe. Zij vinden het een bevrijding als zij mogen gaan.

We kunnen demente personen intensief begeleiden en hun ook vertellen wat voor een schoonheid hen na dit leven te wachten staat. Vertel hun dat de sluier van dementie op het moment van overgaan wordt weggenomen en ook wegblijft. Demente mensen raken op het moment van sterven hun verwardheid kwijt en komen volledig helder aan gene zijde aan. Vaak valt al een paar dagen voor het sterven hun verwardheid weg. Zij zijn dan als het ware hun stoffelijke hersenen ontstegen en leven vanuit het astrale. Wanneer dit het geval is, zien we hem of haar meestal met een gelukzalig gezicht in bed liggen. Dit is een teken dat het sterven niet lang meer op zich zal laten wachten.

Ook een zwakzinnig kind dat overgaat, zal op het moment van sterven een helder bewustzijn hebben. Als een zwakzinnig kind is overgegaan, kunnen we er dus aan denken als zijnde een gewoon, normaal kind. Zij zijn ook, net als andere overledenen, bij hun begrafenis of crematie aanwezig. We kunnen na het overlijden dan ook rustig tegen het kind zeggen: 'Je bent een goed mens geweest. Nu ben je gestorven, je bent overgegaan naar een andere wereld. Luister nu naar je begeleider, die je verder wil helpen.'

Coma

Voor ons mensen op aarde is de aura van het stoffelijk lichaam sterker dan de aura van het astrale lichaam. Daarom zit ons bewustzijn op het stoffelijke, aardse niveau gevangen. Door een ziekte kan de aura van het stoffelijk lichaam echter flink verzwakt raken, door een ongeluk kan de aura zo'n klap krijgen dat hij uit elkaar valt. De stoffelijke aura heeft dan niet genoeg magnetische kracht meer om het bewustzijn hierin vast te houden. Dan wordt het bewustzijn automatisch aangetrokken door de astrale aura. Wanneer dit gebeurt, terwijl de ziel zich nog niet volledig van het stoffelijk lichaam heeft losgemaakt, spreken we van een comapatiënt. De ziel houdt nog net genoeg van de stoffelijke aura in stand zodat het stoffelijk lichaam in leven blijft, terwijl het bewustzijn is overgegaan in de astrale aura.

Dit betekent dat zo iemand zich wel degelijk bewust is van wat er zich in de omgeving afspeelt. Men kan vanuit het astrale meestal zelfs scherper waarnemen dan anders. Wanneer een comapatiënt 'terugkomt', kan deze, mits de hersenen niet beschadigd zijn, soms ook vertellen wat hij tijdens het coma heeft meegemaakt.

Bij comapatiënten gaat ontzaglijk veel om. Zij zijn extra gevoelig voor emoties van anderen en voor subtiele aanrakingen. Raak een comapatiënt liefdevol aan, dit doet goed. Vooral comapatiënten vinden het fijn om aangeraakt te worden, dan voelen zij zich nog een beetje bij de mensen thuis, dan voelen zij zich niet zo alleen. Mensen die in coma liggen, zijn zich bewust en zij vinden het fijn als de omgeving hen liefdevol benadert en positief aan hen denkt. Comapatiënten kunnen ook heel duidelijk horen wat er in de kamer gezegd wordt. Zij kunnen veel helderder horen dan normaal, hoewel zij zich soms nog niet zo bewust zijn van het feit dat zij nu veel helderder kunnen waarnemen. Iemand in coma kan ook vaak de uitstraling zien van de mensen die om het bed staan.

De mensen die een comapatiënt verzorgen, kunnen rustig in gedachten tegen de patiënt praten. Deze zal in veel gevallen de essentie van hun gedachten opvangen. Wanneer u zich in gedachten voldoende sterk op een comapatiënt richt, zal deze uw gedachten opvangen, hoe ver u ook van de patiënt verwijderd bent.

Iemand die in coma ligt, is wel degelijk te bereiken. Wanneer bij een comapatiënt het Onze Vader wordt gebeden, kunnen we soms zien dat deze zachtjes met de lippen meeprevelt. Praat over religieuze zaken, want daar hebben deze mensen behoefte aan.

Iemand in coma kan zichzelf soms zien liggen en kan zien wat er om hem heen gebeurt. Hij ziet het eigen lichaam en de familie of vrienden rond het bed staan. Het is dan erg moeilijk, pijnlijk om te zien wat er met het lichaam gebeurt als iemand nog aan het lichaam gehecht is. Toch kan de persoon ook vaak zien dat er veel meer is dan het lichaam en dat wat zich rond het lichaam afspeelt. Hij ziet dan eigenlijk twee werelden: de aardse wereld en de astrale wereld. Deze werelden lopen soms in elkaar over. We kunnen dit het beste vergelijken met twee glas-in-lood ramen die voor elkaar gehouden worden. Soms ziet men de twee beelden, de twee werelden, tegelijk; soms kan men zich op de ene of op de andere wereld richten.

Wanneer iemand in coma zich op een gegeven moment bewust wordt van het feit dat hij gaat sterven, kan zo iemand zich enorm gelukkig voelen. Er kan een enorme bevrijding ervaren worden. Hij kan zich dan volledig richten op het astrale en daarmee het lichaam loslaten. Op een gegeven moment kan men bewust afscheid nemen van het aardse lichaam. Men kan het aardse lichaam ook bedanken. Iemand verbreekt daarmee de binding die hij met het lichaam had. Men beseft dan dat men volledig gestorven is.

Soms voelt iemand nog lange tijd na de overgang een binding met de achtergebleven familie, maar hij ziet ook meestal wel in dat het goed is geweest om te gaan.

Men wordt aan gene zijde heel liefdevol opgevangen; zeg dit ook tegen een stervende die in coma ligt. Men zal nog een tijd het verdriet voelen over degenen die men heeft moeten achterlaten. Men zal ook nog enige tijd verdrietig zijn over het verdriet dat de achterblijvers voelen. Maar op aarde moest men eens weten hoe gelukkig men daar aan gene zijde kan zijn.

Stel de stervenden dan ook zoveel mogelijk gerust. Een stervende kan wel zeggen dat u mooi praten heeft, maar probeer de persoon toch gerust te stellen en zeg dat er aan de andere kant van zijn leven ook leven is. Zeg ook dat men zich tijdens het sterven langzaam aan bewust wordt van dit andere leven. In het begin is dit nieuwe leven nog niet zo duidelijk, maar het komt steeds duidelijker naar voren. Probeer de mensen bewust te maken dat hun een groot geluk te wachten staat, althans als zij goed geleefd hebben.

De verschillende oorzaken van ziekten

Natuurlijk mogen we nooit onze zieke medemens met het vingertje nawijzen en zeggen: 'Eigen schuld, had je maar beter moeten leven.' We mogen onze medemens niet nawijzen, want dit is liefdeloos, en we kunnen de ander niet nawijzen omdat we nooit zeker weten wat de oorzaak van een ziekte is.

Een ziekte kan karmisch zijn. Maar het is even goed mogelijk dat iemand, voordat hij incarneert, bewust kiest voor een bepaalde handicap of ziekte omdat hij weet dat hij op die manier sneller vooruit kan komen.

De ziel kan te allen tijde bepaalde chakra's als het ware blokkeren, of ingrijpen in de energieën waaruit onze aura's en chakra's bestaan, zodat dit een ziekte tot gevolg heeft. De ziel, ons hogere Zelf, doet dit omdat we op die manier sneller bewust worden van ons leven.

Slechts in het algemeen kunnen we stellen dat een ziekte voortkomt uit iemands verleden. Maar God zelf, ofwel onze goddelijke ziel, heeft altijd het laatste woord.

Er bestaat nog een andere mogelijke oorzaak voor een ziekte, en dan hebben we het in het bijzonder over terminale patiënten. Bij deze mensen kan een ziekte de kop opsteken omdat de ziel zich terugtrekt. De ziel trekt zich terug uit het fysieke en gaat over naar het astrale. De stoffelijke aura gaat in kracht achteruit. Een ziekte kan dan naar voren komen overeenkomstig de nu meest zwakke plek in de aura van het stoffelijk lichaam.

Het komt ook voor dat iemand sterft aan ouderdom. Het lichaam is op, de ziel trekt zich terug, terwijl er geen ziekte op de voorgrond treedt. Omdat we gewend zijn sterven te koppelen aan een ernstige ziekte, kan dit een heel aparte ervaring voor ons zijn.

Ziekte als geestelijke uitdrukking in de stof

Het is u misschien opgevallen dat een orgaan in ons lichaam een symbolische uitdrukking is van een psychisch gegeven. Een ziek orgaan in ons lichaam laat zien op welk gebied we psychisch of geestelijk zwak zijn en nog een les te leren hebben. Zo laat een zieke maag zien dat we moeite hebben met het opnemen van nieuwe dingen die we op onze levensweg tegenkomen; de maag neemt voedsel op. Ziekte aan de darmen betekent moeite hebben met het verteren van het leven. Ziekte aan lever of nieren is moeite hebben met het zuiveren of uitscheiden van emoties. Ik moet toegeven dat het soms moeilijk is de psychische achtergrond van een ziekte op deze manier te achterhalen; soms zien we het verband niet. Toch kunnen we wel aannemen dat een ziekte in het fysieke lichaam de taal van dit lichaam is.

De verstokte, materieel ingestelde mens zal blijven zoeken naar de volgens hem altijd aanwezige materiële oorzaak van ziekten. Ziekten hebben echter een geestelijke achtergrond. Zoals ook de wetenschap (kwantummechanica) laat zien: hoe dieper men in de materie duikt, des te dichter nadert men het geestelijke. Achter het stoffelijke zit de oerkracht. De materie wordt door God Zelf gedragen.

Ook ons persoonlijk genenpaspoort (erfelijk materiaal) wordt ondersteund door deze oerkracht, de ziel. Ook onze genen worden via de hiërarchie van aura's, door de Levenskracht Zelf gedragen en gevormd.

Bovendien gaat men, door alleen uit te gaan van het stoffelijk lichaam (de genen), voorbij aan de persoon zelf. De vraag waarom nu juist die persoon incarneert in dat bepaalde lichaam wordt niet of nauwelijks gesteld. De esotericus stelt zich echter altijd de vraag: Waarom? Waarom heeft iemand die of die ziekte? Waarom moet iemand een ziek mens of een stervende verzorgen?

Het voorspellen van de toekomst is en blijft altijd een betrekkelijke zaak. Iedere manier van toekomst voorspellen moet gezien worden als een verlengstuk van het verleden. Dat wil zeggen dat dergelijke voorspellingen dan, mits goed gedaan, in hoge mate accuraat zullen zijn, als we onze levenslijn tenminste niet wijzigen.

Door tijdig het roer om te gooien hoeft iemand een ziekte waartoe hij schijnbaar is voorbestemd, niet te krijgen; of hij hoeft er niet aan te sterven. Het is niet meer nodig, men is tot bewustzijn gekomen.

In dit verband wil ik de zogenoemde spontane regressie van kanker noemen. Spontane regressie wil zeggen dat het kankergezwel kleiner wordt zonder dat een of andere medische therapie hieraan ten grondslag ligt. Voordat er sprake is van een dergelijke regressie ondergaat de patiënt een wezenlijke verandering. Niet alleen verandert zijn emotionele beleving en zijn denken, hij verandert in zijn totale doen en laten. Hij laat meer en meer zien wie hij in werkelijkheid is en laat jarenlang onderdrukte gevoelens en gedachten naar boven komen. De mensen in zijn omgeving hebben nu doorgaans de neiging te spreken van een erg lastige patiënt waar niet veel mee te beginnen is. En als het hier werkelijk om een wezenlijke verandering ten goede gaat, zal het duidelijk zijn dat we deze patiënt nu niet vol moeten stoppen met kalmerende middelen. Het kankergezwel kan nu 'spontaan' kleiner worden en ook helemaal verdwijnen, Hier heeft iemand wel kanker gekregen, zoals vooraf misschien aantoonbaar zou zijn geweest met DNA-onderzoek, maar hij zal er niet aan sterven.

Iemand met terminale kanker kan zich gaan verdiepen, kan gaan mediteren, zich creatief uiten en erover praten om op die manier de wortel van de ziekte door te snijden. Het is prima als iemand op een dergelijke manier met zijn ziekte omgaat; ook als de kans dat hij geneest klein is, heeft hij er dan toch veel van geleerd.

Er wordt ook wel eens gezegd dat iemand is genezen dankzij zijn of haar enorme wilskracht en doorzettingsvermogen. Dit is toch een wat liefdeloze opmerking jegens al diegenen die wel aan een dergelijke ziekte zijn overleden, net alsof zij geen wilskracht of doorzettingsvermogen hadden. Bovendien kunnen we nooit zeker weten waarom iemand is genezen.

We moeten ons niet al te zeer blind staren op toekomstvoorspellingen, of het nu gaat om genetisch onderzoek, astrologie of helderziendheid. (Voor degenen die ingewijd zijn in de astrologie: kijk eens welke mysterieplaneten een aspect met het midpunt Ascendant/Midhemel maken ten tijde van een sterfbed.) Het kan zijn dat een toekomstvoorspelling niet uitkomt doordat iemand vroegtijdig het roer finaal omgooit. De ziekte kan genezen, en het kan ook zijn dat iemand bijvoorbeeld door een auto-ongeluk komt te overlijden en zodoende de ziekten die voor hem in het verschiet lagen niet krijgt.

Ieder mens heeft ook het recht om het eigen leven in vrijheid te beleven. Ook al kan iemand door de gaven van helderziendheid de toekomst van een ander zien, het is niet goed hem deze te vertellen.

Ieder mens heeft zijn eigen verleden en is daardoor een unieke persoonlijkheid. Iedere ziekte is individueel. Als men dan ook zegt dat iemand een ziekte van het voorgeslacht heeft geërfd, dan moeten we dit met een flinke korrel zout nemen. We kunnen beter zeggen dat een ziel voor een bepaalde ziekte kiest om op die manier verder te komen. Met andere woorden, de ziel incarneert in een stoffelijk lichaam dat met een bepaalde ziekte erfelijk belast is. Om het simpel te zeggen: 'De ouders zorgen voor het lichaam en de te incarneren ziel is verantwoordelijk voor het feit dat Zij van dit lichaam gebruik maakt.'

Een ziel die karmisch gezien bijvoorbeeld een bepaalde spierziekte nodig heeft om verder in haar evolutie te komen, kan zich voor haar incarnatie door een toekomstige ouder laten aantrekken die ook aan deze ziekte lijdt. De ouders maken het mogelijk dat een ziel een bepaalde les ofwel ziekte kan krijgen. We mogen bovendien niet vergeten dat ook de ouders en de omgeving niet voor niets met deze patiënt te maken hebben; het is ook voor de omgeving weggelegd hiervan te leren.

In wezen heeft het dan ook weinig zin als men door groots opgezette erfelijkheidsonderzoekprogramma's ouders zou gaan adviseren wel of geen kinderen te krijgen, zodat bepaalde ziekten in de toekomst voorkomen kunnen worden en op aarde zullen uitsterven. Er zullen altijd ouders zijn die, ondanks de eventuele risico's voor het toekomstige kind, toch kinderen nemen. En wanneer een ziel het nodig acht een bepaalde ziekte door te maken, zal Zij altijd een geschikt lichaam weten te vinden, desnoods in Alaska.

Ieder mens kan in een ogenblik van zwakte wel eens denken dat we met al onze technische kennis machtiger zijn dan God. Laat me hier de woorden van de filosoof Bertrand Russell naar voren brengen: 'Wanneer bekwaamheid toeneemt, vervaagt de wijsheid.' (Wijsheid = kennis + liefde.) Artsen zijn tegenwoordig zeer bekwaam, maar het blijft zaak deze bekwaamheid in wijsheid te gebruiken. Het blijft zaak ons te realiseren dat we geen dag aan ons leven kunnen toevoegen als de Schepper dat niet wil.

De medische wetenschap kan erg veel, maar deze wetenschap zal ons nooit onsterfelijk kunnen maken. Eigenlijk zijn we al onsterfelijk, maar we zijn geneigd dit te vergeten. Onsterfelijkheid is een zaak van het bewustzijn.

Als een arts zich alleen met lichamelijke kwalen zou bezighouden, zich alleen zou bezighouden met het stoffelijk voertuig van de ziel, dan is deze arts niet veel meer dan een veredelde machinist. Een dokter die zijn titel werkelijk wil waarmaken, zou een patiënt naast de mogelijke lichamelijke behandeling ook moeten begeleiden naar een dieper bewustzijn. Dokter betekent leermeester (zie doceren).

Het is niet goed iemand van een ziekte te genezen zonder dat hij tot diepere inzichten is gekomen. Een arts kan ons helpen onze lichamelijke ziekten te genezen, maar wijzelf moeten het eigenlijke werk doen, eventueel met de hulp van derden. Blijf niet steken in symptoombestrijding. Iemand die een ziekte heeft en niet tot dieper inzicht en gedragsverandering komt, heeft een grote kans dat deze ziekte terugkomt, in dit of in een volgend leven. Men heeft de les te leren en tot bewustzijn te komen. Het is dan ook altijd goed als we ons afvragen: 'Waarom heeft iemand nu juist die ziekte, waarom moet iemand zo lijden?'

Als iemand zegt: 'Ik ben ziek', vraag dan: 'Wat voel je?' Laat de ander zich bewust worden van zijn ziekte. Laat de ander verwoorden wat hij voelt. Maar ga niet voor arts spelen als u niet bevoegd bent.

Ziekte en bewustzijn

Ik moet toegeven dat het soms moeilijk is de oorzaak van een ziekte te achterhalen; soms valt de oorzaak ook eenvoudigweg niet te achterhalen. Toch is het altijd goed te proberen de oorzaak op te sporen, niet om de ander schuldgevoelens aan te praten, maar om de ander tot dieper inzicht te laten komen.

We kunnen aan een hartpatiënt die nog niet te zeer verhard is, vragen eens te kijken hoe hij zich jegens zijn medemensen heeft gedragen. We kunnen aan iemand die longkanker heeft, vragen of hij zijn emoties of gedachten onderdrukt heeft, of hij zichzelf en zijn medemens genoeg ruimte heeft gegund. Het is iets moois als het iemand duidelijk wordt waarom hij die ziekte gekregen heeft. Zo iemand kan dan ook oprecht spijt krijgen. Echt gemeend berouw is een teken dat men tot bewustzijn is gekomen. Iemand die werkelijk berouw heeft, hoeft niet bang te zijn dat zijn ziekte ooit nog (in een volgend leven) terug zal komen. Dat zou ook totaal geen zin hebben; we zijn hier niet op aarde om zinloos te lijden, maar om in bewustzijn te groeien.

Op zich gezien is ziekte een vervelende, negatieve zaak. Ieder mens die sterft aan een ziekte vindt zijn ziekte afschuwelijk. Ga daar als begeleider ook op in, met mededogen. De patiënt hoeft zijn kwaal niet te verdringen, het is goed om bewust te zijn. Laat de patiënt dan ook over zijn ziekte vertellen en moedig hem hierin aan. Inzicht in het waarom van een ziekte vergemakkelijkt het aanvaarden van het lijden en sterven. Het sterven krijgt hierdoor een diepere betekenis. Als het inzicht zich verdiept, kan ook de schoonheid die in het leven en sterven geborgen ligt, naar boven komen.

Wanneer we niet achter de oorzaak van een ziekte kunnen komen, zal de zieke zich afvragen: 'Waarom moet mij dit overkomen?' Een mogelijk antwoord hierop kan zijn: 'Door elke ziekte kan men dichter naar God toe groeien.' Als men over zijn ziekte nadenkt kan men verder komen. U kunt dan als hulpverlener zeggen: 'U heeft deze ziekte nu gekregen of dit ongeluk nu moeten meemaken; misschien heeft een vroeger leven ermee te maken of heeft de Schepper het op uw weg gelegd; het heeft u wel dichter bij God gebracht.' (Zie ook Joh. 9:1-4.)

Zo kan een ziekte zelfs geluk voortbrengen. Hoeveel ernstig zieke en gehandicapte mensen zijn er niet die gelukkiger zijn dan carrièremakers? Er zijn natuurlijk ook mensen die zich juist vanwege hun ziekte van God afkeren. We kunnen ons wel van God afkeren, maar dit zal ons niets helpen. We voelen ons daardoor alleen maar ongelukkiger worden.

De lering die we altijd uit een ziekte kunnen trekken, is overgave aan de Liefde Zelf. Hoewel dit nooit mag betekenen dat we niet alle middelen moeten aangrijpen die tot genezing kunnen leiden. Iemand die ziek is, moet naar een arts gaan. Maar naast de medische behandeling moeten er perioden van inkeer zijn.

Deze gedachten kunt u als begeleider de zieke aanreiken; schenk de ander troost en troost ook de familie van de zieke. Maar het is aan ieder mens zélf om de stappen naar dieper inzicht te zetten; dit kunt u niet van een ander overnemen.

In de ziekte zelf zal veel energie gaan zitten; toch blijft er altijd genoeg energie over om zich op God te richten. En wanneer iemand zich op God richt, richt God zich tot deze persoon. Een stroom van nieuwe energie kan dan naar de zieke toestromen: liefde die men van God geschonken krijgt. Als een ongeneeslijk zieke mens tot berusting komt en zich op de liefde richt, dan kan zo iemand tot prachtige inzichten en ervaringen komen.

4 De omgeving van de stervende

De energieën om ons heen zijn direct van invloed op onze aura's. Omdat onze zintuigen, via de chakra's, gekoppeld zijn aan de aura's, zal
het horen van mooie muziek, het zien van een prachtig landschap, of het
ruiken van een heerlijke bloemengeur, onze aura's verfijnen. En hoe verfijnder onze aura's zijn, des te verder kan ons bewustzijn uitdijen. (Het bewustzijn ligt immers in de aura's besloten.)

Een stervende is bijzonder gevoelig voor de energieën om hem heen. Dit
komt doordat zijn bewustzijn naar het astrale uitgaat en hij daardoor met een
ruimer bewustzijn waarneemt. Een stervende ziet meer en hoort meer. Omdat
zijn bewustzijn naar de subtielere wereld wil, is hij gevoeliger voor verfijnde
energieën; hij is meer geïnteresseerd in mooie dingen dan daarvoor. De omgeving van een stervende is dan ook in belangrijke mate van invloed op zijn ge-
moedstoestand. Zorg er daarom voor dat de stervende in een fijne, zuivere
omgeving is en dat hij mooie dingen om zich heen ziet.

Een terminale patiënt heeft een andersoortig bewustzijn en zal daardoor de
wereld om zich heen anders ervaren. Omring de stervende met liefde.

De vrije natuur

Iemand die weet dat hij binnen afzienbare tijd zal sterven, hoeft nog niet de
hele dag thuis te blijven zitten. Als men er zich goed genoeg voor voelt, kan
men ook rustig over straat lopen. Omdat het leven schijnbaar zoals gewoon-
lijk wordt voortgezet, kan de omgeving gaan denken dat het met de patiënt
nog zo'n vaart niet loopt. Ontken de feiten echter niet; ook al leeft een terminale patiënt schijnbaar net zoals vroeger, hij zal de wereld om zich heen met
totaal andere ogen bekijken.

Een stervende kan een wandelingetje door de buurt maken; hij kan zich
ook door iemand in de auto laten rondrijden, langs allerlei plaatsen waar hij
speciale herinneringen aan heeft, zodat hij afscheid kan nemen.

Dring erop aan dat iemand zoveel mogelijk naar de vrije natuur gaat om
te wandelen, of om gewoon op een klapstoeltje onder een boom te gaan zitten. Het is iets prachtigs wanneer men, in een stil stukje natuur, languit op
de grond durft te gaan liggen. Het kan heerlijk zijn om het vermoeide li-

chaam op de grond neer te leggen. In de aarde zitten veel krachtige, rustgevende energieën. Zeg er wel bij dat het niet goed is in de volle zon te gaan liggen, want stervenden hebben veel moeite om de felle zonne-energie te verwerken.

Iemand die zich opstandig en agressief voelt zou eens een boom stevig moeten vastpakken. Hierdoor kan men veel agressie kwijtraken. Hij kan zich daarna afvragen waarom hij nu zo kwaad is geweest. Wanneer we met de rug tegen een boom gaan zitten zal dit onze aura rustig maken. Een boom wordt ook vaak gezien als symbool van het leven. Men ziet hier het vergankelijke van het leven in: het ontkiemen van het zaad en de groei.

Zorg er wel voor dat iemand niet alleen de natuur in gaat. Wanneer iemand alleen in een bos gaat wandelen zal hij zich waarschijnlijk niet erg op zijn gemak voelen. Als u met zijn tweeën gaat kunt u bovendien ook gemakkelijk tot diepzinnige gesprekken komen.

Het genieten van de natuur is het aanbidden van God. Pluk eens een madeliefje en vraag u af: 'Hoe is nu zo'n bloemetje gemaakt?' Kijk eens naar een bloemetje door een loep. Er is geen mens in staat zelfs maar het kleinste bloemetje te maken; alles wat we zien in de natuur is de schepping van God. Het zijn vormen van liefde.

Behandel de natuur met eerbied. Elk dier, elke plant is een goddelijke ziel en heeft haar verleden en haar toekomst. De hele schepping is een voertuig op weg naar de totaliteit. Elk wezen is voorbestemd om volledig één met God te worden.

Als u zegt: 'Ik ervaar zo weinig van God', pluk dan eens een bloem; hierin kunt u God ervaren. De natuur is het gelaat van God.

Wetenschappelijk ingestelde mensen zullen de natuur misschien op grond van hun kritische houding op een rationele manier bekijken. Mensen die als jachthonden door het leven zijn gegaan, hebben meestal nooit de tijd genomen om van de schepping te genieten. Het zijn vaak de eenvoudige mensen die het meest van de natuur houden.

We zullen tijdens ons leven moeten leren de natuur lief te hebben, om ook in het astrale van de schepping te kunnen genieten. We moeten van het aardse leven en van ons sterven kunnen genieten, om in liefde heen te kunnen gaan. Wanneer we de waarheid zien, zien we dat dit alles met elkaar samenhangt: in liefde. Wanneer we in volledige liefde het aardse leven loslaten, is een volgend aards leven niet meer nodig.

Natuurvolken hebben een prachtige band met de natuur. Het opperhoofd

Seattle van de indiaanse Dwamisch-stam heeft eens gezegd: 'Wij zijn slechts primitieven, terwijl de blanke man denkt dat hij een God is die de hele aarde bezit.' 'Hoe kun je de lucht en het kabbelen van het water bezitten?' 'Hoe kun je de lucht, de warmte van het land kopen of verkopen?' 'Hoe kan de mens zijn moeder bezitten?'

Het komt zelfs vandaag de dag nog voor dat indianen de natuur in gaan om te sterven. Voor ons is dit nu eenmaal niet weggelegd, maar als men de vrije natuur als omgeving heeft wordt het sterven gemakkelijker. Probeer het zelf maar eens uit: wanneer u onder een boom zit of languit op de grond gaat liggen, hoe veraf schijnen dan niet al onze wereldse beslommeringen.

Bloemen, planten en dieren

Bloemen stralen veel energieën uit; zij zullen de omgeving zuiveren en de mensen rustig stemmen. Vooral in een veldboeket dat in de vrije natuur geplukt is, zit veel kracht, terwijl dit bij kunstmatig gekweekte kasbloemen veel minder het geval is.

Bloemen werken bewustzijnsverhogend, mits men zich hier ook voor openstelt. Daarom moeten bloemen in huis met liefde verzorgd worden, zodat ze ook onder de aandacht van de stervende komen. Laat een stervende eens naar de bloemen kijken, confronteer hem met de Schepper en de schepping. Zij zijn hier erg gevoelig voor. We moeten wel bedenken dat mensen die veel pijn hebben moeilijk kunnen genieten, maar zet toch een boeketje op hun nachtkastje, zodat zij er van tijd tot tijd naar kunnen kijken.
Planten en bloemen zijn, net als wijzelf, zielen in evolutie. Als u een plant of een bosje bloemen aan een stervende geeft kunt u tegen de plant of de bloemen zeggen dat u ze bij een stervende mens in de kamer gaat zetten; praat tegen ze, verwelkom ze.

Vooral planten hebben een rustgevende invloed op mensen. Dus als een stervende erg onrustig is, kunnen we eens een plant meenemen als we op bezoek gaan. Planten laden zichzelf vooral 's nachts op. Zet planten dan ook 's nachts buiten de ziekenkamer. Ook bloemen kunnen we dan beter buiten de kamer zetten, omdat het doorgaans niet prettig is dag en nacht in de bloemengeuren te liggen. Alleen als men het gevoel heeft dat de stervende daadwerkelijk overgaat, kunnen we de bloemen ook 's nachts in de kamer laten staan, zodat iedereen ernaar kan kijken.

Wat mensen ook graag zien, zijn een paar mooie takken waaraan de nieuwe knoppen al zichtbaar beginnen te ontluiken: als symbool van het nieuwe leven dat op komst is.

Wanneer u bloemen koopt, doe dit dan in een gezellige bloemenwinkel of bij een vertrouwd bloemenstalletje.

Wanneer bloemen uitgebloeid zijn, kunnen we ze in dankbaarheid in de tuin of op het balkon leggen om verder af te sterven; dit is liefdevoller dan ze 'na gebruik' in de vuilnisbak te proppen.

Bloemen en planten delen in de liefde van God, ook zij zijn zielen, zij het in een andersoortige evolutie. Later zullen we ook in het astrale bloemen en planten tegenkomen, maar dan oneindig veel stralender dan hier op aarde. Immers, daar aangekomen hebben alle zielen, ook bloemen en plantenzielen, hun stoffelijk kleed afgelegd; daar straalt alles in het astrale licht.

Veel stervenden hebben behoefte aan huisdieren om zich heen. Zij voelen zich wat getroost door het zien van een dier. Een hond of een kat kan namelijk heel goed de menselijke emoties aanvoelen, zodat iemand een band voelt met het dier en zich minder eenzaam voelt. Er is een deelgenoot.

Alleen wanneer het moment van sterven werkelijk daar is, is het soms beter het dier niet in de kamer te laten. Sommige dieren kunnen bij het sterven van hun baasje erg onrustig worden en onder het bed gaan liggen janken.

Een huisdier is vaak de kluts kwijt als de eigenaar is overleden. De vertrouwde binding is verbroken, het dier voelt zich bedroefd en kan nu gemakkelijk onder een auto terechtkomen. Het kan ook zijn dat, als de eigenaar van een dier sterft, na niet al te lange tijd ook het dier wegkwijnt en zijn baasje volgt. Dan is het van belang dat ook het stervende dier door een liefdevolle mens wordt bijgestaan.

Dieren kunnen een innige band met mensen hebben, als er tenminste liefdevol met het dier is omgegaan. Deze band kan zelfs tot over het graf reiken. Zo kan het voorkomen dat een hond die is gestorven en in het astrale vertoeft, zijn baasje op aarde waarschuwt met een luid geblaf wanneer er voor zijn baasje op aarde een groot gevaar dreigt. Dit blaffen wordt op de aura van het baasje geprojecteerd, zodat deze dit helderhorend waarneemt.

Wanneer een mens is overgegaan naar het astrale, wordt hij altijd opgevangen door de persoonlijke gids en door de familie en geliefden die zijn voorgegaan. Later kan iemand het dier waarmee hij op aarde liefdevol heeft samengeleefd, eventueel weer ontmoeten. Het is de liefde die één maakt. Dit wil dus niet zeggen dat een slager na zijn dood wordt opgewacht door alle varkens die hij geslacht heeft. Zijn band met deze dieren zal doorgaans niet al te liefdevol geweest zijn. Ook 'lagere' diersoorten hebben meestal niet een dergelijke band met mensen. U hoeft dan ook niet bang te zijn dat als u gedurende vele jaren kippen heeft gehouden, u aan gene zijde wordt opgewacht door een massa van deze kakelende dieren.

Muziek

Harde geluiden brengen de aura's uit evenwicht; probeer deze dus te voorkomen, want vooral een stervende wordt hier onrustig door.

Geluid heeft een grote invloed op de aura's en chakra's. Ritmische muziek stimuleert met name de onderste chakra's en dit is voor iemand die zich zo hoog mogelijk wil 'afstemmen' niet plezierig. Als iemand met aandacht naar fijne muziek luistert, brengt dit een grote ontspanning teweeg. Als we luisteren naar een liefdevol persoon die met een zachte en rustige stem langzaam uit een mooi boek voorleest, dan kunnen we voelen dat we opgenomen worden in liefde.

Vraag eens aan de stervende van welke muziek hij houdt en vraag eens waarom dit nu juist zijn of haar favoriete muziek is. U kunt ook vragen welke muziek iemand bij de uitvaart wil horen.

Thuis sterven

Een stervende is erg gevoelig voor de energieën in zijn omgeving. Op het platteland is het dan ook rustiger sterven dan in een drukke stad. In een kleine dorpsgemeenschap wordt een sterfbed ook meestal door veel dorpsgenoten meebeleefd en dit kan een grote steun betekenen voor de familie van de stervende. Een stad is een samenraapsel van mensen. In een stad komt het voor dat iemand thuis op sterven ligt zonder dat de buren het weten. Voor deze buren is het dan meestal een grote schok als zij horen dat iemand in hun naaste omgeving is overgegaan.

Wanneer u tegen een stervende zegt dat hij moet worden opgenomen in een verpleeghuis, kunnen we rekenen op tegenstand en verzet. Hij ervaart dit als afscheid nemen; dit staat gelijk aan alles opgeven.

Thuis in de familiekring is de meest geschikte omgeving om te sterven. Thuis in de vertrouwde omgeving voelt men zich minder hulpeloos en kan men zich beter ontspannen, waardoor ook angst en pijn minder worden. Sterven in de familiekring maakt de stervende rustiger, waardoor iemand zich beter kan uitspreken. Dit maakt dat de begeleiding thuis van nature al veel beter is dan in een ziekenhuis of verpleeginrichting.

Toch ontkomt men er niet aan dat sommige mensen vanwege hun ziekte in een ziekenhuis zullen sterven. Een ziekenhuis is echter ingesteld op het genezen van patiënten en daarom zal een stervende zich hier niet snel op zijn plaats voelen. In een ziekenhuis vol medische kennis en apparatuur kan men ook eerder geneigd zijn het leven van de patiënt te gaan rekken. Bovendien is ook de hele omgeving in een ziekenhuis veel onpersoonlijker; daar heeft men nauwelijks de tijd om de stervende en de familie op te vangen. Na het overlijden wordt het lichaam snel weggevoerd en ook dan is er vaak te weinig personeel aanwezig om zich om de nabestaanden te bekommeren.

Het is de tendens dat er meer klinieken komen waar men er speciaal op ingesteld is stervenden te verzorgen en te begeleiden. Deze klinieken noemt men soms ook wel 'bijna-thuis-huizen' en bieden een veel persoonlijker benadering dan een ziekenhuis of verpleegkliniek. In een 'bijna-thuis-huis' staan de stervende en zijn familie centraal. Het streven is dat men hier net zo kan doen als men thuis gewend is. Bepaalde zaken, zoals de dagindeling en de verzorging, kan men vaak zo regelen als men zelf wil. Ook kan de familie meehelpen met de verzorging en in hetzelfde huis overnachten. Ondanks deze voordelen bestaat er wat deze huizen betreft ook een terughoudendheid bij de stervende zelf, omdat het nu eenmaal niet prettig is naar een dergelijk 'sterfhuis' te moeten gaan. Men weet dat men daar niet levend meer uitkomt. Een en ander is natuurlijk wel afhankelijk van de mate waarin de stervende zijn heengaan kan accepteren.

Desondanks kan een 'bijna-thuis-huis' een goed alternatief zijn wanneer er niet genoeg hulp is om de stervende thuis tot het einde toe te verzorgen. Het kan zijn dat de stervende zijn omgeving niet tot last wil zijn, of dat de familie aangeeft dat zij de verzorging en alles wat daarbij komt kijken niet aankan. Ook wanneer iemand bang is voor onverwachte lichamelijke complicaties kan men ervoor kiezen in een dergelijke inrichting te sterven.

Thuis sterven is ook voor een alleenstaande, vrijgezel of weduwe mogelijk. De begeleider kan samen met de stervende, de familie, de vrienden, de buren en overige hulpverleners afspraken maken, zodat er van tijd tot tijd iemand bij de stervende aanwezig is. Het moet voor iedereen duidelijk zijn wie het aanspreekpunt is: de zorgcoördinator. Het is mogelijk een draadloos alarmsysteem, dat via de telefoon loopt, te huren. Hiermee kan de stervende de zorgcoördinator of begeleider met een druk op de knop oproepen. Een alleenstaande kan gemakkelijk angstig worden bij het idee alleen over te gaan. Laat het aan de persoon zelf over of hij thuis wil sterven en kies alleen in het uiterste geval voor een opname in een verpleegkliniek.

Als het ook maar enigszins mogelijk is, laat de patiënt dan thuis sterven. De huisarts, de wijkverpleging, de gezinszorg en de zogenoemde intensieve thuiszorg of terminale thuiszorg kunnen hierbij een grote steun zijn. Het is meestal ook mogelijk gedurende een bepaalde tijd 's nachts hulp te krijgen die door de verzekering vergoed wordt. Bovendien komen er steeds meer organisaties van vrijwilligers die zich voor de stervenden en de familie willen inzetten. Misschien kan een werkend familielid met zijn werkgever tot een overeenkomst komen om gedurende een bepaalde tijd onbetaald verlof op te nemen, om zo vader of moeder bij te staan bij hun naderend einde.

Zet het bed in de woonkamer waar de stervende geleefd heeft, temidden van de familie. Zorg ervoor dat de stervende in een fijne kamer ligt en maak hier geen rouwkamer van!

De stervende kan, als hij daar behoefte aan heeft, rustig naar de televisie of een videofilm kijken. Vooral door een prachtige natuurfilm kan men gemakkelijk de schoonheid in Gods schepping ervaren.

Wanneer iemand een knuffelbeest heeft – ook volwassenen kunnen een knuffelbeest hebben – geef dit dan aan de stervende, zodat hij zijn verdriet kan uiten.

Zorg ervoor dat er voldoende licht is in de kamer. Stervenden hebben er behoefte aan hun omgeving goed te kunnen zien. Doe overdag de gordijnen niet dicht; gesloten gordijnen veroorzaken een sombere sfeer. Als men te zwak is om het felle buitenlicht te kunnen verdragen, kunnen de gordijnen wat voor de ramen worden geschoven. Zorg dat er geen felle lampen in de kamer staan te branden, of dat de stervende steeds recht in een brandende lamp ligt te kijken. Laat 's nachts een zacht brandend lampje aan, zodat de stervende niet in het donker hoeft te liggen. Overigens is het ook geruststellend wanneer er een babyfoon is aangesloten, zodat, wanneer de familie in een andere kamer is, zij de stervende kan horen.

Het kan ook bijzonder vervelend zijn als het bed naast een grote houten kast staat, of als iemand tegen een houten schrootjesplafond of -wand moet aankijken. Dit doet vaak te zeer denken aan het hout van een doodskist, en het is nu eenmaal niet prettig de hele tijd met dit vooruitzicht geconfronteerd te worden.

Richt de kamer zo plezierig mogelijk in en laat de spullen waaraan men gewend is aan de muur hangen. Als het hier om sombere schilderijen gaat, of als het afbeeldingen of voorwerpen zijn die negatief stemmen, kunt u deze in overleg met de stervende door iets anders vervangen. Vooral een vredig natuurlandschap aan de muur zal de omgeving positief beïnvloeden. Zet vooral angstaanjagende uitheemse voorwerpen zoals maskers en wapens uit de kamer. Eventueel kunnen ook nutteloze, zware, sombere meubelstukken uit de kamer worden gezet.

Houd de kamer opgeruimd, want dit stemt rustig. Overbodige spullen kunnen beter ergens anders worden neergezet. Bij dit opruimen moeten we wel alert blijven, want zo heb ik eens meegemaakt dat een stervende in huilen uitbarstte omdat ik zijn schoenen in de kast wilde opbergen. Dit confronteerde hem met het feit dat hij niet meer kon gaan en staan waar hij wilde.

Als iemand er behoefte aan heeft afscheid te nemen van bepaalde spullen, bijvoorbeeld familiejuwelen, sieraden of andere zaken die men zijn leven lang al bij zich heeft gehad, dan kunt u deze spullen de ander voorhouden, zodat men ook daadwerkelijk afscheid kan nemen. Pas wel op, want als de stervende erg aan deze materie gehecht is, kunt u dit beter niet doen; dan wordt het heengaan er alleen maar moeilijker op.

Het is goed de kamer op te vrolijken met bloemen, maar het is af te raden kaarsen bij de stervende te branden. De meeste mensen ondergaan bij brandende kaarsen een soort schemerige, mystieke betovering die niet echt prettig is. Een stervende die naar een brandende kaars kijkt kan ook gemakkelijk gaan denken dat, als de kaars is opgebrand, het ook met hem gedaan is. Flakkerende kaarsen wekken veel onrust op. Wanneer iemand erom vraagt een kaars aan te steken is hier natuurlijk niets op tegen, maar wees hier terughoudend mee. Hetzelfde geldt ook voor het branden van wierook, dat bovendien ook nog eens de ademhaling bemoeilijkt.

Men kan vragen of de stervende een prentje van een geliefd persoon wil, voor op het nachtkastje, zodat men er gemakkelijk naar kan kijken. Iemand kan ook een foto van een familielid of een vriend die in het sterven is voorgegaan, naast zich neerzetten.

Zorg ervoor dat er een aangename rust heerst rond het sterfbed. Een prettige omgeving is belangrijk, want als men prettig kan overgaan arriveert men aan gene zijde ook op een fijne manier. Laat de ander niet in somberheid overgaan; laat stervenden niet hun somberheid meenemen, want de astrale wereld is geen sombere wereld.

Een stervende begint steeds meer van de astrale wereld te zien. Dit gebeurt vaak met tussenpozen: iemand ziet iets van de prachtige wereld die hem te wachten staat, en dan zakt hij weer terug naar de aarde, om na verloop van tijd, in meerdere of mindere mate bewust, weer naar het astrale af te drijven. Soms ziet iemand een eerder overleden familielid dat liefdevol wenkt, of een prachtig landschap. Wanneer iemand na zo'n tijdelijk uitstapje weer naar de aarde zakt en dan een sombere, rommelige kamer ziet waarin hij ligt, kan dit zwaar vallen. Zorg daarom voor een prettige kamer met mooie bloemen en mooie muziek.

Maak van het sterven geen sombere bedoening, zodat men gemakkelijker kan overgaan. Alles moet erop gericht zijn de ander te helpen zo goed en zo plezierig mogelijk naar dat andersoortig leven over te gaan. Maak van de kamer geen sterfkamer maar een geboortekamer!

Het proces van sterven begint wanneer men zich bewust is van het feit dat men het aardse moet loslaten. Naarmate dit proces vordert, wordt de astrale wereld steeds belangrijker. Omdat in de astrale aura de indrukken uit eerdere incarnaties liggen, kan het gebeuren dat het huidige sterfbed een eerdere stervenservaring activeert. Zo kan het zijn dat de stervende enorme angsten heeft voor mensen in witte jassen. Deze witte jassen leggen voor hem, onbewust, het verband met een eerdere, minder prettige stervenservaring. Een ander kan misschien volledig van streek raken bij het zien van een hond. Het is dan mogelijk dat deze hond onbewuste herinneringen wakker maakt die te maken hebben met een vorig levenseinde in een concentratiekamp. Iemand die in een ziekenhuis ligt kan ook ongewoon angstig worden als de ziekenzaal tijdens het bezoekuur plotseling volstroomt met mensen. In dat geval is het mogelijk dat er flarden van zijn vorige levenseinde in de gaskamers in zijn bewustzijn terechtkomen.

Veruit de meeste mensen die in de laatste wereldoorlog zijn omgekomen, zijn vrij snel weer geïncarneerd en hebben nu de middelbare leeftijd bereikt. Dit is dus iets waar we rekening mee kunnen houden, want we hebben het hier over vele miljoenen mensen.

Als de stervende zegt: 'Ik wil in die of die kamer liggen', of 'Ik wil dat je die film op de televisie uitzet', of 'Ik heb liever dat je die foto of dat voorwerp uit de kamer zet', dan moet men hier dus niet tegenin gaan. Ook al kunnen zijn wensen nogal vreemd lijken en heeft de stervende hier zelf ook geen verklaring voor, kom de ander zoveel mogelijk tegemoet. Geef hem de ruimte, de ruimte om zo fijn mogelijk heen te gaan.

Indringende, heftige negatieve ervaringen, opgedaan tijdens eerdere levens op aarde, kunnen ook bij gezonde, niet-terminale mensen naar boven komen. Zo zijn fobieën (aanvallen van angst zonder dat hiervoor een directe oorzaak is aan te wijzen) vrijwel altijd terug te leiden naar negatieve ervaringen in vorige levens. Zo kan iemand nu, in dit leven, aan claustrofobie lijden doordat hij in een eerder leven gedurende lange tijd in een cel opgesloten heeft gezeten. Monofobie, de angst om alleen gelaten te worden, kan zijn oorzaak hebben in het feit dat iemand in een eerder leven alleen gelaten is. Trommelfobie kan betekenen dat iemand in een eerder leven tijdens tromgeroffel geëxecuteerd is en nu in dit leven een enorme angst over zich voelt komen als hij tromgeroffel hoort.

We mogen een stervende natuurlijk niet links laten liggen, maar het is ook niet goed als er altijd iemand bij de stervende aanwezig is. Iemand zal het fijn vinden als hij van tijd tot tijd ook eens met rust gelaten wordt.

Het is zelfs goed als iemand zich van tijd tot tijd in zichzelf terug kan trekken. Ook in het astrale leven zijn er veel perioden waarin men zich in stilte terugtrekt. We kunnen misschien zelfs stellen dat, als iemand niet in stilte tot zichzelf kan komen, hij dit ook na zijn sterven in het astrale niet kan en daarom opnieuw zal incarneren.

De één heeft meer behoefte aan rust dan de ander, dit is heel persoonlijk. Iemand die gewend is aan een gezellige drukte om zich heen, kan gaan vereenzamen als men hem ergens op een slaapkamer wegstopt. Deze mensen zullen de stilte minder goed aankunnen, zij missen de gezellige huiskamer. We kunnen dit vergelijken met een baby die nog in de baarmoeder is. Wanneer de aanstaande moeder de hele dag druk in touw is en veel verschillende mensen ontmoet, is het na de geboorte voor de baby erg onplezierig als hij op een stil kamertje komt te liggen.

Wanneer we de vergelijking tussen geboorte en sterven nog even doortrekken, dan zullen we zien dat een stervende net zo goed de kans moet krijgen om rustig te sterven, als een aanstaande moeder de kans moet krijgen om in alle rust haar kind ter wereld te brengen. Zowel een stervende als de aanstaande moeder zal zich op het komende wonder moeten kunnen concentreren.

Voelt iemand dat zijn einde nabij is, dan heeft hij minder interesse in aardse zaken. Kijk eens hoe de dieren in de vrije natuur sterven: ook zij trekken zich terug om alleen te zijn. Nu zijn dieren geen mensen, maar ook mensen krijgen tijdens de laatste levensdagen steeds minder behoefte aan bezoek. De omgeving voelt dit meestal zelf ook wel aan en de mensen die op het laatst nog op bezoek komen zijn meestal naaste familieleden of heel goede vrienden. Hoe meer iemand naar het punt van overgaan toegaat, hoe minder hij wil worden afgeleid. De mensen die van het sterfbed geweerd worden zullen hier ook begrip voor hebben.

Moedig de stervende aan te zeggen welk bezoek niet en welk bezoek nog wel welkom is. Zorg ervoor dat hij de ruimte krijgt om te zeggen waar hij behoefte aan heeft, zodat de eigen vrede bewaard wordt. Geef iemand de ruimte om te sterven.

Laat het bezoek op een stoel naast het bed gaan zitten. Hiermee geeft men aan dat men de tijd heeft en dit stemt rustig. Als het bezoek rond het bed gaat staan, moet de stervende weerloos op zijn rug tegen al die mensen aankijken en dit kan bedreigend voor hem zijn.

Als het bezoek met elkaar in gesprek komt, zou men moeten proberen rustig te praten, zodat de stervende het ook kan volgen. Nu hoeven het niet altijd diepzinnige gesprekken te zijn die men onderling of met de stervende voert. We kunnen het ook rustig eens over koetjes en kalfjes hebben. We kunnen vertellen wat we de afgelopen dagen beleefd hebben, want de stervende zal van tijd tot tijd ook eens wat afleiding willen. Soms is het beter gewoon, in stilte, op een stoel naast het bed te gaan zitten. Als de stervende zegt: 'De wereld interesseert me niet meer', dan is dit een teken dat men de wereld heeft losgelaten. Overlaad iemand dan niet met allerlei nieuwtjes, daar heeft hij geen interesse meer in. Stervenden hebben dan meestal meer interesse in het lezen van spirituele boeken. Als de stervende hier behoefte aan heeft, maar te zwak is om zelf te lezen, dan kunt u aan de familie vragen of zij dagelijks wat willen voorlezen.

De omgeving is van invloed op de stemming van de stervende. Andersom heeft een sterfbed ook invloed op de omgeving. De mensen in de omgeving van een stervende kunnen veel opsteken van een mooi sterfbed. Het confronteert ieder mens met de zin van het bestaan en men kan gaan nadenken over het eigen leven. Het is voor de familie en vrienden een groot geschenk wanneer zij rond een liefdevol sterfbed mogen staan.

5 De familie

Bij een mooie overgang is de hele kamer vol licht. Soms is de kamer gevuld met een heerlijke geur. Dit komt doordat, als een mens overgaat, de scheiding tussen het aardse en het astrale voor een ogenblik wegvalt. Wanneer een goed mens overgaat brengt deze, als een soort medium, het astrale licht, de astrale geuren en soms zelfs de astrale geluiden op aarde. Eén en al liefde! De mensen rond het bed voelen zich dan als in de hemel. Ook het gevoel van tijd en ruimte ervaart men dan heel anders.

Niet alle omstanders zullen dergelijke ervaringen hebben. Ook hoe dit wordt ervaren is weer volledig in overeenstemming met het bewustzijn dat iemand heeft. Er zijn mensen die zich met de sterk veranderende energieën op het moment van sterven geen raad weten. Ik heb meegemaakt dat iemand van de familie op dat moment kokhalzend naar het toilet moest rennen. Mensen zijn soms erg zenuwachtig als zij aan het bed van een stervende staan. Zij weten zich soms geen raad. De begeleider moet zijn ogen dan ook goed de kost geven, opdat ook zij worden opgevangen.

Iedere persoon zal in volledige vrijheid moeten kunnen bepalen op welke afstand hij van het sterfbed blijft. Wanneer u als begeleider ziet dat iemand het er erg moeilijk mee heeft, kunt u deze persoon desnoods naar een andere kamer brengen, zodat hij weer op adem kan komen.

Iedereen die aan een sterfbed staat wordt geconfronteerd met de grote levensvragen. Men gaat dan ook vaak weer eens bewust nadenken over het eigen leven. We kunnen dit zien als een geschenk van de stervende aan zijn familie. Door zijn sterfbed voelt de familie zich meer één worden, doordat iedereen met zijn neus op dezelfde feiten wordt gedrukt. Men zal elkaar moeten helpen en bijstaan als één familie.

Bij een sterfgeval komt het geregeld voor dat de kleine kinderen zich door de volwassenen in de steek gelaten voelen. De grote mensen hebben het dan zo druk met de stervende en met zichzelf, dat zij de kleintjes over het hoofd zien.

Betrek ook de kleine kinderen – van het begin af aan – bij het sterven van een familielid. Het is voor een kind een grote schok als het plotseling hoort dat opa of oma, een oom of een tante er niet meer is. Kinderen moeten erop voorbereid zijn. Zij moeten ook zoveel mogelijk bij de stervende worden toegelaten. In het begin zal een sterfbed niet prettig op het kind overkomen, maar kinderen hebben sneller dan volwassenen de neiging om gewoon te doen. Het is ook voor de stervende fijn om eens gewoon en gezellig met het kind te kunnen praten. Ook het kind kan hier mooie herinneringen aan overhouden.

Zeg dan ook tegen het jongetje of meisje: 'Doe gewoon, net zoals toen opa of oma nog gezond was. Alleen kan opa of oma nu niet meer met je spelen.' Als een kind een cadeautje wil meenemen is dit prima. Stimuleer het kind hierin; het kan voor zowel de stervende als het kind erg belangrijk zijn. Een kind kan ook bloemetjes meenemen.

Kinderen kunnen na een bezoek aan een stervende erg moe zijn. Dit komt vooral doordat stervenden soms nogal wat energie van hun omgeving aftappen. Geef het kind dan ook voldoende rust; het heeft deze ook nodig om het een en ander te kunnen verwerken. We kunnen kleine kinderen al vroeg bij het sterven betrekken. Dan komen zij ook eerder tot het bewustzijn dat het aardse leven eindig is. Dit plaatst het leven in een reëler en gezonder daglicht en het zal later hun leven positief beïnvloeden. Ook als kinderen een ongeluk op straat zien, haal ze er dan niet meteen bij weg.

Geef kinderen voldoende aandacht. Kinderen kunnen op verschillende manieren om aandacht vragen, soms op een leuke, positieve manier, en soms halen zij allerhande kattenkwaad uit om in de belangstelling te komen. Zij kunnen ook spijbelen van school, of door de buurt gaan zwerven.

Ieder kind heeft wel eens, na een ruzie met een van de ouders, deze ouder in het geheim dood gewenst. Wanneer nu deze ouder op sterven ligt, kan het kind zich enorm schuldig gaan voelen omdat zijn wens blijkbaar is uitgekomen. Vermoedt u dat dit soort zaken bij het kind spelen, zeg dan dat het niemand zijn schuld is dat vader of moeder op sterven ligt. Voor vader of moeder is de tijd gekomen om nu te gaan.

Kleine kinderen hebben moeite om onderscheid te maken tussen enerzijds een wens of een gedachte en anderzijds de verwerkelijking hiervan. Dit komt doordat bij kleine kinderen de astrale herinneringen meer aan de oppervlakte liggen dan bij volwassenen. In het astrale is men gewend dat gedachten scheppend werken. Als men in het astrale bijvoorbeeld een huis wil bouwen, kan men dit huis in gedachten op een geschikte bouwplaats projecteren. De astrale 'stof' zal zich dan voegen naar deze gedachte. Soms is voor een dergelijke bouwonderneming hulp van anderen nodig en ook de collectieve gedachten in die bepaalde sfeer spelen hierbij een rol. In de hoogste astrale sferen heeft men overigens minder behoefte aan huizen; daar woont men in het huis Gods.

Kinderen kijken op hun eigen manier tegen de dood aan. Laat ze hun vrijheid en pas ervoor op dat zij niet in de belevingswereld van de volwassene worden ingelijfd. Het is beter goed naar hen te luisteren als zij hierover wat kwijt willen en hen aan te moedigen om hun emoties en gedachten te uiten.

Het begeleiden van de familie betekent dat u daarmee ook de stervende begeleidt. Het is voor de stervende een opluchting als hij weet dat er mensen zijn waar de familieleden met hun problemen naar toe kunnen gaan. Dat er mensen zijn die deze familieleden gerust kunnen stellen.

Hoe vaak gebeurt het niet dat iemand van de familie met zijn problemen naar de stervende toegaat, terwijl deze het zelf al zo moeilijk heeft. Sommige mensen schijnen een stervende als een soort orakel te beschouwen waar zij de oplossingen voor hun problemen hopen te vinden, terwijl de stervende al zijn aandacht voor zichzelf nodig heeft.

Alle aandacht zal in eerste instantie naar de stervende moeten gaan; de stervende komt op de eerste plaats. Maar het is mogelijk dat iemand in de familie nu alleen maar aan zichzelf denkt. Iemand kan zijn zinnen volledig hebben gezet op de erfenis, het huis of de auto. Materieel gewin kan bij ieder mens verblindend werken. Iemand in de familie kan ook volledig opgaan in het eigen verdriet, zonder de ander nog te zien. Zo kan een achterblijvende partner in diepe droefenis ondergedompeld raken en de aandacht voor de stervende verliezen. De eigen problemen lijken dan groter dan die van de stervende. 'Wat verschrikkelijk dat ik nu weduwe of weduwnaar ga worden. Wat moet er nu van mij terechtkomen?' De aandacht is dan meer op zichzelf gericht dan op de stervende, terwijl de stervende nu juist zoveel aandacht en liefde nodig heeft.

De familie kan de stervende beter zoveel mogelijk liefde meegeven in plaats van zich terug te trekken in eigen smart of gevoelens van onvermogen. Het verdriet dat de stervende bij zijn geliefden ziet, maakt zijn heengaan er alleen maar moeilijker op.

De partner van de stervende kan zich opsluiten in de eigen emoties. Iemand kan ook in zijn schulp kruipen omdat hij bang is voor de emoties van de stervende. Men mijdt dan liever de gevoelige onderwerpen, want men is bang voor de emoties die men daarmee bij de stervende losmaakt. Men weet dan niet goed hoe men op de emoties van de stervende moet reageren. Vaak uit zich dit in een pijnlijk stilzwijgen, of men zegt: 'Houd je goed, kom op, flink zijn.' De stervende zal dan in een isolement raken met zijn gevoelens en gedachten. Maar al te vaak wordt dit soort zwijgen ten onrechte gezien als dapperheid. Mij doet het eerder denken aan eenzaamheid. Het is een groot misverstand te denken dat men elkaar spaart door niets van zijn gevoelens te laten blijken. We kunnen beter openlijk met elkaar praten, zodat we elkaar ook kunnen helpen. De begeleider kan hierin misschien een bemiddelende rol op zich nemen, zodat men weer dichter tot elkaar komt.

De communicatie kan ook moeilijk verlopen als de stervende door sterke stemmingswisselingen gaat. De ene keer is de stervende somber en gesloten, de andere keer argwanend, grof, of sterk in verzet. Familieleden kunnen het ook erg moeilijk hebben met het verwerken van hun eigen emoties, die van dag tot dag kunnen verschillen. Het laat zich raden dat de communicatie moeilijk wordt als de emoties van de stervende en die van de familie niet gelijk opgaan. Bijvoorbeeld als de stervende berusting heeft gevonden, terwijl iemand in de familie hier nog lang niet aan toe is. Of de stervende heeft nog hoop op beterschap, terwijl de ander erg verdrietig is omdat zijn geliefde nooit meer beter zal worden.

We moeten bedenken dat ieder mens op zijn eigen manier met sterven omgaat en dat ieder mens zijn eigen oplossingen heeft voor verdriet en verlies. Bovendien staat ieder familielid in een andere verhouding tot de stervende. Een zoon die altijd door zijn vader werd klein gehouden, of een dochter die seksueel misbruikt werd, zal heel anders reageren op het sterven van vader, dan een kind dat het lievelingetje van vader was. We kunnen dan ook niet een bepaald gedrag van de familieleden verwachten.

Mannen kunnen nog wel eens uitermate stoer in hun stervensbed liggen. Zij bevriezen hun gevoelens soms zozeer, dat het bijna onmogelijk is hier beweging in te krijgen. Hoe jammer is dit toch, er gaat zoveel grootsheid uit van een gevoelig mens. Denk eens aan Meester Jezus, hoe Hij weende en hoeveel angst Hij had in de hof van Getsemane omdat Hij wist dat Hij ging sterven. Jezus maakte Zijn verdriet en Zijn angst ook bespreekbaar met Zijn discipelen.

Veel mensen zijn teleurgesteld als de stervende erg gesloten is. Iedereen die van het verzorgen of begeleiden van stervenden zijn werk heeft gemaakt krijgt vroeg of laat te horen: 'Zelfs nu mijn vader (of moeder) op sterven ligt, praat hij (zij) niet openlijk met me.' Meestal is dit een teken dat de relatie tijdens het leven ook niet erg open was. En het is niet gemakkelijk hier in een betrekkelijk korte tijd verandering in te brengen.

Vaak zien we dat de kinderen ook rond het sterfbed de kinderen blijven. Dat wil zeggen dat zij naar de ouders moeten luisteren en dat de ouders het moeilijk vinden iets van hun kinderen aan te nemen. De kinderen worden dan niet gezien als volwassenen, terwijl ze meestal verder in evolutie zijn dan hun eigen ouders. Gelukkig worden de gezinsverhoudingen tegenwoordig steeds opener. Ouders beginnen steeds meer in te zien dat zij veel van hun kinderen kunnen leren. Bovendien is het goed te onthouden dat ieder mens in feite een kind van God is. God is onze ware Moeder-Vader.

Een ouder heeft ook op zijn of haar sterfbed het beste met de kinderen voor. Maar soms kan men nog wel eens het onmogelijke van de kinderen eisen. De kinderen zijn in deze omstandigheden geneigd zoveel rekening te houden met vader of moeder, dat toezeggingen soms te snel gedaan worden. Vader of moeder kunnen bijvoorbeeld van een kind de belofte aftroggelen om te gaan trouwen in plaats van te blijven samenwonen. Of een stervende moeder vraagt aan haar dochter na haar sterven toch vooral goed voor vader te zorgen en iedere week even bij hem langs te gaan. Ik heb ook eens gehoord van een situatie waarbij de stervende min of meer van zijn kinderen eiste dat zijn kleinkinderen gedoopt zouden worden.

Ik heb meegemaakt dat een stervende van zijn vrouw eiste dat zij nooit en te nimmer het huis zou verkopen, het huis waar hij zo lang voor had moeten werken om het te kunnen afbetalen. Later kwam deze vrouw in grote gewetensnood. Zij was vanwege haar lichamelijke beperkingen niet meer in staat alleen te wonen en moest het huis inruilen tegen een kamer in een bejaardenhuis.

Dergelijke eisen rieken naar chantage. Het spreekt vanzelf dat de familie aan dergelijke eisen niet tegemoet mag komen.

Moedig de stervende aan om zijn wensen te uiten en kom hieraan zoveel mogelijk tegemoet, tenzij het om onredelijke wensen gaat. De stervende heeft het recht, zelfs de plicht, om voor zichzelf op te komen. Ga er wel tegenin als de stervende iets verlangt waardoor een medemens beschadigd kan worden. Behoed de stervende hiervoor, want negatieve wensen en verwachtingen slaan ook in negatieve zin op de stervende zelf terug.

Moedig de stervende en de familie aan om hun emoties te uiten. Help hen om zoveel mogelijk op te ruimen. Wanneer iemand van de familie schuldgevoelens heeft, is het beter dit tijdig voor het sterven uit te spreken. Schuldgevoelens kunnen iemand soms jarenlang achtervolgen. Het komt vaak voor dat een partner schuldgevoelens heeft doordat deze denkt dat men tijdens het huwelijk niet goed voor de ander is geweest. We kunnen dan ook altijd aan de partner vragen of deze nog iets met de stervende wil bespreken. De begeleider kan de partner zo nodig helpen en steunen om onafgemaakte zaken naar voren te brengen. Nu de stervende het aardse leven in een breder perspectief gaat zien, kan deze ook gemakkelijker tot vergeven komen.

Laat de stervende en de familie zoveel mogelijk vrij om hun gevoelens te uiten en moedig hen hierbij aan. Probeer te voorkomen dat er onuitgesproken gevoelens blijven bestaan. Onafgemaakte zaken kunnen niet alleen de nabestaanden, maar ook de overledene in de astrale wereld blijven achtervolgen. Wanneer we elkaar begrijpen kunnen we tot vergeving komen.

Het is aan te raden de eigen gevoelens zo zuiver mogelijk te houden. Het sterven is vaak bedekt met het vooringenomen idee dat dit een verschrikkelijk treurige gebeurtenis moet zijn. We schamen ons er vaak voor onze werkelijke gevoelens te laten zien. Ook al voelen we dat het goed is dat iemand gaat, we blijven een sombere stem opzetten.

In werkelijkheid is de stervende vrijwel altijd na een bepaalde tijd tot berusting en overgave gekomen. Veel stervenden vinden het heerlijk dan te kunnen gaan. Met vlagen hebben zij soms al het een en ander van het nieuwe land mogen zien en de heerlijkheid hiervan zal hen blij stemmen. Hoed u er dus voor een sombere grafstem op te zetten als dit niet echt gemeend is. De stervende kan zich aan dit soort stemmingmakerij gaan ergeren. Blijf bij uw echte gevoelens!

Het kan soms heel erg zijn voor de familie dat hun geliefde gaat, maar we moeten vaststellen dat voor de stervende de tijd gekomen is. U kunt tegen de familie zeggen dat het leven aan de andere kant gewoon doorgaat. En dat, als iemand bepaalde dingen anders had willen doen, hij hier ook nieuwe kansen voor krijgt.

Men kan dan wel compassie of mededogen voor de ander voelen, dit betekent nog niet dat men met de stervende moet mee-lijden. Mee-lijden is in feite ook niet mogelijk, want iedereen heeft zijn eigen weg te gaan, ieder mens heeft zijn stappen zelf te zetten. Dit alles neemt niet weg dat we elkaar wel moeten bijstaan en helpen.

Het is niet goed als de familie constant naast het bed gaat zitten of steeds met de stervende bezig is. Niet alleen heeft iemand de rust nodig om de nodige zaken te verwerken, hij moet ook de gelegenheid krijgen om zich innerlijk op God te richten. Wanneer de familie overdreven veel aandacht aan de stervende schenkt, krijgt de stervende steeds maar weer nieuwe energieën toegevoerd, zodat het ook moeilijker wordt om heen te gaan.

Wanneer men iemand moeilijk kan loslaten, kan men een constante stroom van energieën naar deze persoon doen uitgaan. Een stervende kan echter alleen overgaan als de energie in de aura van het fysieke lichaam vrijwel tot nul gedaald is. De stervende kan door de energie die men, al of niet bewust, naar hem zendt, soms slechts met grote moeite loskomen. Men krijgt zo bijna niet de kans om te gaan. De stervende kan in alle staten raken en kwaad worden, schreeuwt onhoorbaar uit: 'Laat me nu toch gaan!' Het is echter mogelijk dat de familie niets merkt van deze enorme worsteling. De kracht om dit duidelijk te maken kan de stervende vaak niet meer opbrengen.

Wanneer iemand voor de stervende gaat bidden, let er dan op dat men niet gaat bidden om de stervende hier te houden. Natuurlijk vindt vrijwel niemand het fijn om te zien dat zijn of haar ouder, partner of vriend op sterven ligt. Toch kunnen we proberen het sterven positief te benaderen, en het is dan ook beter te bidden voor een mooie overgang dan God te vragen de geliefde nog een tijdje hier te laten. Door dergelijk egoïstisch gedrag maakt men het de stervende bijzonder moeilijk. De stervende kan gaan worstelen: hij wordt verscheurd door de smeekbede die hem aan de aarde vasthoudt terwijl hij zich eigenlijk wil overgeven.

Laat de stervende gaan en ondersteun hem hierin.

Het komt voor dat de familie God uit de hemel bidt om de stervende toch maar zolang mogelijk hier op aarde te laten. Bid liever tot God om Hem te vragen of de stervende klaar is om te gaan.

Ook een partner die tot het einde toe de stervende blijft vasthouden door de armen om zijn geliefde heen te slaan, zou duidelijk gemaakt moeten worden dat de ander hier hinder van kan hebben. Men kan nog zoveel van elkaar houden, sommige dingen moet men nu eenmaal alleen doen. Als iemand stilletjes de hand van de stervende vasthoudt is dit niet erg, maar we moeten er wel op letten met welke intentie dit gebeurt. Als u de hand van een stervende vasthoudt zult u merken dat op het moment van overgaan de hand van de stervende op een wonderlijke manier verslapt. Alsof u na het sterven met een wonder in de eigen hand achterblijft. Ondersteun de stervende en geef de stervende de ruimte om heen te gaan.

Als de aardse levensklok afloopt is er niets meer aan te doen. Maak het heengaan dus niet nodeloos zwaar. Laat de stervende gaan.

Als iemand werkelijk van de stervende houdt, zal hij de ander ook vrij laten om te gaan, ondanks het enorme verdriet dat men voelt. Men begrijpt dat de tijd gekomen is om elkaar in dankbaarheid los te laten. Het klinkt wat theoretisch, maar als men een liefdevol leven heeft gehad, kan men in liefde afscheid nemen. Als men werkelijk liefdevol met elkaar is omgegaan, zal men elkaar in liefde kunnen loslaten; men weet dat het goed is. Door de liefde blijft men een binding met elkaar houden, zelfs over het graf heen. Bovendien is het zo goed als zeker dat twee mensen die in liefde met elkaar op aarde hebben samengeleefd, elkaar in het astrale weer zullen ontmoeten.

Het is voor de familie ook zwaar om een sterfbed aan te moeten zien waar geen einde aan schijnt te komen. Maar ook al lijkt een slepend lang sterfbed soms zinloos, we moeten er toch van uitgaan dat iedere minuut zijn waarde heeft. Anders kreeg de stervende deze minuut niet aan zijn leven toegevoegd.

Ieder mens zal gaan op zijn eigen tijd. Sommige mensen kunnen hun tijd nog een weinig uitstellen door met hun wil alle energie in zichzelf te verzamelen en vast te houden. Iemand kan dit min of meer bewust doen, bijvoorbeeld omdat hij dolgraag het zojuist geboren kleinkind wil zien. Of hij wil nog zo graag van iemand afscheid nemen, of een ruzie bijleggen. We kunnen dit zien als een korreltje zand dat de zandloper eventjes laat stoppen. Door zich aan iets vast te klampen kan men slechts tot op zekere hoogte het tijdstip van overgaan zelf bepalen. Zo kan men ten hoogste nog een paar dagen langer hier blijven. Dit in zichzelf verzamelen van energie kost op zich al zoveel moeite dat, als men het kleinkind gezien heeft of als men de ruzie heeft bijgelegd, de energie daarna totaal op is en iemand spoedig zal overgaan.

Wanneer de partner de stervende smeekt hem of haar toch vooral niet alleen te laten, kan het zijn dat de stervende juist overgaat als de partner een paar uurtjes de kamer uit is. De stervende voelt zich dan verlost van deze smeekbede, waardoor de balans kan doorslaan naar overgave. Het komt ook voor dat een stervende moeder weken lang, dag en nacht is verzorgd door haar lievelingsdochter en dat, als de dochter even weg moet om een boodschap te doen, zij bij haar terugkomst tot haar grote ontsteltenis moet vaststellen dat haar moeder is overleden. Deze stervende heeft haar geliefde dochter dan niet al te direct willen confronteren met het heengaan. Zij zal dan, op het moment dat de dochter de deur uit is, alles loslaten en overgaan.

Voor een familielid of een geliefde kan het heel erg zijn als men er op het moment van sterven niet bij is. Maar de overledene heeft ervoor gekozen in stilte heen te gaan. Men hoeft zich dan ook niet schuldig te voelen als men het einde niet zelf heeft meegemaakt.

Het kan zijn dat de stervende pas echt tot zichzelf kan komen als er verder niemand in de kamer is. Als iemand alleen gelaten wordt kan hij tot rust komen en zich zo ook beter concentreren op de Liefde Zelf.

Anderen willen juist wel overgaan temidden van hun dierbaren. Het is voor de familie dan heel mooi om er op dat moment bij te zijn. Iemand die overgaat ziet de prachtige astrale wereld voor zich opengaan. Hij zal hierdoor volledig in beslag worden genomen en het is dan bijzonder onplezierig als de stervende op dat moment van al dit moois wordt afgeleid.

We moeten op het moment van heengaan de stilte in acht nemen. Zodat de ander zo bewust mogelijk van de ene naar de andere wereld kan overglijden. Vooral harde geluiden zijn dan uit den boze; iemand op het moment van overgaan kan hier erg van schrikken. We kunnen dit tot op zekere hoogte vergelijken met iemand die slaapt en een mooie droom heeft; ook dan is het vervelend om plotseling wakker gemaakt te worden. Ook is het voor de stervende bijzonder onplezierig als een arts tijdens het overgaan met een lampje in de ogen gaat schijnen om te kijken of er nog een pupilreactie is. De mensen rond het bed zullen een stapje terug moeten doen, zodat de stervende zich op de liefde kan concentreren.

De begeleider kan de stervende en ook de familie al in een vroeg stadium attent maken op de liefde waarin de stervende kan heengaan. Zo wordt de kans groter dat iedereen dit sterven ervaart in een gelukstoestand.

Het is een zegen voor de stervende als de kinderen hand in hand aan het sterfbed van de ouders kunnen staan. Als de kinderen ruzie of onenigheid hebben wordt het sterven er zoveel moeilijker op. Maak geen ruzie aan het sterfbed! Gelukkig raken ruzies in de familie meestal op de achtergrond als men ziet dat vader of moeder op sterven ligt.

Het is een enorme verrijking, een zegen voor de familie, als zij een stervende mag bijstaan die op een mooie manier overgaat; het is een waar Godsgeschenk!

Ieder familielid zal het sterfbed anders ervaren en er zullen mensen zijn die vinden dat het sterven absoluut niets feestelijks heeft. Maar wanneer een goed mens sterft, kunnen we dit vieren als een familiefeest, net zoals een geboorte.

Wanneer de stervende thuis door de familie verzorgd wordt, verwerkt de familie het afscheid nemen intenser en vollediger. Het is ook fijn om een liefdevol mens te mogen bijstaan. Het zal de familie een voldaan gevoel geven als zij het samen tot een goed einde kunnen brengen.

Mensen die niet vaak naar de stervende kunnen gaan doordat zij bijvoorbeeld te ver af wonen, kunnen de stervende ook liefdevolle gedachten toesturen en voor de stervende bidden.

Ook op afstand kan men een stervende in gedachten toespreken. Ook in gedachten kan men bij een stervende zijn.

Wanneer vader of moeder op sterven ligt, zullen de onderlinge verhoudingen gaan veranderen. Het kan bijvoorbeeld zijn dat een zoon voor zijn zieke moeder het huishouden gaat doen, of een dochter de taken van vader gaat overnemen. Ook kan een man zijn zieke echtgenote gaan verzorgen en het huishouden gaan doen, terwijl hij nog nooit in zijn leven dergelijke taken heeft verricht. Het kan soms wel even duren voordat alle betrokkenen gewend zijn aan deze nieuwe rolverdeling.

Ook de stervende zelf zal moeten wennen aan het feit dat hij nu door één of meerdere familieleden verzorgd moet worden. Wanneer men thuis sterft is het niet te voorkomen dat het bed soms door de familie verschoond moet worden, of dat de familie de hulpverleners die aan huis komen moet assisteren bij de verzorging.

De stervende is soms bang om de familie tot last te zijn. Dit niet-lastig-willen-zijn maakt dat de stervende zijn wensen niet durft uit te spreken. Hij durft niet om drinken te vragen, geen hulp te vragen bij de toiletgang. Deze last kan soms zo op de schouders van de stervende drukken dat gedachten aan euthanasie de kop opsteken. Het kan ook heel erg zijn als je hulpbehoevend bent geworden en volledig bent overgeleverd aan anderen. We kunnen tegen zo iemand zeggen dat hij vroeger toch ook voor de kinderen heeft gezorgd. Of hem vragen of hij niet ook voor de partner zou hebben gezorgd als deze in dezelfde situatie zou verkeren.

De familie krijgt nu een goede gelegenheid om liefde te geven. Als de familie deze liefde aan de stervende wil geven, kan zij dit ook tegen de stervende zeggen! Probeer het niet-lastig-willen-zijn van de stervende om te buigen naar het leren ervaren van liefde. Wanneer de stervende liefde kan ontvangen, helpt hij hiermee de familie om liefde te geven. De stervende geeft zijn omgeving op die manier de mogelijkheid om verder te komen. Eigenlijk heeft ieder mens iets in zich waardoor hij de ander niet tot last wil zijn.

Over het algemeen vinden zieken en stervenden het fijn om geholpen te worden met de dingen die zij zelf niet meer kunnen doen. Zij kunnen soms alle hulp in liefde ontvangen. Kijk maar eens naar een hulpbehoevend iemand nadat deze zijn verzorging heeft gehad. Zo iemand kan soms zoveel dankbaarheid uitstralen. Liefde ontvangen is ook liefde geven.

Pas wel op dat men de stervende niet verplettert onder de zorg. Beperk iemand niet in zijn of haar vrijheid en eigenwaarde door alles uit handen te nemen. Wat de stervende nog zelf kan, moet de stervende zelf doen.

Veel mensen vinden het gemakkelijker hulp te krijgen van professionele hulpverleners dan van de eigen familie. Professionele hulpverleners zijn er immers speciaal voor om hulp te geven, terwijl men het moeilijk vindt de eigen familie hiermee te belasten.

De familie moet wel de eigen grenzen in acht nemen. Zo moeten er voor de mantelzorg, in het bijzonder voor de partner van de stervende, genoeg mogelijkheden zijn om er eens tussenuit te gaan. (Met mantelzorg bedoelen we de zorg die door onbetaalde krachten, dat wil zeggen door familie, buren of vrienden gegeven wordt.)

Het is aan te raden een schema op te stellen, zodat voor iedere betrokkene, zwart op wit, duidelijk is wie wanneer komt. Hierdoor kan worden voorkomen dat iedereen plotseling tegelijk naar de stervende gaat, of dat de partner een hele dag met de stervende alleen is. Zo kunnen familieleden ook vooraf aangeven welke taken zij wel en welke zij niet willen verrichten: boodschappen doen, koken, het verzorgen van de was (denk eens aan de vele pyjama's, lakens en kussenslopen die nu gestreken moeten worden), het schoonhouden van het huis, of andere zaken waar de partner van een stervende niet aan toe komt.

De familie en vrienden kunnen het dan wel fijn vinden bij de stervende op bezoek te gaan, dit hoeft nog niet te betekenen dat zij ook daadwerkelijk hun steentje bijdragen. Soms zien we een kamer of keuken vol met gezellig keuvelende mensen, terwijl de partner van de stervende met de koffie heen en weer loopt.

Omdat de gezinnen tegenwoordig veel kleiner zijn dan vroeger en ook omdat de kinderen lang niet altijd in de buurt van het ouderlijk huis wonen, is het nu moeilijker om voldoende mantelzorg te mobiliseren.

Wanneer vader of moeder door een van de kinderen in huis wordt genomen, moet eerst goed worden bekeken wat men hiermee op zich neemt. Dit moet tevoren met alle betrokkenen goed worden besproken. Ook eventuele kleinkinderen moeten hun toestemming geven om opa of oma bij hen in huis te halen. De stervende zal nu in het middelpunt van het gezin komen te staan.

Wanneer de stervende door bijvoorbeeld de dochter in huis wordt gehaald, kan de partner van deze dochter de stervende ook als een indringer gaan zien. De dochter kan als het ware tussen twee vuren komen te staan, doordat zij moet kiezen tussen de belangen van de stervende en die van haar echtgenoot.

Stervenden hebben behoefte aan helderheid; er is niemand meé gebaat als de zaken verbloemd worden. Wanneer de familie met de begeleider een gesprek onder vier ogen wil, kan dit betekenen dat de familie aan struisvogelpolitiek doet met betrekking tot de stervende. De familie kan een aantal zaken die men eigenlijk met de stervende zelf zou moeten bespreken, van zich afschuiven.

Het kan best zijn dat iemand een gesprek met u als begeleider wil met de bedoeling de stervende beter te kunnen helpen. Maar het kan ook zijn dat iemand aan u vraagt: 'Hoelang gaat dit nog duren?', omdat hij wil weten hoelang men nog met de stervende zit opgescheept. Het is ook mogelijk dat men u dezelfde vraag, 'Hoelang gaat dit nog duren?', stelt uit mededogen met de stervende, omdat men wil weten hoelang de stervende nog te lijden heeft. Wees in dit laatste geval zeer terughoudend. Niemand weet uiteindelijk zeker hoeveel tijd de stervende nog rest, hoewel artsen hier meestal wel een redelijk inzicht in hebben. Wees voorzichtig; door een termijn te noemen kunnen we gemakkelijk verkeerde verwachtingen wekken. Een dergelijke vraag kunnen we ook terugspelen: 'Wat denkt u er zelf van?'

Het is voor een stervende erg onplezierig als er mensen om zijn bed staan die zijn toestand gaan bespreken. Een stervende is doorgaans te zwak om aan een dergelijk gesprek te kunnen deelnemen. De stervende kan zich niet verdedigen en het kan ook zijn dat hij nu met zaken belast wordt waar hij helemaal geen interesse meer in heeft.

Wanneer er in het belang van de stervende iets besproken moet worden, kan men ervoor kiezen dit te doen zonder dat de stervende erbij is. Later kan de uitkomst van het overleg dan worden meegedeeld door één persoon, waardoor het voor de stervende gemakkelijker is zijn commentaar te geven.

Vrijwel iedere hulpverlener zal het verschijnsel 'deurmat-gesprek' kennen. Hierbij wordt u, wanneer u door iemand van de familie begeleid bent naar de voordeur, vlak voordat u de deur uitgaat nog even aangeklampt. Men heeft er behoefte aan nog het een en ander met u te bespreken. U kunt zich voorstellen dat dit soort gesprekken de nodige argwaan bij de stervende wekken, vooral als het lang duurt. De stervende hoort de voor hem bekende stemmen op de gang en gaat zich afvragen wat men daar aan het smoezen is.

Het begeleiden van de familie betekent, zoals eerder gezegd, dat daardoor ook de stervende wordt begeleid. Geef uw ogen en oren goed de kost en vraag uzelf af: 'Wat gaat er in hen om?' Ook na het sterven moeten de achterblijvers goed opgevangen worden. Als de stervende weet dat er goed naar de nabe-staanden wordt omgekeken, wordt het voor hem ook gemakkelijker om heen te gaan. Dit maakt ook dat de stervende in de astrale wereld gemakkelijker zijn rust kan vinden.

Als we een geboorte of een sterven meemaken, valt er veel van onze aangeme-ten status en bescherming weg. We voelen ons dan als mensen aan elkaar ge-lijk. Waarom zou een arts die helpt bij de geboorte van een baby, niets van zijn ontroering mogen laten blijken? Waarom zou een begeleider niets van zijn gevoelens mogen laten zien, terwijl deze juist zo prachtig en menselijk zijn? Niemand is van steen.

Men denkt soms maar al te gemakkelijk dat een stervensbegeleider geen last heeft van verdriet, vertwijfeling of machteloosheid. De begeleider wordt dan meer gezien als een deskundige dan als mens. Het is me een paar keer overko-men dat na het overlijden de familie tegen me zei: 'U zult nu wel nergens last van hebben, u bent dit zeker wel gewend?' Mijn reactie is dan dat niemand ooit aan het sterven van een medemens went. Niet alleen is ieder sterfbed weer totaal anders, het grijpt me ook iedere keer weer aan.

Een sterfbed drukt alle omstanders met de neus op de grote levensvragen. Bij een sterfbed is er een grotere eenheid onder de familie dan anders het geval zou zijn. Alle betrokkenen – de partner, de familie, de vrienden en soms ook de hulpverleners – vormen als het ware een grote familie. In het bijzonder vlak na een sterven voelen alle aanwezigen zich met elkaar verbonden en vervagen de grenzen tussen professionele helpers en familie.

In al die jaren dat ik met stervenden en hun families te maken heb gehad, heb ik me verbaasd over het feit dat ieder mens zo'n unieke persoonlijkheid is. Ik herinner me de knoestige hoogbejaarde man, die vol liefde zijn stervende vrouw verzorgde. De jongen van een jaar of tien die me meehielp het bed van oma te verschonen. De vrouw die staande aan het bed van haar man op een liefdevolle manier spontaan het Onze Vader ging bidden. De man die zelf longkanker had en niet lang meer te leven had maar die zijn stervende zuster vol tranen omarmde. Natuurlijk heb ik ook minder fraaie staaltjes van 'mede-menselijkheid' meegemaakt. Ieder mens gaat op zijn unieke manier met het sterven om, maar het mooiste is wel als men het sterven op een eenvoudige, liefdevolle manier kan benaderen. Het lijkt er soms wel op dat hoe meer men ingenomen is met zijn status of geleerdheid, hoe gecompliceerder men met het sterven omgaat.

Hoe meer de omstanders vanuit het hart te werk gaan, des te gemakkelijker verloopt de hulpverlening aan de stervende. Van een partner die op een eenvoudige manier, vanuit het hart, zijn of haar geliefde verzorgt, gaat zoveel kracht uit. Dit wil niet zeggen dat zij bij het sterven van hun geliefde geen verdriet hebben en dat zij alles zomaar eventjes kunnen accepteren. Maar van deze mensen gaat zoveel liefde en schoonheid uit. Dit zijn ontroerende mensen. Krachtmensen zonder pracht of praal. Het is dan een groot voorrecht van het begin tot het einde, samen met de familie, de stervende te kunnen begeleiden.

Praktische zaken

Gelukkig zijn de sociale voorzieningen in ons land zo goed, dat de stervende zich geen zorgen hoeft te maken of zijn partner wel genoeg te eten of een dak boven het hoofd zal hebben. Dit neemt niet weg dat de stervende soms wel degelijk materiële zorgen aan zijn hoofd heeft. 'Wat gaat er met mijn geld en mijn bezit gebeuren?' Hoe meer geld en goederen iemand achter te laten heeft, hoe moeilijker het afscheid kan worden. U kunt tegen de stervende zeggen dat hij het beheer over zijn bezit nu aan de achterblijvers moet overlaten. Nu is het zaak om in alle rust over te gaan.

Wat heeft iemand aan al zijn bezittingen, wat heeft iemand aan al die zorgen, als men naar die andere wereld moet gaan? Daar is aards bezit waardeloos, daar zijn materiële zorgen een handicap. Bezittingen kunnen het leven veraangenamen. Men heeft hiervan kunnen genieten. Nu is de tijd gekomen om het gemak van geld en het plezier van bezittingen aan anderen door te geven.

Erfenissen die eerlijk verkregen zijn, zijn dienstbaar aan het nageslacht. Wanneer het een en ander goed verdeeld wordt onder de familieleden en dit ook wordt vastgelegd, wordt het voor de stervende gemakkelijker om afscheid te nemen. Het is absoluut aan te raden tijdig een testament op te maken.

Wanneer het om de inboedel of om sieraden gaat, is het mogelijk dat men zelf het een en ander op schrift stelt. Men kan dan met alle betrokkenen in het huis van de stervende bij elkaar komen. Zo kan men met elkaar overleggen. Hierdoor kan voorkomen worden dat bepaalde zaken in de handen komen van familieleden die hiervoor niet in aanmerking komen. De stervende moet er wel van verzekerd worden dat zijn bezit pas na het overlijden wordt verdeeld. Als hij eventueel weer beter mocht worden, kunnen deze afspraken op zijn verzoek weer vervallen.

Een mens kan zich beter met zijn sterven bezighouden als bepaalde zaken goed geregeld zijn. Het heeft geen zin hierover pas te beginnen als de stervende al met één been in de hemel staat. Dan wordt men zo in beslag genomen door het sterven, dat men zich niet of nauwelijks meer interesseert voor aardse beslommeringen.

Meestal heeft iemand tijdens het leven al te kennen gegeven of hij begraven of gecremeerd wil worden, maar er is nog meer te regelen. Er moet een lijst zijn met de namen en adressen van de mensen die een rouwbrief moeten krijgen. Moedig de stervende ook aan te zeggen welke mensen niet welkom zijn bij de uitvaartdienst. Vrijwel altijd zal men de eigen begrafenis of crematie vanuit gene zijde meemaken. Voor de overledene is het dan moeilijk aan te moeten zien dat er iemand bij de uitvaart aanwezig is die men niet kan uitstaan. Anderzijds komt het ook nogal eens voor dat een oude vriend, waar men jarenlang geen contact meer mee heeft gehad, tot grote vreugde van de overledene plotseling op de uitvaartplechtigheid verschijnt. Doorgaans is hier dan sprake van een karmische binding.

Mensen die erg in de publiciteit hebben gestaan, vinden het vaak prettig als de uitvaart met veel pracht en praal gepaard gaat. De één wil zoveel mogelijk mensen, de ander wil alleen de naaste familie en vrienden bij de uitvaart.

Moet er na het overlijden een aankondiging in de krant komen en welke tekst moet hierbij afgedrukt worden?

Wil de stervende na het overgaan thuis opgebaard worden? Wil hij dat familie en vrienden na het overlijden de mogelijkheid krijgen om afscheid te nemen als men opgebaard ligt?

Waar wil iemand begraven worden, wat moet er op de grafsteen komen te staan? Mag de familie bij de daadwerkelijke crematie aanwezig zijn (dit is niet altijd mogelijk) en moet de as worden verstrooid of in een urnengalerij worden bijgezet? Wil de stervende dat de familie hierbij aanwezig is?

Wil men wel of geen kerkdienst? Wil men een toespraak van een vriend of familielid, in de aula van de begraaf- of crematieplaats of aan het graf? We kunnen ook vragen welke muziek er bij de begrafenis of crematie gespeeld moet worden, en welke bloemen er op de kist en op het graf moeten komen. Wanneer men is overgegaan, en naar de eigen uitvaart kijkt, is het moeilijk te verteren als de achterblijvers zich niet aan de gemaakte afspraken houden.

Het ligt voor de hand dat de stervende dit soort afspraken samen met de partner, de familie of een goede vriend regelt. Zo nodig kan de begeleider hier een helpende hand bieden.

Zorg ervoor dat de stervende alles geregeld heeft; dat maakt niet alleen de stervende, maar ook de familie rustiger. Alle papieren moeten in een map komen en de familie moet weten waar deze map ligt. Zo hoeft niemand na het overlijden te gaan zoeken, of te gissen wat de overledene nu met zijn uitvaart wil.

6 De verzorging

Bij mensen die stervende zijn speelt de lichamelijke verzorging meestal een grote rol. Daarom kan het geen kwaad als een begeleider enig inzicht heeft in deze verzorging. Het is echter niet de bedoeling ons op het terrein van de professionele hulpverleners begeven.

Een man van veertig jaar had maagkanker en nog een paar weken te leven. Alsof hij iedereen wilde bewijzen dat hij tot het einde toe kon blijven doen en laten wat hij wilde, dronk hij zoveel mogelijk bier. Naast zich had hij een emmer staan waarin hij regelmatig moest overgeven. Hij dronk, braakte het al snel weer uit en na een paar trekken aan een sigaret begon het drinken opnieuw. Met zijn lijkwitte ingevallen gezicht en zijn holle ogen was het alsof er een spook op de rand van het bed in de woonkamer zat. Ik vroeg hem of deze zelfkwelling nu echt iets was wat hij werkelijk wilde. Tot mijn opluchting merkte ik een paar dagen later dat hij gestopt was met drinken. Hij was dichter bij zijn gevoelens gekomen.

Het komt ook voor dat de stervende eten of drinken krijgt opgedrongen. De familie gaat voedsel opdringen om dat niet-eten gelijk staat aan sterven. Maar voor de stervende wordt het er alleen maar moeilijker op. Zo herinner ik mij een man die welhaast om het uur bij zijn stervende vrouw met een bordje eten aan het bed ging zitten. 'Kijk eens wat ik hier voor je heb', zei hij dan en ik kon het gezicht van de vrouw zien verstarren. 'Kom, neem eens een paar hapjes, het is lekker, het is goed voor je.' De vrouw nipte dan van het lepeltje om haar man niet teleur te stellen.

Vaak doet de familie veel moeite om iets extra lekkers klaar te maken en moet dan teleurgesteld toezien dat er niets of maar heel weinig van gegeten wordt. Toch blijft het belangrijk geen voedsel op te dringen. Dien het eten altijd in kleine porties op. We kunnen beter twee of drie keer opscheppen, dan dat we een grote hoeveelheid tegelijk op het bord doen; dit laatste zal weerstand opwekken. Haal zo nodig ook de korstjes van de boterhammen af, maak het de ander zo aantrekkelijk mogelijk. Dien het eten op op een dienblad, met eventueel een klein bloemetje in een klein vaasje.

Wanneer iemand nog maar weinig of niets eet en toch medicijnen moet innemen, kan hij deze medicijnen het beste innemen met wat melk, zodat de maagwand ontzien wordt.

Bij een bepaalde medicatie, een operatie, bestraling of chemotherapie kan het eetpatroon ook veranderen. Misselijkheid, een droge mond, slikproblemen, obstipatie of andere verschijnselen kunnen een rol spelen. Hierbij is het raadzaam advies van een diëtist of arts te vragen.

Kom de stervende wat eten en drinken betreft zoveel mogelijk tegemoet, tenzij het om eet- of drinkgedrag gaat waarbij de stervende zichzelf schade berokkent.

Naarmate het einde nadert krijgt iemand minder behoefte aan nieuwe energie en dus minder behoefte aan eten. Soms kan de voorkeur voor bepaald eten omslaan in afkeer. Men krijgt meestal minder trek in voedsel of dranken die sterk ruiken, bijvoorbeeld koffie of gebraden vlees. Wanneer de tijd daar is om heen te gaan, gaat de spijsvertering steeds minder functioneren; iemand kan dan eten wat hij wil, maar zal toch magerder worden. Wanneer iemand het aardse leven voor gezien houdt, zal er nog maar weinig door het lichaam worden opgenomen.

Door de schandalige manier waarop er met dieren in de bio-industrie wordt omgegaan kleeft er heel wat negatieve energie aan het vlees dat we nuttigen. We maken ons medeschuldig aan het leed van vele dieren en onze aura zal grover zijn dan die van een vegetariër. Nu is een enkele keer vlees eten echt geen ramp, vooral als we ons eens wat aan de slappe kant voelen en weinig kracht hebben; dan kunnen we dit ook rustig doen. Varkensvlees is dan echter te ontraden, omdat dit de meest grove uitstraling heeft; we kunnen dan beter zogenaamd scharrelvlees nemen, of schapenvlees, omdat deze dieren niet zo te lijden hebben onder de bio-industrie. Zo af en toe wat vlees eten kan geen kwaad, maar we moeten wel voorkomen dat we alleen nog maar van deze dieren houden als zij dood op ons bord liggen.

Vlees eten verlaagt de trilling in de aura's, maar het is overdreven te zeggen dat we met een zuiverder bewustzijn zullen overgaan als we een paar weken voor ons sterven geen vlees meer eten. Wanneer we gedurende lange tijd vegetarisch eten heeft dit zeker een positieve invloed op ons leven, maar vegetariër worden tijdens de laatste paar weken van ons leven zet waarschijnlijk maar weinig zoden aan de dijk. Stervenden hebben overigens meestal maar weinig trek in vlees; zij hebben meer behoefte aan licht verteerbaar, verfijnder voedsel.

Het beste kunnen we licht verteerbare voeding geven, zodat de spijsvertering zo min mogelijk energie kost.

Drinken is belangrijk! Stervenden drogen gemakkelijk uit doordat zij soms flink transpireren. Dit zogenaamde doodszweet ontstaat doordat de aura van het stoffelijk lichaam niet krachtig genoeg meer is om het vocht in het lichaam vast te houden. Ernstig verzwakte mensen kunnen ook gemakkelijk uitdrogen, om de eenvoudige reden dat zij de kracht missen om naar de kraan te lopen of zelf het glas ter hand te nemen.

Bij uitdroging moet het hart flink pompen om het bloed in het lichaam rond te laten stromen. Men kan zelfs verward raken doordat er een soort zelfvergiftiging ontstaat; in ernstige gevallen kan dit zelfs tot coma leiden.

Het is belangrijk een stervende voldoende drinken aan te bieden. Bij iedere stervende zou een glaasje fris water naast het bed moeten staan.

Ook wanneer men emotioneel is aangedaan is het goed om water te drinken, omdat dit iemand rustiger maakt.

Wanneer we 's avonds voor het slapen gaan een beker warme melk nemen, komt dit de nachtrust ten goede. Dit komt vooral doordat de kalk die in de melk zit een rustgevende uitwerking heeft. Veel stervenden stellen ook warme thee erg op prijs.

Als iemand het glas zelf niet meer vast kan houden, moet hij bij het drinken geholpen worden; een tuitkannetje of een rietje kan hier uitkomst bieden. We moeten oppassen dat iemand zich niet verslikt, daarom moet de stervende zoveel mogelijk in zittende houding drinken. In een later stadium kan het vocht eventueel met een theelepeltje worden toegediend. Een paar keer heb ik het meegemaakt dat stervenden het fijn vinden aan een, in een gaasje gewikkeld, ijsblokje te zuigen, hoewel op deze manier maar erg weinig vocht binnenkomt in vergelijking met de hoeveelheid energie die het kost. Misschien is hier eerder sprake van een zuigreflex, zoals bij baby's het geval is.

We kunnen stellen dat als de stervende geen vocht meer inneemt, het einde niet lang meer op zich zal laten wachten. Een mens kan veel langer zonder voedsel dan zonder drinken.

Men kan de lippen vettig houden met cacaoboter en eventueel de mond laten spoelen met kamillethee ter voorkoming van ontstoken mondslijmvlies. Dit laatste kan ontstaan wanneer de stervende gedurende lange tijd door de mond ademhaalt, waardoor het mondslijmvlies uitdroogt. Wanneer iemand niet meer de kracht heeft om de mond te spoelen, kan men ook speciaal geïmpregneerde wattenstokjes bij de apotheek halen waarmee men de mond kan verzorgen.

Zorg ervoor dat het voldoende warm is in de kamer van de stervende. Door de vertraagde stofwisseling en door de afname van energie kan de stervende het gemakkelijk wat aan de koude kant hebben. De verwarming kan dan ook meestal wel een paar graden hoger gezet worden. Zo nodig kunnen we een paar schalen water op de kachel of de verwarming zetten, zodat de vochtigheidsgraad in de kamer op peil blijft.

Heeft de stervende voldoende dekens op het bed? Fel gekleurde of geblokte dekens zullen niet bepaald vredig stemmen; een stervende ziet liever zachte, lichte kleuren om zich heen. Veel mensen vinden het lekker knus en warm als ook hun armen onder de dekens gestopt worden.

De pyjama van de stervende moet het liefst van flanel of katoen zijn. In tegenstelling tot kunststoffen kunnen de energieën van de aura's vrijelijk door deze natuurlijke stoffen circuleren. Ook kunnen natuurlijke stoffen beter de transpiratie opvangen. Iemand die wel eens een zieke in een nylon pyjama heeft verzorgd weet hoe klam dit aanvoelt.

Doorliggen (decubitus) ontstaat wanneer iemand gedurende lange tijd in dezelfde houding in bed ligt. De bloedsomloop in de huid wordt dan tussen het bot en de matras afgekneld, waardoor op den duur zelfs het weefsel kan afsterven. Bij mensen die langdurig in bed liggen ontstaat gemakkelijk decubitus op het stuitje, en soms ook op de hielen of schouderbladen. Er is een aantal tips te geven om het doorliggen te voorkomen of te vertragen. Bijvoorbeeld de stervende regelmatig op een andere zij laten liggen, eventueel met een kussen als steun in de rug zodat hij niet terugrolt. Vaak zien we echter dat een stervende het liefst op de rug wil blijven liggen. Vooral stervenden die het benauwd hebben kunnen als zij op de rug liggen gemakkelijker ademhalen.

In vroeger tijden gebruikte men koudgeslingerde honing ter voorkoming en ter genezing van decubitus- en andere wonden. In natuurzuivere honing zit namelijk veel kracht en het heeft daarom een enorm genezende werking. Vroeger sliep men ook op matrassen gevuld met hooi of stro. Dit geeft een optimale circulatie en ventilatie. Bovendien zit met name in hooi veel energie. U kunt voor de aardigheid eens uw handen in een hoop vers gemaaid gras steken. Uw handen zullen warm worden en gaan tintelen van de energie. Op strozakken slapen is echter uit de mode geraakt en dat is vanwege de hygiëne maar beter ook. Als u bij iemand bent die last heeft van decubitus en u stelt voor een strozak en honing te gebruiken, dan is het honderd procent zeker dat u met grote ongelovige ogen zult worden aangekeken.

Bij decubitus speelt een groot aantal factoren een rol, zoals bijvoorbeeld voeding of incontinentie. Omdat er tegenwoordig veel manieren zijn om decubitus te voorkomen en te behandelen, zullen we dit onderwerp verder maar aan de professionele verzorgende overlaten.

Veel stervenden schijnen het prettig te vinden als er een raam in de kamer openstaat; in een volledig afgesloten ruimte voelen zij zich gevangen. Er zijn misschien ook mensen die denken dat zij na het verlaten van hun lichaam door het open raam naar buiten kunnen zweven, maar dit berust op bijgeloof. De geest (= astraal en oorzakelijk lichaam) kan niet door muren tegengehouden worden; de geest gaat de materie te boven. Dit alles neemt niet weg dat het voldoende fris moet zijn in de kamer. Zie erop toe dat het bezoek niet rookt. Niet alleen voor de stervende, ook voor de familie en de mensen die op bezoek komen is het vermoeiend in een bedompte kamer te verblijven. Gebrek aan zuurstof in de kamer kan bij de stervende ook onrust in de hand werken. We moeten er wel voor zorgen dat iemand niet op de tocht ligt.

Stervenden hebben behoefte aan ruimte om zich heen. Het beste kan daarom het bed een stuk van de muur af staan. Dit is bovendien ook gemakkelijker wanneer de stervende zodanig verzwakt is dat de verzorging met twee mensen gedaan moet worden; men kan dan ieder aan een kant van het bed gaan staan. Het fijnste is als iemand middenin een tweepersoonsbed kan liggen. Hoewel dit de verzorging er weer een stuk moeilijker op maakt, omdat de verzorgende zich dan bij de verzorging ver over het bed moet buigen als de stervende gewassen, verschoond, getild of gedraaid moet worden. Dit kan ten koste gaan van de rug van de verzorger en daarom kan men dit alleen doen met goedkeuring van de verzorgende.

Stervenden hebben behoefte aan ruimte, soms zelfs zozeer dat zij de dekens van zich afgooien. Daarom ligt iemand ook het liefst op de rug in plaats van opgevouwen op de zij.

We moeten eraan denken de zogenoemde onrusthekken op het bed alleen te gebruiken als dit werkelijk noodzakelijk is. Deze hekken worden bij onrustige patiënten op het bed gezet zodat zij er niet uit kunnen vallen. We zien ook nog wel eens dat de mensen die op bezoek komen, over deze onrusthekken heen gaan hangen, waardoor de stervende zich helemaal in het nauw gedrukt voelt. Ook de zogenoemde papegaai (de stang boven het hoofdeinde van het bed waaraan een handvat hangt waarmee men zich kan optrekken) kan beter van het bed afgehaald worden als iemand te zwak is om deze nog te kunnen gebruiken, zodat de stervende hier niet de hele tijd tegenaan hoeft te kijken.

Geef iemand de ruimte om ziek te zijn, geef hem de ruimte om te sterven;

niet in een achteraf hoekje van de kamer, maar temidden van zijn vrienden en familie.

Laat de stervende rustig roken als hij hier behoefte aan heeft. Mensen die lange tijd niet gerookt hebben kunnen opeens behoefte krijgen aan een sigaret. Pas wel op, want zo iemand kan gemakkelijk duizelig worden. Vooral als de stervende in bed rookt is het beter dat er iemand in de directe omgeving aanwezig is die erop toeziet dat er geen ongelukken gebeuren. Vooral bij gebruik van bepaalde medicijnen kan iemand gemakkelijk met een brandende sigaret in slaap vallen, wat een voortijdige crematie tot gevolg kan hebben. Ook het drinken van een glaasje goede wijn kan geen kwaad.

Schud de kussens eens lekker op en zie erop toe dat iemand zo comfortabel mogelijk in bed ligt. Een goede begeleider zou moeten kunnen zien of de ander wel of niet lekker in bed ligt. Als de stervende in een nat bed ligt, of in de ontlasting, dan heeft men waarschijnlijk maar weinig belangstelling voor een gesprek.

De stervende zou er zo fris en verzorgd mogelijk moeten uitzien. Iemand die goed verzorgd is voelt zich prettiger. Dit is ook plezieriger voor de mensen in de omgeving van de stervende. Het dagelijks wassen van de stervende stemt hem positief. Om het in esoterische termen te zeggen: vuil en transpiratie maken de energie in de aura's grover van trilling. Wanneer iemand zichzelf nog kan wassen, moet men dit niet van hem overnemen.

Wat de stervende zelf nog kan moet hij blijven doen, anders wordt hij passief en begint hij alles gelaten te ondergaan. Als iemand zichzelf niet meer kan verzorgen of dit te vermoeiend voor hem wordt, dan is er hulp nodig. Alleen als het aardse einde erg dichtbij is, kunnen we met de lichamelijke verzorging beter wat terughoudend zijn. Dit is dan eerder een marteling dan een weldaad. Mensen die verzorging tot hun beroep hebben gemaakt zullen het dilemma kennen: 'Zal ik de stervende nu wel of niet verzorgen?' Vaak is het dan beter alleen het gezicht en de handen te wassen met een fris washandje, of zo nodig een zogenaamd klein onderbeurtje te geven. Het wassen van gezicht, handen en ook de voeten stemt de stervende rustig.

Er zijn mensen die het heel vervelend vinden dat zij afhankelijk van anderen zijn geworden. Vooral mannen vinden het vaak moeilijk hun verzorging te moeten ondergaan. Ieder mens kent echter perioden dat men iemand helpt en perioden dat men hulp moet krijgen. Schaam je er niet voor als het je tijd is om verzorgd te worden.

Lichamelijke verzorging aan een medemens geven is prachtig werk, het is liefde geven. Als we naar Meester Jezus kijken, Hij die de voeten van zijn discipelen heeft gewassen, zien we dat niemand zich te goed hoeft te voelen om een ander op deze manier te helpen. En niemand hoeft zich te min te voelen om zich te laten helpen. Toen de Meester de voeten van de discipel Petrus wilde gaan wassen zei Petrus: 'Nooit van mijn leven zult U mijn voeten wassen.' Jezus maakte hem echter duidelijk dat geven en ontvangen van hulp pure liefde is. Waarop Petrus antwoordde: 'Heer, wast U mij dan maar helemaal!' (Joh.13).

7 Masseren en magnetiseren

Als u de stervende uit liefde over het hoofd streelt, uw hand op zijn schouder legt, of op een liefdevolle manier zijn handen vasthoud, dan raakt u daarmee de goddelijke Liefde Zelf aan.

Iemand die aan het sterven is vindt het meestal fijn om aangeraakt te worden. Men heeft van tijd tot tijd behoefte aan lichamelijk contact met een medemens, vooral als dit uit spontaniteit voortkomt.

Veel stervenden zullen het fijn vinden als zij gemasseerd worden. Dit confronteert hen met het feit dat zij nog wel degelijk op aarde zijn, en dat vinden zij prettig. Bij een stervende die nog een relatief lange tijd op aarde voor de boeg heeft, is er ook weinig op tegen om hem eens te masseren. Zo kunnen we bij de ander eens wat spanningen weg halen in bijvoorbeeld de rug en de schouders. Vooral het masseren van de voeten schijnt prettig te zijn, omdat dit rustig maakt. Mensen die het liefst zo lang mogelijk op aarde willen blijven, zullen onbewust hun energie naar hun stuit- en hun voet-chakra's sturen. Masseren we de voeten, dan zal dit ontspannend werken, omdat dit de opgekropte energie in de voeten weer doet stromen; zo ontstaat er weer wat meer harmonie.

Ik herinner mij een man die zich tijdens zijn leven vrijwel alleen met aardse aangelegenheden had beziggehouden. Het komende afscheid en de onbekende toekomst maakten hem bang en onrustig. Op een bepaald moment heb ik aangeboden zijn benen en voeten eens te masseren. Dit had op hem een rustgevende invloed. De massage bracht hem in het hier en nu, zodat zijn angst voor de toekomst wat naar de achtergrond verdween.

Om dit verhaal compleet te maken: ongeveer een week na zijn overlijden kreeg ik, tijdens een meditatie, het gevoel dat ik met hulp van een liefdevolle intelligentie met mijn bewustzijn in het astrale terechtkwam. Daar bevond ik mij, in de astrale wereld, op een smal weggetje dat zich door een uitgedroogd berglandschap slingerde. In de verte zag ik de man op me af komen die een week eerder was overleden. Hij kwam direct op me af en was zichtbaar opgelucht dat ik een bekende voor hem was. Toch bleef zijn gezicht vol vertwijfeling en verwarring; het straalde van hem af dat hij niet wist hoe hij hier terecht was gekomen, wat er gebeurd was en waar hij het moest zoeken. Meteen daarop zag ik zijn begeleider, en ik wist dat deze de man al die tijd gevolgd had, om hem te helpen, om hem wegwijs te maken. Intuïtief voelde ik aan wat hier aan de hand was en wat er van mij verlangd werd. Als vertrouwd aards persoon zond ik mijn woorden naar de man: 'U bent overleden, u bent gestorven. U bent niet meer op de aarde, maar in het leven dat na het aardse leven komt. Degene die achter u staat wil u dit steeds duidelijk maken, u moet zich tot hem wenden. Hij wil u graag helpen, hij is uw hulp, uw gids.' Dit was blijkbaar genoeg om de man over de drempel te helpen. De radeloosheid in zijn ogen veranderde in ontroering en tranen. Hij wendde zijn hoofd van me af en richtte zich voor het eerst naar zijn begeleider. Onmiddellijk daarop voelde ik me door een soort wolkendek naar beneden gaan en bevond ik me weer in de mij vertrouwde kamer, in mijn eigen huis.

Wanneer we een gebaar van liefde oprecht menen, kunnen we dat ook uitvoeren. Zo heb ik nog wel eens de neiging om zachtjes met mijn hand over de hartstreek van de stervende te wrijven. Soms magnetiseer ik voorzichtig en op een speelse manier het hart-chakra van de stervende. Dat wil zeggen, ik houd dan mijn zogenaamde 'plus-hand', (dit is de rechterhand voor de mensen die rechtshandig zijn en de linkerhand voor linkshandigen) vlak boven het hart-chakra, om zo dit chakra wat te activeren. Enige voorzichtigheid is hier wel geboden, want het is niet goed om een chakra uitgebreid te behandelen. Wat iemand ook gedaan heeft in zijn leven, hoe iemand zijn chakra's ook ontwikkeld heeft, de persoon moet hier zelf mee in het reine komen. Iemand anders mag en kan zijn lessen niet overnemen door met de energie in bepaalde chakra's te manipuleren. Het zou niet goed zijn en het heeft ook geen zin als een magnetiseur extra energie geeft aan bijvoorbeeld het hart-chakra zonder dat de ontvanger tot het bewustzijn komt waarom hij juist hier te weinig energie heeft. Een dergelijke behandeling moet daarom altijd samengaan met een gesprek. Ook het schoonmaken of afstrijken van de aura is niet goed als dit zonder begeleidend gesprek gebeurt.

Een magnetiseur of healer zou een stervende ook kunnen 'aarden' door bijvoorbeeld het stuit-chakra of de voet-chakra's te activeren. Met dit aarden kan men de persoon rustiger maken. Maar als we bedenken dat de stervende zich juist aan het losmaken is van de aarde, zullen we inzien dat hier twee aan elkaar tegengestelde zaken in het spel zijn. Toch kunnen we in een bepaalde situatie aanvoelen dat het goed is de onderste chakra's wat te activeren. Alleen als de stervende echt voor de drempel van het hiernamaals staat kunnen we dit beter niet doen.

Een begeleider kan met magnetiseren ook eventuele pijn verlichten. Voordat u hiermee begint, neemt u eerst stilte in acht om af te stemmen op de goddelijke energieën: de liefde die u straks gaat doorgeven. Draag uw handen over aan God. Houd eerst uw plus-hand vlak boven het gebied waar de pijn gevoeld wordt. Voeg met deze hand energie toe aan de pijn, om deze in beweging te brengen. Houd dan de min-hand boven de pijn, om deze eruit te trekken, zodat er in het betreffende gebied meer harmonie ontstaat. Alleen als er sprake is van een ontsteking mogen we alleen de min-hand gebruiken; een ontsteking duidt op overtollige energie.

Om te voorkomen dat u zelf de pijn overneemt, moet u de energie van uw min-hand afschudden, afslaan. Zo kunt u een aantal keren de plus- en dan weer de min-hand boven de pijn houden. Houd uw handen een paar centimeter boven het lichaam, zodat u in feite de aura van het stoffelijk lichaam behandelt. Omdat energie de gedachte volgt, kunt u de energiestromen visualiseren en op die manier ook sturen. Het is echter niet de bedoeling dat we kleur aan deze energiestromen geven. Het kan verkeerd uitpakken als we de verkeerde kleur instralen. Zend liefde uit! Na de behandeling kunt u uw handen nog eens goed afspoelen onder een flink stromende kraan. Neem daarna een tijdje rust; ook degene die u behandeld hebt moet een tijdje rust nemen zodat een en ander goed kan inwerken. Daarna kun u een gesprek aanknopen, zodat de ander ook meer gaat begrijpen van zijn ziekte of pijn.

Als u uw hand op iemand zijn voorhoofd legt, zal dit een rustgevende uitwerking hebben. Dit zal nog sterker werken als u het hoofd met beide handen vastpakt. Wanneer u achter het hoofdeinde van het bed kunt gaan staan, schuif dan uw beide handen onder het achterhoofd. U ondersteunt dus het hoofd met beide handen, waardoor de ander het gevoel krijgt dat zijn hoofd, vol met zorgen, een tijdje door u gedragen wordt. De ander zal zich geborgen weten.

Zit de ander in een stoel, ga dan achter hem staan en vraag hem aan iets moois te denken, bijvoorbeeld een mooi landschap. Houd nu uw handen een paar centimeter voor zijn voorhoofd, zodanig dat uw pinken elkaar raken. Maak met beide handen een strijkende beweging langs de zijkanten van zijn hoofd, zodat uw duimen elkaar raken aan de onderkant van de nek. Ook hierdoor zal de ander rustig worden en 's nachts ook beter kunnen slapen. Het kan zijn dat u na deze behandeling zelf hoofdpijn begint te krijgen. U kunt die dan het beste met uw eigen min-hand wegstrijken.

Het is aan te raden het een en ander eerst een paar keer te oefenen, samen met een vriend of vriendin. Wanneer u niet op de goede manier magnetiseert, kan dit weinig kwaad; het mist dan alleen zijn uitwerking.

We kunnen ook om bepaalde redenen het sterven op het laatste ogenblik een minuutje uitstellen. Normaal gesproken zullen we dit niet snel doen, maar zoals we zullen zien kan dit wel nuttig zijn.

Houd uw beide handen vlak boven het hart-chakra van de stervende en zend hem via uw beide handen een krachtige energiestoot toe. Geef de stervende een injectie van liefde, waarbij u de naam van God (in gedachten) reciteert. Hierdoor zal het sterven heel even uitgesteld worden, waardoor we de tijd krijgen om nog een paar woorden aan de stervende mee te geven: 'Laat je gaan in de Liefde Zelf', of: 'Je kunt nu rustig gaan naar die prachtige wereld.' Dergelijke woorden kunnen op dat moment voor de stervende erg belangrijk zijn. Van tevoren kunnen we nooit zeggen of we deze techniek zullen toepassen en weten we vaak ook niet wat we gaan zeggen. Op een gegeven moment kunt u aanvoelen dat u dit moet doen.

Dit alles klinkt misschien vreemd, en veel mensen zullen zeggen: 'Laat hem toch met rust, laat hem rustig inslapen.' Toch kan dit de stervende helpen zijn overgang bewust mee te maken. Hij weet dan ook dat er iemand naast hem staat.

Neem bijvoorbeeld mensen die veel pijn hebben gehad. Zij hebben nauwelijks open kunnen staan voor liefdevolle woorden of liefdevolle aanwijzingen; het heeft niet tot hen door kunnen dringen. Maar nu het einde in zicht is en zij uit het stoffelijke stappen, wordt de pijn die zijn oorsprong heeft in het stoffelijke lichaam minder. Nu kunnen zij gemakkelijker openstaan voor een enkele liefdevolle aanwijzing. We kunnen hierbij ook denken aan mensen die niet voor een leven na dit leven hebben willen openstaan. Zij kunnen, nu de astrale wereld begint te dagen, in verwarring raken. Als u hen bevestigt dat wat zij nu zien inderdaad het hiernamaals is, kunt u voorkomen dat zij na hun overgang lange tijd moeten ronddwalen. Het is ook mogelijk dat u als begeleider van tevoren met de stervende een paar woorden afspreekt die u op het laatste moment tegen hem zult zeggen. Woorden die tijdens eerdere gesprekken naar voren zijn gekomen als zijnde erg belangrijk voor de stervende.

Met deze techniek kunnen we het sterven een ogenblik ophouden, zodat dit moment nuttig gebruikt kan worden. Wanneer u dit doet door een krachtige energiestoot naar het hart-chakra te sturen, bent u aan uzelf wel verplicht daarna de nodige rust in acht te nemen, want dit vergt veel van u.

We kunnen het moment van sterven ook een weinig verleggen door gewoon, zonder extra energie naar het hart-chakra te sturen, zachtjes wat tegen de stervende te zeggen. Daarmee vangen we even zijn aandacht. Nu wordt er via onze woorden wat extra energie naar de stervende toegestuurd. De stervende kan op die manier nog wat liefde van de aarde meenemen. Als u iets tegen de stervende zegt op het moment van heengaan, zal deze grote waarde hechten aan wat u zegt.

Gebruik uw intuïtie en liefde, doe wat uw hart u ingeeft. Doe nooit iets met de intentie om de stervende hier te houden, maar ondersteun de ander in zijn heengaan. Laat de geest rustig vertrekken.

Ga nooit zomaar bepaalde chakra's of de aura's uitgebreid behandelen; in ieder chakra en in de aura's ligt het karma dat de stervende meeneemt. Als we ons hiermee bemoeien, maken we inbreuk op iemands persoonlijkheid, en vrijwel geen mens op aarde heeft het inzicht in de gevolgen hiervan. We kunnen wel een korte energiestoot aan het hart-chakra toedienen om zo nog iets moois aan de ander mee te geven. We kunnen ook wel eens wat pijn of spanning wegnemen, maar laten we verder terughoudend zijn.

Als u wilt gaan magnetiseren, masseren of een ontspanningsoefening wilt gaan doen, stuur dan de familie de kamer uit, zodat u rustig kunt werken. Doe dit alles vanuit een losse, speelse houding en wees nooit fanatiek. En laten we ons niet verstoppen achter allerlei oefeningen, maar houd het sterven bespreekbaar.

We kunnen de stervende het beste helpen door hem de richting naar God te wijzen.

Het is altijd goed als we liefde naar een ander sturen; vooral stervenden zijn hier erg ontvankelijk voor. Bovendien speelt afstand hierbij geen enkele rol. We kunnen de stervende in gedachten voor de geest halen, visualiseren. Zie de stervende in de geest voor u, voel dat u contact hebt en zend hem in gedachten liefde toe.

Het is een eeuwige wetmatigheid dat energie de gedachten volgt. Wanneer we in gedachten onze energie richten op de fysieke verschijning van de stervende, zal het sterven langer duren. Als we onze energie richten op de astrale aura, dan wordt deze aura sterker en wordt het sterven bespoedigd. Het is beter het tijdstip van sterven over te laten aan de wil van de Schepper. Zend liefde, zonder de eigen wil te gebruiken; dan komt deze energie precies daar waar ze nodig is. Zend liefde uit naar de stervende en zijn omgeving.

Bij het masseren van een stervende kan er veel energie vanuit onze handen naar de stervende overgaan. Omdat we alleen kunnen sterven als de energie in de aura van het stoffelijk lichaam vrijwel tot nul is gereduceerd, is masseren iets waar we voorzichtig mee moeten zijn. Daarbij speelt de intentie van de masseur een rol: doen we dit om de stervende zolang mogelijk hier te houden, of doen we dit als ondersteuning van het heengaan? Hetzelfde geldt voor magnetiseren.

Strikt genomen betekent magnetiseren het uitwisselen van energieën. Als we in stilte naast iemand zitten en we stralen liefde en mededogen uit, dan kunnen we eigenlijk al spreken van een vorm van (positief) magnetisme.

Als we dichtbij, naast de ander gaan zitten, dan kunnen de aura's ook beter contact maken; men voelt elkaar beter aan.

We kunnen onze liefde ook overdragen met onze stem. Wanneer u de stervende voorstelt een ontspanningsoefening te doen, zal deze waarschijnlijk onwennig reageren. Toch kan het de moeite waard zijn het volgende eens uit te proberen. Zorg dat de ander zo comfortabel mogelijk ligt en laat hem een paar keer rustig ademhalen. Zeg dan met rustige stem: 'Voel hoe uw lichaam in de matras zinkt. Ga in gedachten naar uw rechtervoet en laat alle spanning uit uw rechtervoet vloeien. Ga dan in gedachten naar uw linkervoet en laat alle spanning uit uw linkervoet vloeien.' Daarna zijn de kuiten aan de beurt en men laat zo ook de kuiten tot ontspanning komen. Hierna komen de knieën, de dijbenen, de billen en de buik; de rug en de maagstreek, de borst, de armen en de handen; de nek, de keel en het gezicht, eventueel de ogen en het voorhoofd en de kruin. Zo passeren alle lichaamsdelen de revue. Heeft u de indruk dat bepaalde delen erg gespannen zijn, dan kunt u hier wat langer bij blijven stilstaan.

Heeft de stervende zijn sterven geaccepteerd, dan kan deze ook tegen zijn eigen lichaamsdelen zeggen: 'Ontspan maar, ik heb je nu niet meer nodig. Ik dank je, voeten, dat je me vooruit geholpen hebt. Ik dank je, benen, dat je me gedragen hebt, en ik dank je, rug, dat je me overeind hebt gehouden', etc. Op deze manier kan de stervende, zo bewust mogelijk van zijn lichaam, in dankbaarheid afscheid nemen.

Is men tot ontspanning gekomen, dan kunnen we vragen of men wil visualiseren, zich wil voorstellen dat men omgeven is door een helder stralend, warm licht.
- U zegt tegen de ander:
  U bent omgeven door een helder stralend licht.
- En u zegt dan langzaam:
  Ik ben een kind van God.
- Daarna laat u de ander visualiseren dat dit licht ook het lichaam binnenkomt en u zegt:

Het licht buiten me en het licht binnenin me is één,
dit licht kan niet tegengehouden worden door mijn lichaam.
Ik ben niet het lichaam; ik ben het licht.
Het licht in me en het licht buiten me zijn één.
God de Vader en ik zijn één.
Omdat het licht overal is, weet ik mij één met God.
Omdat het licht overal en in iedereen is,
weet ik me één met alle mensen op aarde.
Ik zie dit licht in mijn man (vrouw),
en dit licht zal voor hem (haar) zorgen.
Ik zie dit licht in mijn kinderen en dit licht zal hen helpen.
Dit licht zal mijn broers, mijn zusters en mijn goede vrienden helpen.
Dit licht is in degenen die ik onrecht heb aangedaan.
Dit licht is in degenen die mij onrecht hebben aangedaan.
In dit licht weet ik mij één met de mensen
die mij in het sterven zijn voorgegaan,
en één met de mensen die nu op aarde incarneren.
Alles is licht, alles is liefde.
Alleen God is.

8 Macht over leven en dood

Hitler dacht dat hij de aarde kon zuiveren van de joden; echter alle joden die zijn omgekomen tijdens de tweede wereldoorlog zijn nu (vrijwel) allemaal weer geïncarneerd. Hitler zelf verblijft misschien nog steeds in de allerlaagste, zeer duistere astrale gebieden.

De goddelijke ziel die we in werkelijkheid zijn, komt voort uit energieën die altijd zijn geweest en altijd zullen zijn (zie hoofdstuk 1). Daarom bestaat er voor een ziel geen begin en geen einde, geen geboorte en geen dood. De ziel is het beginsel dat leven geeft; en het stoffelijk lichaam is hierbij van weinig belang, zoals we in Joh. 6:63 kunnen lezen. U heeft het eeuwige leven! (1 Joh. 5:13).

Voor datgene wat we in werkelijkheid zijn bestaat er geen geboorte en geen dood. En zoals u zult begrijpen: we kunnen geen macht hebben over iets dat niet bestaat. Geboorte en dood zijn slechts aardse begrippen en zijn alleen van toepassing op het tijdelijke, fysieke lichaam.

Het heeft dan ook geen zin er maar een einde aan te maken als de problemen ons boven het hoofd groeien. We kunnen dan wel ons fysieke lichaam doden, maar dit lost niets op; onze persoonlijkheid gaat verder. Ons bewustzijn blijft bestaan en daarmee ook onze problemen en levenslessen.

Als iemand denkt dat hij het fysieke lichaam is en dat alles ophoudt te bestaan als men dood is, wil dit zeggen dat men een overmatig materiële instelling heeft.

Alleen al het feit dat we kunnen zeggen: 'Dit is mijn lichaam', betekent dat we het lichaam niet zijn. We zijn de IK die zegt: 'Dit is mijn lichaam.'

De stervende laten gaan

Datgene wat we in werkelijkheid zijn maakt slechts tijdelijk gebruik van een aards lichaam, om op die manier verder te komen in onze evolutie. Wanneer onze aardse reis ten einde loopt, kunnen we ons lichaam in dankbaarheid en liefde achterlaten.

Het vergt moed om die andere wereld te betreden, maar als de tijd aangebroken is om deze stap te zetten, ga dan!

Wanneer we aanvoelen, wanneer we 'weten' dat voor de stervende de tijd gekomen is om te gaan, moeten we hem ook in zijn heengaan steunen. Help dan de ander om die stap te zetten.

Medische behandelingen kunnen ons leven op een zinvolle manier verlengen. Er doen zich echter ook situaties voor waarin we ons kunnen afvragen of het verlengen van het leven wel zinvol is. Op een gegeven moment kan men inzien dat de tijd voor een mens gekomen is. Het is dan beter deze mens te laten gaan en hem niet hier te houden door zijn leven te rekken met medische kunstgrepen.

U kunt er op een gegeven moment van overtuigd zijn dat het beter is hem of haar nu te laten gaan, omdat deze persoon 'op' is. Terwijl u misschien een dag eerder hier niets voor voelde, kunt u dit op een bepaald moment duidelijk voelen. U weet dit! U kunt aan de stervende vragen: 'Zul je blij zijn als je overgaat?' En ziet u nu de blijdschap op het gezicht van de ander, dan is het voor deze persoon ook goed om te gaan. Vertoont de stervende blijdschap, dat hij kan gaan; laat hem dan ook gaan en probeer zijn leven niet te rekken met zinloze medisch-technische handelingen.

Als de stervende zijn wil niet meer kenbaar kan maken, kunt u als begeleider, samen met meerdere familieleden, naast het bed gaan zitten om u open te stellen voor het antwoord op de vraag: 'Moet deze geliefde persoon nog langer hier blijven?' Het antwoord ligt in de aura van de stervende zelf. Ook de astrale Gids van de stervende kan u inspireren tot het juiste antwoord. En als men zich richt op Meester Jezus, Moeder Maria of een andere grote heilige, dan zal men geholpen worden in het krijgen van een zuiver antwoord. Ligt de stervende in coma, is deze al met zijn bewustzijn uitgetreden, dan kan ook de stervende zelf zijn wens vanuit het astrale op uw aura projecteren.

Op een gegeven moment kunt u duidelijk weten of een leven-rekkende therapie moet worden gestopt. Ga dan niet nog een keer een eventuele long-ontsteking behandelen, of draai het infuus langzaam dicht.

Het beste is hier meerdere familieleden bij te betrekken. Er kunnen gemakkelijk familieruzies ontstaan als later blijkt dat sommige familieleden hier een andere mening over hebben. Voorkom dat iemand in zijn eentje deze beslissing neemt; verdeel de verantwoordelijkheid. Reik de stervende nu geen middelen aan om het leven actief te verkorten. Dit heeft niets te maken met het staken van zinloze medisch-technische handelingen. Zou men het leven moedwillig gaan verkorten zonder dat de stervende hier weet van heeft, dan is dat moord.

Uiteraard moet de situatie goed met de behandelend arts worden doorgesproken. Het is echter niet de bedoeling dat alleen de arts de uiteindelijke beslissing neemt om te stoppen met de behandeling. De arts is er in eerste instantie om te helpen het lichaam in stand te houden. Hij kan als zodanig, vanuit zijn professie, niet bepalen of iemand mag sterven of niet; net zomin als hij kan bepalen of iemand geboren mag worden.

Ook als een baby veel te vroeg of zwaar gehandicapt ter wereld komt en alleen met uitgebreide therapieën in leven kan blijven, kan men er ernstig aan twijfelen of het wel zinvol is deze baby hier te houden. Wanneer het zo'n kind er alleen om te doen is een geboorte- en meteen daaropvolgend een stervenservaring mee te maken, is het voor hem bijzonder vervelend tegen zijn wil in op aarde vastgehouden te worden. Overigens zal hetzelfde kind na deze ervaringen meestal weer bij dezelfde ouders opnieuw incarneren, maar nu met een gezond lichaam.

Vaak zal de tijd ontbreken om zich rustig in te stellen op de bedoeling van het kind, omdat de arts snel moet handelen. We zullen ons echter moeten richten op de wil en de bedoeling van het kind. We zullen ons op een meditatieve manier moeten openstellen voor de Wil van de Schepper en Zijn hulp moeten aanroepen. Het kan zijn dat dit kind alleen een geboorte- en stervenservaring wil opdoen, maar er bestaat ook een kans dat het kind voor een gehandicapt leven kiest om op die manier verder te komen. Wanneer we niet zeker zijn van de bedoeling, wanneer we geen overtuigend antwoord krijgen, is het beter door te gaan met de behandeling.

Denk eens aan die mensen die met medische ingrepen terug zijn gehaald, terwijl zij het astrale licht al konden zien, terwijl zij de daar aanwezige liefde al konden voelen. Zij kunnen dan bijzonder kwaad worden op de arts die hen heeft terug gehaald. Het kan zijn dat het de bedoeling was daadwerkelijk over te gaan; het kan ook zijn dat zij deze bijna-doodervaring nodig hadden: hun tijd was nog niet gekomen. Nu kunnen zij nog een tijdje op aarde verder leven, maar met een ruimer bewustzijn dan voordien. Zij hebben kennisgemaakt met het hiernamaals. Het is ook mogelijk dat iemand na deze kennismaking juist terug wil naar de aarde, omdat hij inziet dat hij op aarde nog het een en ander te doen heeft.

Denkt u zich eens in: een vrouw van achter in de zeventig heeft borstkanker. De vrouw heeft geen pijn en geeft duidelijk te kennen dat zij geen zin meer heeft in het leven; het hoeft voor haar niet meer. Wanneer bij een ouder mens de levenswil steeds minder wordt, is dit vrijwel altijd een teken dat de aura aan het dunner worden is. De ziel trekt zich langzaam terug, de aura van het stoffelijk lichaam wordt dunner en daarmee daalt de aardse levensenergie. Een operatie zal dan geen zin meer hebben, omdat het stervensproces zich al heeft ingezet.

Maar een andere vrouw, met dezelfde leeftijd, kan net zo goed zeggen: 'Ik voel me nog goed genoeg, ik wil nog wel een aantal jaren mee.' Dan is dit een teken dat er nog genoeg levensenergie is. De aura is nog niet aan het sterven en daarom heeft een operatie nu wel zin.

Hoewel een ziekte altijd een vervelende, nare gebeurtenis is, is het ook een mogelijkheid voor de ziel om het lichaam te kunnen verlaten. Ziekte geeft iemand de mogelijkheid om heen te gaan. We hebben wel de plicht onze ziekten te behandelen, maar op een gegeven moment kan zich de vraag aandienen of een medische therapie nog wel zinvol is. Soms is het beter de ziekte haar werk te laten doen, zodat de persoon uit zijn gevangenis kan ontsnappen. Wordt iemand kunstmatig in leven gehouden, dan zullen we ons ernstig moeten afvragen of het niet beter is de zuurstofkraan of het infuus langzaam dicht te draaien.

Bij het sterven gaan de diverse lichamelijke processen minder goed functioneren. Zo ook de stofwisseling, wat resulteert in een verminderde behoefte aan voedsel en vocht. Men kan dan in een enkel geval het leven met bijvoorbeeld een maand rekken, door de stervende kunstmatig te voeden (sondevoeding). Toch moet men ernstig overwegen of dit juist is. Als iemand geen voedsel tot zich kan nemen door bijvoorbeeld een defect aan de slokdarm of door een ongecontroleerde slikreflex, dan kan men voor kunstmatige voeding kiezen, maar als het om een stervende gaat kan men dit beter niet doen. In dit geval doet het niet-eten of niet-drinken ook geen pijn, omdat het lichaam zelf geen voedsel of drinken wil.

Euthanasie

Of men nu negen of negenennegentig oud jaar is, ieder mens heeft het gevoel dat het te vroeg is om te gaan. Men zal zich ertegen verzetten, maar men zal ook momenten van berusting kennen. In zo'n periode van berusting kan men het aardse gaan relativeren. Soms relativeert men zelfs zozeer dat men het nut van het leven niet meer ziet. Men kan er enorm tegenop gaan zien om verder te leven.

'Waarom zal ik er zelf geen einde aan maken, nu ik weet dat ik binnenkort toch moet gaan?' Als de problemen erg groot dreigen te worden, als men geen uitweg meer ziet, dan kan bij ieder mens, ook bij een religieus ingesteld iemand, gedurende kortere of langere tijd een verlangen naar het absolute einde van het leven ontstaan. Meestal zijn dergelijke gedachten van voorbijgaande aard. We voelen meestal wel aan dat het niet goed is het leven moedwillig te beëindigen.

Euthanasie is een actief levensbeëindigende handeling, uitgevoerd door een arts, op verzoek van de patiënt, waarbij een aantal door de wet bepaalde regels moet worden nageleefd.

Euthanasie betekent letterlijk vertaald: zachte dood. Een buitenstaander ziet de stervende na het fatale spuitje ook zachtjes, als een nachtkaars uitgaan. Dit maakt het sterven tot een egoïstische daad in plaats van een liefdevol hoogtepunt in het leven. Uiteindelijk sterft men met euthanasie een vreugdeloze dood. Na deze zogenaamde zachte dood betaalt men een hard gelag. Men breekt met euthanasie moedwillig het leven af en dit gaat lijnrecht tegen de Wil van de Schepper in. Waarom zou iemand zich opzadelen met dit karma?

Begint een stervende over euthanasie, dan wil dit zeggen dat hier een medemens in nood is. De vraag om euthanasie is een uitroep: 'Help me!'

De stervende kan zich tot last voelen voor zijn omgeving. Men kan zich eenzaam voelen of onbegrepen. Er is schaamte vanwege de ontluisterende toestand waarin men verkeert. Men ziet er de zin niet meer van in. Er is angst voor pijn, angst voor het sterven zelf. En sommige mensen willen koste wat het kost tot het laatst toe de baas zijn over hun eigen leven. Ook kan de familie de stervende onbewust stimuleren tot het vragen om euthanasie.

De stervende kan veel verschillende problemen hebben, maar die zijn vrijwel altijd op te lossen. Probeer dan ook zijn probleem duidelijk te krijgen. Probeer de problemen die ten grondslag liggen aan de vraag om euthanasie samen op te lossen. Is de stervende in het reine met zichzelf en met zijn omgeving, dan zal de vraag om euthanasie verdwijnen.

Het leven kent golven van geluk en golven van verdriet en lijden. Wanneer we de juiste koers aanhouden, zullen deze golven ons naar de kust van bevrijding brengen. Ons fysieke lichaam is de boot waarmee we de woelige aardse levenszee oversteken. Ons lichaam is ons door God gegeven, omdat Hij weet dat we zo het beste de overtocht kunnen maken: van het begin tot het eind.

Ieder mens heeft recht op voorlichting omtrent de mogelijke gevolgen van euthanasie. Als iemand hier niet voor wil openstaan, kunnen we verder weinig voor hem doen. We kunnen wel voor hem bidden en hem licht toezenden.

Het is iets moois als iemand de tijd van overgaan aan Gods Wil kan overlaten, om in Zijn naam te sterven. Het is prachtig als men zich vol liefde aan God kan overgeven. Hoe ontluisterend iemand zijn situatie ook vindt, zet hem daartoe aan!

Ons leven heeft altijd zin, anders waren we niet in leven. Kijk eens naar een miertje, een plantje. Ieder dier, hoe klein ook, ieder plantje heeft zijn nut. Zou een mens dan geen nut hebben?

Geen enkel uur van een sterfbed hoeft een verloren uur te zijn. Men kan juist in deze periode van het leven veel gemakkelijker tot diepe inzichten komen. Een volledig doorgemaakt sterfbed geeft mogelijkheden om verder te komen in de evolutie; met euthanasie ontneemt men zich deze kans.

Als door euthanasie het leven met bijvoorbeeld drie dagen verkort wordt, is het goed te bedenken dat men in deze laatste drie dagen van het leven misschien evenveel had kunnen leren als normaal gesproken in drie jaar.

Ook al is het lijden nog zo groot, werk niet mee aan euthanasie! We weten niet hoeveel iemand in die laatste paar dagen of weken nog kan leren en oplossen. Een stervensbegeleider kan in deze laatste periode de stervende ook nog een stuk verder helpen. De stervende kan in die laatste paar weken of dagen nog zoveel moois ervaren en zoveel mooie inzichten krijgen. Als men zich deze mogelijkheid ontneemt, kan dat zelfs een heel mensenleven schelen.

Ieder mens kan op het moment van overgaan enorm veel liefde ervaren. Ieder mens kan in die liefde overgaan. Het is altijd beter op te gaan in God dan op te gaan in het eigen egoïsme.

Mensen die euthanasie hebben ondergaan, ervaren iets soortgelijks als mensen die een zelfdoding achter de rug hebben. In beide gevallen wordt door egoïsme het bewustzijn enorm vernauwd. Terwijl bewust overgaan wil zeggen dat men de schoonheid, de liefde, Gods grootsheid ervaart.

Familieleden die de wens van de stervende om euthanasie gesteund hebben, kunnen daar later gewetenswroeging over krijgen. Wanneer de achterblijvers schuldgevoelens krijgen en zich afvragen: Wat hebben we gedaan?!', zou u kunnen antwoorden: 'U hebt dat toen gedaan, u hebt toen voor deze manier van beëindiging van het leven gekozen. Nu hebt u er spijt van. Probeer nu zo goed mogelijk verder te leven en als uw tijd gekomen is om te gaan, vraag dan niet aan de arts om een spuitje om uw levenseinde te versnellen.'

Voor degene die de stervende actief helpt om voortijdig uit het aardse te stappen is dit iets heel akeligs. Deze negatieve daad komt op een gegeven moment weer bij deze 'hulpverlener' terug. Ook degene die de dodelijke injecties geeft of de pillen aanreikt, moet tot een dieper inzicht komen. Deze artsen zijn zich er niet van bewust wat zij in werkelijkheid doen. Zij hebben geen idee van de gevolgen. Een arts die een terminaal mens medicijnen geeft om eerder te sterven, vergroot voor zichzelf de kans dat hij ook zelf te zijner tijd om euthanasie zal vragen. Ook al zal men dit niet gauw willen toegeven, hoe vaker een arts euthanasie toepast, des te lager wordt de drempel.

Als een stervende zegt: 'Laat me toch inslapen', verleen hier dan geen medewerking aan. Is een arts van plan een stervende hierin tegemoet te komen, werk hier dan niet aan mee. Werk dit tegen, want hiermee kunt u de stervende en ook de arts behoeden voor de gevolgen van deze daad. Een goede arts, een Heelmeester, zal niet aan euthanasie meewerken, hoe groot de druk van de stervende en zijn familie ook kan zijn.

In de praktijk komt het ook voor dat er een soort sluipmoord wordt toegepast. Het komt voor dat een arts een stervende meer morfine toedient dan eigenlijk nodig is. Deze overdosis zal het einde bespoedigen. Meestal doet men dit omdat de familie, of de arts op eigen gezag, heeft bepaald dat de stervende nu wel lang genoeg geleden heeft.

Let wel, als de stervende pijn heeft, moet deze pijn bestreden worden. Men moet de pijn bestrijden, maar niet het leven.

Pijnbestrijding en middelen tegen depressiviteit doen de levensenergie afnemen. Toch is het goed deze middelen te gebruiken als dat nodig is. Het beste kan men zo pijnvrij en zo blijmoedig mogelijk overgaan, want dan wordt het gemakkelijker om dit bewust te beleven.

Zelfdoding

Begint iemand over zelfdoding te praten, dan kan men meestal rekenen op de nodige aandacht. Daarom wordt er wel eens beweerd dat als iemand over zelfmoord begint, deze persoon nooit zelfmoord zal plegen; het zou hem of haar dan alleen om de aandacht te doen zijn. Als u hoort dat iemand met dergelijke plannen rondloopt, geef hem dan ook die aandacht. Praat met zo iemand en probeer erachter te komen wat er aan de hand is. Probeer hem uit zijn isolement te halen. Wanneer iemand over zelfdoding begint, neem dat dan altijd serieus, want iemand kan dit ook wel degelijk ten uitvoer brengen.

Neem iedere gedachte die een stervende over zelfdoding uit serieus. Mensen die vlak voor hun aardse einde staan kunnen geneigd zijn een grote dosis, soms opgespaarde, medicijnen in te nemen. Als zo iemand vraagt: 'Ach, geef me toch wat van die of die pillen, mijn leven heeft zo toch geen zin meer', dan moet u dit weigeren. Daar mag men niet aan meewerken. Zou men hierin de stervende tegemoetkomen, dan is men medeschuldig aan het ongeluk dat deze te wachten staat.

Is iemand moedwillig voortijdig aan zijn einde gekomen, dan blijft hij als het ware in de buurt van het dode lichaam. Dit komt doordat de ziel gedurende een bepaalde periode aan een stoffelijk voertuig gebonden is. Gaat men tegen deze goddelijke ziele-Wil in, dan komt men in grote moeilijkheden. Zo iemand kan niet loskomen van het stoffelijke; hij kan niet opstijgen naar hogere gebieden; hij komt terecht in een soort tussengebied, een sluimersfeer.

Daarom kan iemand die zichzelf om het leven heeft gebracht beter gecremeerd worden dan begraven. Wanneer het lichaam gecremeerd wordt en de as wordt verstrooid, is er voor de overledene minder houvast aan het aardse; hij kan dan gemakkelijker loskomen. Maar om het nog wat ingewikkelder te maken: als het lichaam na drie dagen wordt gecremeerd, wil dit nog niet zeggen dat de overledene zich nu vrijer kan bewegen. Drie dagen aardse tijd worden soms door de overledene als jaren ervaren. In het astrale leeft men met een ander soort tijdsbewustzijn.

Heeft iemand zichzelf het leven ontnomen, benoem hem dan met de voor- en achternaam, ook al heeft u deze persoon altijd met alleen de voornaam aangesproken, ook al is het uw eigen vader, broer of zus. Door de ander met de voor- en achternaam aan te spreken, krijgt deze eerder in de gaten dat er iets wezenlijk veranderd is. Noem de ander bij de volledige naam en wijs hem de weg naar het licht. Bid voor hem en zend hem liefdevolle energie toe. Praat tegen de ander en zeg wat er gebeurd is. Praat tégen de ander, en niet mét de ander; ga geen dialoog aan. Zeg dat hij nu geen lichaam meer heeft, dat hij gestorven is. Dat hij in de wereld waarin hij nu verkeert de blik omhoog moet richten, naar het licht; daar wacht de bevrijding. Zeg tegen hem: 'God is in jezelf.'

Mensen die zichzelf van het leven hebben beroofd zijn dermate met zichzelf bezig dat zij moeilijk te bereiken zijn. De eerste tijd zullen zij gebruiken om tot rust en tot inzicht te komen. Toch kunt u een tijdlang één of twee keer per dag aan zo iemand denken; doe dit echter niet voortdurend.

Helaas komt in ons rijke Westen veel zelfdoding voor. Vroeger kwam zelfdoding minder vaak voor dan tegenwoordig. Dit komt doordat de kerken veel mensen angst konden inboezemen voor de kwalijke gevolgen hiervan. Tegenwoordig heeft de kerk het gezag niet meer van vroeger en we kunnen ons ook afvragen of angst de juiste manier is om mensen van zelfmoord af te houden. Het lijkt mij beter positief in het leven te staan, door het aankweken van positieve gedachten en gevoelens. Een positief ingesteld leven zal iemand van zelfdoding weerhouden.

Maar ga eens in gedachten naar iemand die in een gevangenis zit. Een gevangene kan gemarteld worden omdat men op die manier de namen en adressen van zijn vrienden wil krijgen. Wanneer deze gevangene zichzelf om het leven zou brengen, kan hij zonder de negatieve gevolgen hiervan overgaan, omdat hij het uit liefde voor zijn vrienden heeft gedaan. Daarom moeten we ervoor waken te oordelen. We kunnen uiteindelijk nooit weten welk karma iemand meeneemt naar de andere wereld.

Wanneer iemand zegt: 'Ach ik maak er maar een einde aan', dan is dit een teken dat men zich afsluit. Vereenzaming speelt meestal een grote rol, niet alleen bij oudere, alleenstaande mensen, ook bij jongeren. Vooral tijdens feestdagen, wanneer men zich alleen gelaten voelt, of bij aanhoudend slecht, deprimerend weer, waarbij ook de sociale contacten teruglopen, kunnen mensen gedachten krijgen over zelfdoding. Tijdens de donkere maanden van het jaar, vooral in de late middagschemering, voelen veel mensen zich desolaat. Sla acht op deze mensen; een bezoekje of alleen al een vriendelijk woord of gebaar kan zoveel goeds doen.

Voor iemand die zelf een einde aan het leven heeft gemaakt kunnen we enorm veel mededogen voelen. Toch blijft de mens zelf verantwoordelijk voor zijn daden. Of het nu een kind is, een dement persoon of een stervende, men blijft zelf verantwoordelijk.

Iemand kan een ellendige jeugd gehad hebben of alles even somber inzien en toch zo stoer mogelijk door het leven gaan om dat te camoufleren. Soms kunnen de problemen zo groot worden dat men geen andere uitweg meer ziet. Misschien heeft men in eerdere levens ook zelf een einde aan het leven gemaakt. Zo iemand kan in bedekte termen afscheid nemen van vrienden en familie en een geschikt moment kiezen om ongestoord te vertrekken.

Je neemt gif in, je gaat liggen en je voelt dat het gif steeds meer begint te werken. Je voelt je wegzakken en tegelijkertijd voel je dat het niet goed is wat je doet. Je voelt je steeds verder wegzakken en je grijpt naar het leven. Je voelt je ellendig, wanhopig. Je zakt verder en verder weg in een soort trechter, een soort koker. Het licht wordt steeds kleiner en kleiner. Je raakt in paniek als je geen licht meer ziet, maar je kunt niet meer terug. Er is ook niemand die je terugroept; je bent alleen. Je wilt terug naar boven, maar je kunt niet, het is alsof je verdrinkt. Als je je lichaam hebt losgelaten, zie je ook wat je gedaan hebt. Je hebt je lichaam vernietigd. Je kijkt om je heen, alles ziet er herfstachtig, donker, spookachtig uit. Je ziet daar ook andere mensen die een einde aan hun leven gemaakt hebben. Het is een ontzettende eenzaamheid, alsof je voortdurend met je gedachten alleen bent. Achteraf weet je dat onze intelligenties, onze engelbewaarders, daar ook zijn, maar je sluit je daarvoor af. Het is net of iedereen daar in een coconnetje opgesloten zit. Je ziet elkaar en je loopt langs elkaar heen. Er gaat geen haat naar elkaar toe, alleen weet je het van elkaar.

Deze enorme desolaatheid, eenzaamheid, die je daar voelt, is heel erg. Misschien doe je er wel een paar jaar over om hier uit te komen. Dan begin je steeds meer te zien. Dan lukt het om contact te krijgen met je eigen intelligentie en deze zal je dan ook een stuk op weg kunnen helpen. Je kunt geleidelijk naar andere gebieden gaan. Deze gebieden zijn er altijd, alleen vielen ze buiten je bewustzijn. Je komt op een gegeven moment in een beter gebied, waar je redelijk gelukkig kunt zijn. Het is daar geen lente, maar een betere herfst, een zonnige herfstdag.

Luister naar je gids in het astrale. Ga niet zo snel mogelijk terug naar de aarde, omdat de kans groot is dat je in het volgende aardse leven weer hetzelfde zult doen.

Nadat je zelf een einde aan je leven hebt gemaakt, is voordat je de betere gebieden kunt gaan zien alles ontzettend zwaar, bitter, eenzaam, troosteloos. Je moet het je voorstellen: een sombere mistperiode in de herfst, de bladeren vallen. In zo'n toestand vertoef je. Ook is er een enorme spijt over wat je hebt gedaan, een enorme wroeging. Iets waarvan je op aarde zou zeggen: een enorme straf, hoewel het geen straf is, maar een gevolg van je daad.

Als u mensen ontmoet die met zelfmoordplannen rondlopen, schenk daar dan aandacht aan. Neem elke poging en gedachte die zij hierover uiten serieus. Bedenk ook dat iemand die weinig respect heeft voor zijn eigen leven, in de regel ook weinig respect zal hebben voor het leven van een ander.

Abortus

Niet om iemand schuldgevoelens aan te praten, maar om iemand tot dieper inzicht te laten komen, het volgende. Zelfs wanneer de vrucht nog maar een paar uur oud is, dat wil zeggen uit slechts een paar celletjes bestaat, ook dan is er sprake van leven: de schepping van God. Ook al zijn het slechts acht celletjes in een reageerbuis: het is leven, het is bezield. We hebben het al eerder gezegd: er kan alleen iets leven als het bezield is. Als er leven is, is er een ziel mee verbonden. Het is dan ook beslist niet zo dat de ziel pas indaalt bij de geboorte; de ziel is er al vanaf de conceptie bij betrokken. (Eigenlijk nog vóór de conceptie.)

Als de vrucht nog maar enkele cellen groot is, kan de persoon die hier aan het incarneren is, wel degelijk pijn voelen. Deze persoon voelt een wanhopige pijn. Niet zozeer een fysieke pijn, maar een geestelijke pijn, die gevoeld wordt in de astrale en oorzakelijke aura's. Hoe volgroeider de foetus, hoe groter ook de fysieke pijn wordt die de persoon voelt.

Wanneer een vrouw abortus op haar ongeboren kind pleegt, kan zij misschien, mits zij niet tot dieper inzicht komt, in een volgend leven zelf geaborteerd worden. Dit gebeurt om haar bewust te laten worden van de gevolgen van abortus, om de machteloosheid te voelen van een ziel die wil incarneren.

Er zijn heel wat zwangere vrouwen die als gevolg van een eerder – in dit leven of een vorig leven – gepleegde abortus met de angst rondlopen dat er wat vervelends gaat gebeuren met hun zwangerschap.

Maar ook een man die zijn vrouw heeft aangezet tot abortus, zal moeten leren. Ook hij kan aan het begin van een volgende incarnatie in de moederschoot omgebracht worden. Als een man zijn vrouw aanzet tot abortus, zijn beiden verantwoordelijk. Het kan ook zijn dat de man in de keuze voor abortus meer op de achtergrond blijft, maar het wel toestaat. Dan kan het misschien zijn dat deze man in dit of een volgend leven een ongeluk krijgt. Een auto-ongeluk, of een val van een ladder, waardoor hij gedurende een bepaalde tijd het bed moet houden. God haalt deze man dan als het ware uit het volle leven, net zoals een baby die geaborteerd wordt. In zijn ziekbed kan hij ervaren hoe pijnlijk de gevolgen van een ongeluk kunnen zijn. Hij kan dan ook ervaren hoe het is om afhankelijk te zijn van een ander.

Bij een ongewenste zwangerschap moeten de vrouw en het kind zo goed mogelijk worden opgevangen. Ook als een vrouw door verkrachting zwanger is geraakt, is het beter het kind te laten komen. Ook nu moet er voor een goede opvang voor moeder en kind worden gezorgd. Eventueel kan het kind door een kinderloos echtpaar worden geadopteerd.

Abortus kan noodzakelijk zijn wanneer anders een levensbedreigende situatie voor de moeder ontstaat. In dit geval is het goed abortus toe te passen. Het kind weet dan ook dat dit uit liefde wordt gedaan. Dit is dan het beste voor de moeder en haar omgeving. Wordt de moeder na zo'n abortus weer zwanger, dan is het vrijwel altijd hetzelfde kind dat weer bij deze moeder incarneert.

Het speelt geen rol als men weet dat het kind dat op aarde wil komen lichamelijke of geestelijke gebreken zal hebben. De Schepper heeft altijd een bedoeling met het leven. Een ongelukkig, gehandicapt kind, kan het gezin waarin het terechtkomt verder brengen in de evolutie. Ook het kind zelf heeft gekozen voor een dergelijk leven en als het bij deze ouders niet terecht kan, zal het andere ouders zoeken om het verkozen leven door te maken.

De ouders zullen het niet gemakkelijk hebben met het grootbrengen van een gehandicapt kind, en als de ouders hun moeilijkheden uiten naar de omgeving, kan deze nog wel eens denken of zeggen: 'Ach, zeur toch niet, je hebt geen recht om te klagen, je hebt dit kind toch zelf gewild.' Maar ook de mensen die deze ouders met het vingertje nawijzen, moeten vroeg of laat tot inzicht komen.

We moeten ons wel altijd blijven afvragen: Waarom komt een dergelijk ongelukkig kind ter wereld en waarom juist bij die ouders, in dat gezin?

Men weet in grote lijnen, afhankelijk van het bewustzijn, wat er gaat gebeuren in een nieuw aards leven. Zo weet men ook dat men geaborteerd gaat worden, nog voordat men incarneert.

Je ziet de ouders op aarde en je gaat de baarmoeder van je nieuwe moeder binnen. Hier heb je dan een vreselijke tijd omdat je weet wat je te wachten staat. Normaal gesproken ervaar je het verblijf in de baarmoeder als heel prettig. Maar nu is er voortdurend ruzie tussen de man en de vrouw, wat je als kind ook daadwerkelijk kunt ervaren. Je kunt namelijk vanuit de baarmoeder het een en ander astraal waarnemen; je voelt de enorme spanningen bij je ouders. Je voelt ook de enorme spanning bij je moeder; zij is bijvoorbeeld ongehuwd en jij bent ongewenst. In een abortuskliniek laat zij je aborteren.

Je bent één met de vrucht in de baarmoeder. Er is geen mogelijkheid om de vrucht los te laten, om uit te treden voordat de abortus komt. Dit is niet mogelijk, want als er leven is, is de ziel aanwezig.

Je wordt zomaar eventjes vermoord. De mensen op aarde staan er niet bij stil hoeveel geestelijke en fysieke pijn dit het kind doet. Als de arts je als het ware uit elkaar rukt, is dit als een sterven, een doodgaan.

Je wordt vermoord en dat is veel erger dan een natuurlijke dood. Je ervaart dit als iets verschrikkelijks. Degenen die abortus plegen zijn eigenlijk misdadigers, hoewel zij niet weten wat zij doen. Daarom zullen zij tot dieper inzicht moeten komen, misschien door het zelf ook te moeten ervaren wat het is om omgebracht te worden.

Je ervaart afschuwelijke pijnen, die snel zo erg worden dat ze je verdoven. Op het laatst voel je geen pijn meer. Als de hemel zich opent, als je bevrijd wordt van dat lichaam, voel je je diep gelukkig dat dit alles is volbracht.

Geaborteerd worden is een marteling, en de pijn voel je ook nog in geestelijke zin als je in het astrale bent, maar hij gaat na verloop van tijd over. Waarschijnlijk heb je deze ervaring nodig gehad, hoe het is om zelf als kind in de baarmoeder te worden weggemaakt. Misschien was je in een vorig leven zwanger en daardoor ten einde raad en had je ook niet de inzichten die je nu wel hebt. Misschien had je toen ook niet veel spijt van het feit dat je abortus op je kind had gepleegd.

Je bent door deze ervaringen enorm opgeschoten in je evolutie. Het was zeker niet gemakkelijk, maar je hebt veel geleerd.

Als je je moedeloos voelt, radeloos bent, kijk dan eens naar de sterren. De aanblik van al die miljoenen sterren in een heldere nacht, de aanblik van de grootsheid van het heelal, kan onze problemen sterk relativeren. Kijk eens naar een bloem of een dier. Kijk eens naar je eigen handen. De hele schepping is erop gericht van Gods liefde te getuigen. Reciteer de naam van God, de naam van Jezus of van Moeder Maria. Het is zo menselijk om het niet meer te zien zitten.

We kunnen gemakkelijk zeggen: 'Dit is mijn leven', maar wie zijn wij? Sai Baba: 'Elk uur van de dag zegt de mens, mijn, mijn, mijn. Mijn huis, mijn lichaam, mijn leven. Maar wie is die mijn? Wie ben ik, die vraag stelt hij nooit.'

9 De begeleider

De Liefde Zelf is als een goede herder.
De Here zal zijn kudde weiden gelijk een herder, is een beeldspraak die een aantal malen in de Bijbel voorkomt. In onze tijd is het een beeldspraak die moeilijk te verteren is. Wie wil er nu als een schaap geleid worden? Toch zit er een diepere betekenis achter deze woorden. De onderlinge verhouding tussen de schapen in een kudde is hiërarchisch. Er zijn altijd één of meerdere schapen in een kudde die een soort leidinggevende rol vervullen. De herder weet dat als hij deze 'kuddeleiders' een bepaalde richting wijst, de rest van de kudde zal volgen.

Is de Here gelijk een herder, dan zou een stervensbegeleider, een pastoraal werker, als een 'kuddeleider' moeten zijn. De stervensbegeleider brengt de ander tot aan de voeten van de goede Herder, de Herder die het 'levende water' schenkt.

Dit boek is geschreven voor de echte begeleiders, dat wil zeggen voor die mensen die een stervende echt willen begeleiden. Dit betekent dat men de ander wil bijstaan, zodat deze tot diepere inzichten kan komen en verder komt in zijn evolutie. Een begeleider is iemand die vanuit het hart de ander zo goed mogelijk wil helpen, wil bijstaan en troosten. Een begeleider zal de stervende voorbereiden en de richting wijzen naar de bron van levend water. Liefdevol en niet plichtmatig.

Nieuw pastoraal werk

Wanneer een stervende begint te vertellen over wat hij al als voorproefje gezien heeft van het astrale leven, dan kan een orthodox–religieus persoon al gauw denken: 'Dat bestaat niet.' Deze mooie visioenen worden dan als onbeduidende hallucinaties afgedaan, waardoor de stervende zich onzeker en bedroefd voelt. De stervende komt dan met deze mooie ervaringen alleen te staan. We moeten dan ook wel degelijk op dergelijke visioenen ingaan. Wanneer de begeleider deze samen met de stervende bespreekt, zal de vertrouwensrelatie tussen begeleider en stervende versterkt worden.

Een pastoor – en dit heb ik in het katholieke zuiden van ons land dikwijls meegemaakt – pretendeert vaak op eenvoudige wijze de zonden (het karma) van de stervende te kunnen vergeven. U begrijpt dat dit onmogelijk is; toch wordt dit aan het sterfbed keer op keer gedaan, doordat men wat dit betreft onkundig is. Het zou ook te gemakkelijk zijn. Op die manier kan men er rustig op los leven, omdat men denkt dat men later toch om vergeving kan vragen. Hoe zinloos is het niet om naar een priester te gaan om te biechten, om daarna snel weg te lopen om de oude draad weer op te pakken. Ieder mens moet zelf tot wezenlijk diepe inzichten komen; dit is ieders eigen verantwoordelijkheid. Ook wanneer een dominee of pastoor zegt dat de stervende naar de hemel gaat, is dit nog maar de vraag. Het ligt er maar helemaal aan hoe de stervende geleefd heeft.

De gevestigde christelijke kerken gaan er min of meer vanuit dat na het sterven de overledene voor eeuwig in de hemel zal zijn en daar zijn rust zal vinden. Het leven gaat echter gewoon door, zij het wel op een andersoortige manier, in een andersoortige wereld. Leven impliceert een altijd doorgaande groei, een groei in bewustzijn, evolutie.

Hoewel we soms wat meer en soms wat minder groeien, groeien betekent wel dat er geen eeuwige rust en geen eindpunt is. Iemand die zegt dat de overledene de eeuwige rust gevonden heeft, geeft de overledene een doodverklaring mee. Zo'n eindpunt of stilstand staat gelijk aan de dood. In de Bijbel wordt het woord 'dood' vaak gebruikt in verband met onbewustheid, onbewustheid die voortkomt uit negatieve daden. Jacobus: 'Als de zonde volgroeid is, brengt zij dood voort.' Johannes: 'Wie niet liefheeft, blijft in de dood. (...) Wie Mijn (Jezus') woorden ter harte neemt, zal nooit de dood ondergaan.'

Een orthodoxe gelovige die in de gaten krijgt dat de stervende in reïncarnatie gelooft, zal veelal niet weten wat te zeggen. Hij zal wat om de hete brei heen draaien en denken dat de stervende het zo moeilijk heeft met zijn heengaan, dat hij voor zichzelf dit waandenkbeeld van reïncarnatie heeft gecreëerd. Zodat de stervende weer terug kan komen en zijn heengaan niet definitief is. Reïncarnatie is echter wel degelijk een realiteit. Het geloof in reïncarnatie maakt dat we bewuster aan onszelf kunnen werken. Het besef van reïncarnatie is een essentieel onderwerp voor de religie van de Nieuwe Tijd. Ook telepathische of intuïtieve omgang met intelligenties en Meesters zal een belangrijke rol gaan spelen.

Zo zijn er nogal wat redenen op te noemen waarom de gevestigde, orthodoxe pastoraal werkers soms wat in gebreke blijven. Veel misvattingen – dat wil zeggen onbewustheid – liggen hieraan ten grondslag.

Tweeduizend jaar lang stond de aarde onder invloed van het astrologische teken Vissen. Dit is een waterteken, en emoties (water) speelden in die periode een grote rol. Men kon zich gemakkelijk op een emotionele manier aan een ideaal binden. Welhaast zonder zelfstandig na te denken sloot men zich aan bij de kruisridders om de heilige stad Jeruzalem te bevrijden. Het opgaan in hebzucht en machtsgevoelens waren drijfveren voor kolonisatie en het uitroeien van hele culturen. Blind geloof in de dromen van pausen, koningen en priesters deden massa's mensen in aanbidding op de knieën vallen.

Maar kijk ook eens naar het huidige godsdienstige fundamentalisme. Op emotionele wijze verdedigt men de eigen visie. Dit is de laatste stuiptrekking van de negatieve energie van het Vissen-tijdperk. Alles wat een begin kent, heeft ook een einde. Ook godsdiensten kennen een begin en een einde. Tijdperken worden geboren en zullen sterven.

De komende Nieuwe Tijd, het Waterman-tijdperk, dat na de tweede wereldoorlog is begonnen en zich steeds duidelijker begint af te tekenen, zal zich kenmerken door beter begrip, inzicht en meer kennis. Men zal zich in de toekomst niet meer zo gemakkelijk laten meeslepen door collectieve idealen. Men wil zelf ervaren, zelf onderzoeken, zichzelf ontwikkelen. Er vindt een verschuiving van aandacht plaats, van het emotionele – astrale – naar het mentale – oorzakelijke. Ieder mens is zelf een unieke boodschapper van God!

Een nieuwe pastoraal werkende is een bewuste boodschapper, die kan zeggen: dit is de boodschap van degene die mij stuurt, de inwonende Godheid die in ieder mens aanwezig is.

Alle godsdiensten zijn in principe gebaseerd op liefde. Maar wanneer de godsdienstleiders de bekende, vertrouwde uiterlijke vormen van een godsdienst willen vasthouden, is er sprake van angst, angst om het vertrouwde te verliezen. Daardoor hebben gelovigen vaak het gevoel dat zij klein worden gehouden en dit werkt in deze tijd averechts. Velen onder ons weten dat de Christus herrezen is. Sterker nog, velen hebben het gevoel dat de Christus op het punt staat terug te komen. Let wel, het Christus-aspect van God komt terug. Zo ook verwachten de boeddhisten de Maitreya-Boeddha en de islamieten de Iman Madi.

Het is niet zo dat mensen God de rug toekeren. Er is juist een enorme bloei van religieus bewustzijn gaande, zij het nu meer overeenkomstig de eeuwige, universele waarheid. Het is oude wijn in nieuwe zakken.

Zoals de oude religies in doodsstrijd verkeren, verkeert de nieuwe religie temidden van geboorteweeën. Hoe zal de Nieuwe Tijd er concreet uit komen te zien? De stuwende kracht is zeer goed merkbaar. Een kracht die haar weg zoekt naar ontplooiing. Sommige mensen blijven zich vastklampen aan de oude zekerheden, anderen raken zo verward dat zij in lethargie vervallen. Weer anderen resoneren op de vibraties van de Nieuwe Tijd.

In dit verband wil ik naar voren brengen dat ik een keer een stervende man in Amerika, zonder dat we elkaar kenden, middels E-mail begeleid heb. Ook komt het voor dat een sterfbed van een willekeurig iemand, via Internet, voor iedereen te volgen is.

Een orthodoxe pastoor kan door rituele handelingen wel een prachtige sfeer oproepen. Het sacrament der stervenden, dat tegenwoordig liever sacrament der zieken wordt genoemd omdat men liever het taboe rond sterven intact wil houden, kan de stervende wel degelijk een zekere berusting geven. Soms moet u als begeleider dan ook vragen: 'Wilt u het sacrament van de zieken ontvangen?' Misschien wil de stervende dat er alsnog een dominee of pastoor aan zijn bed komt. Vraag wat de stervende wil. Wil hij een bepaalde rituele handeling, of wil hij samen met u bidden? Dit blijft altijd een persoonlijke aangelegenheid.

Samen bidden is erg belangrijk; er gaan dan prachtige energieën rondstromen. Samen langzaam bidden, in eenvoudige bewoordingen, op een persoonlijke manier, is prachtig. Eventueel kan men bidden met een afbeelding van Meester Jezus of Moeder Maria erbij, of met een mooie bos bloemen op het nachtkastje, of met een brandende kaars. Samen bidden, waarbij de familie aanwezig is, is iets prachtigs. Denk er eens over na om samen met de familie, hand in hand rond het bed van de stervende in gebed te gaan.

We kunnen de stervende ook uit de Bijbel of een ander heilig boek een stukje voorlezen. Vraag de persoon bij welke boeken hij zich het meeste thuis voelt en lees hieruit wat voor, met een rustgevende stem. U kunt vooraf vragen of hij wil aangeven wanneer het hem gaat vermoeien. Of vraag hem een teken te geven wanneer u moet stoppen, zodat u samen de tijd krijgt om een bepaalde passage te overdenken.

Stervensbegeleiding is een daad van naastenliefde en mag niet uit plichtsbesef voortkomen. Het is niet zo dat ieder mens dit werk moet gaan doen. Niet iedereen kan dit werk ook doen.

U zult uzelf van tijd tot tijd moeten wegcijferen, zodat u zich totaal kunt richten op de mens in nood. Kijk dan ook niet naar de tijd die u hieraan kwijt bent. Als u een goed gesprek hebt met de stervende, breek dit dan niet af omdat het tijd is om naar een volgende afspraak te gaan. Er komt misschien geen tweede gelegenheid meer waarbij de stervende zoveel van zijn emoties en gedachten kan uiten als op dit moment.

O Heer, neem mijn handen:
laat hen onafgebroken voor U werken.
O Heer, neem mijn voeten:
laat hen over Uw wegen gaan.
O Heer, neem mijn geest:
laat mijn gedachten in harmonie zijn met U.
O Heer, neem mijn liefde:
laat haar in devotie tot U vloeien.
O Heer, neem mijn ziel:
laat haar oplossen in perfecte eenheid met U.
O Heer; neem alles van mij:
laat mij uw instrument zijn.

Dienstbaarheid

De hulpverlener die uit is op waardering, dankbaarheid, of wat voor een resultaat dan ook, is dienstbaar aan zichzelf. Stervensbegeleiding is echter dienen omwille van de dienstbaarheid zelf. Terwille van de liefde. Belangeloze dienstbaarheid is dienstbaarheid aan God.

Wanneer we een stervende troosten, geven we iets van onze goddelijkheid door aan een ander goddelijk mens. Wanneer we iemand die in nood verkeert, vanuit ons hart bijstaan, is dit dienstbetoon aan God. Van God aan God. Een meditatieve staat!

Ieder mens is een goddelijk wezen, ook al kan dit er aan de buitenkant wel eens anders uitzien. Hoe negatief mensen soms ook kunnen zijn, kijk hier doorheen. Zie een medemens in zijn ware gedaante, zie de ander als een goddelijke ziel.

Ik herinner me een man die uit gevoelens van onmacht vreselijk tegen me uitviel. Ik heb deze woede-uitbarsting over me heen laten komen en daarbij niets anders gedaan dan zo rustig mogelijk de naam God... God... God... in gedachten reciteren. Omdat ik mezelf altijd heb voorgehouden dat liefde er altijd is, omdat God er altijd is, heb ik geprobeerd de liefde in de kamer te voelen. En ik kon die liefde ook gewaarworden, ondanks alle negativiteit. Ik heb de man als een goddelijk Licht-Wezen willen zien en ook dat lukte. Op een gegeven moment ging zijn gevloek en getier op in het licht en de liefde. Hij keek me verbaasd aan, zonk neer op een stoel en kwam in contact met zijn waarheid: verdriet. Zo zittend aan de tafel, met zijn gezicht in zijn handen, heb ik hem aangemoedigd zijn verdriet en teleurstellingen te uiten. Op den duur kwam er een sfeer van overgave over ons beiden heen. We wisselden een paar woorden met zachte stem en keken elkaar opmerkelijk lang in de ogen. Op dat moment waren we volkomen aan elkaar gelijk, in overgave, in God. We zagen God in elkaars ogen en ver daarbuiten.

Pas later besefte ik dat ik deze ontredderde man heb kunnen helpen door God toe te laten. Door God toe te laten, diende Hij ons. Ik zelf heb niet veel gedaan; God deed het. Sindsdien heb ik me voorgenomen als een soort geestelijke discipline, als een oefening, het goddelijke in de ander te zien. Hoewel ik moet toegeven dat dit goede voornemen soms wel eens wat op de achtergrond raakte. Wat we ook kunnen doen, is als een eerste begroeting in gedachten tegen de ander te zeggen: 'Ik groet het goddelijke in u.' De ander zal deze begroeting onbewust aanvoelen en er positief op reageren.

Meester Jezus: 'Waar twee mensen elkaar in Mijn naam ontmoeten, daar ben Ik aanwezig.' Dit is een gezegende toestand waarin men zich één met de ander voelt. We weten dan niet meer of we als begeleider dienstbaar zijn aan de ander, of dat de ander ons dient. Dan gaat alles als vanzelf en we weten dat het goed is. Dit is dienstbaarheid aan God, dienstbaarheid aan God in de mens. Zuivere dienstbaarheid is daarom iets dat ons kan overkomen, het kan niet geforceerd worden. Liefde laat zich niet manipuleren.

Bedenk dat liefde er altijd ís; men hoeft haar alleen maar te ontdekken. Ik probeer me hier steeds weer bewust van te zijn: dat ieder mens een goddelijke ziel is en dat er van nature een liefdesband tussen mensen bestaat. Ik oefen me keer op keer om in dit bewustzijn te zijn en te blijven. Ik probeer met dit bewustzijn in contact te blijven, ook als er negatieve reacties komen. Want er kunnen altijd negatieve energieën de kop opsteken, bij de ander en evengoed bij onszelf.

Laten we niet over onze naaste oordelen, want als we over iemand een oordeel uitspreken, spreken we tegelijkertijd een oordeel over onszelf uit. Daarmee keren we onze rug naar de echte waarheid: de werkelijkheid dat iedereen goddelijk is. Ook de meest vervelende mens is een kind van God. Ook lastige mensen moeten leren wat liefde is. Benader hen daarom liefdevol, maar doe dit niet plichtmatig, want plichtmatigheid duidt op beperking; doe het vanuit het hart.

Oordeel niet over uzelf. Iedere begeleider zal bang zijn om te kort te schieten en zal bang zijn om verkeerde dingen te zeggen. Maar wanneer u liefde voelt, bent u goed bezig. Het gaat niet om een slim antwoord of om een scherpzinnige opmerking. Er is uiteindelijk niets opgewassen tegen liefde; uiteindelijk zal ook ieder mens daar aankomen.

Het goddelijke in onszelf en in de ander activeren: dat is wat ware dienstbaarheid betekent. We laten de liefde zelf het werk doen, in ons spreken en ons handelen.

Denk positief over de ander en over uzelf. Zie ieder mens als een Licht-Wezen. En als we liefde door ons heen voelen stromen, laat deze dan doorstromen naar de ander. Wees een doorgeefluik van liefde, zo kunnen we helpen! Draag de liefde van God uit.

Sai Baba haalde eens het volgende aan. Je loopt 's nachts over straat en je ziet een zwerver op de grond liggen. Naast hem ligt een deken. De deken, die bedoeld is om de zwerver warm te houden, is van hem afgegleden. Dit is niet in overeenstemming met het universum. Het universum is gebaseerd op liefde. Als we naar de zwerver toegaan om de deken weer op hem te leggen, zijn we dienstbaar aan het universum.

Beperkingen van de begeleider

Ieder mens is anders. Bij de één voelen we de volheid van liefde, bij een ander voelen we een enorme leegte achter de mens. U kunt aangeven wat uw visie is op het sterven en hoe u over het leven na het sterven denkt. U kunt aangeven welke moeilijkheden u bij de stervende ziet en hoe hij deze misschien kan oplossen. Maar als de stervende hier niet op in wil gaan, kunt u het beter loslaten. Het is zinloos uw energie te verkwanselen en van de ene teleurstelling naar de andere te gaan. Probeer wel altijd de stervende zoveel mogelijk gerust te stellen, door bijvoorbeeld te zeggen dat er een prachtige wereld na deze wereld wacht. Maar als iemand hier verder niet over wil praten, kunnen we er als begeleider beter niet op doorgaan. Preken heeft geen zin; dit zal alleen maar averechts werken.

Als de stervende niet open wil staan, wordt het moeilijk om troost te geven. Iemand troosten en steunen wil zeggen dat iemand open wil staan voor uw steun en iets met uw steun doet. Er zijn mensen die gemakkelijk parasiteren; dit is iets anders dan steun zoeken. Parasiteren is het aftappen van energie zonder dat iemand hier iets mee doet, zonder dat er bij de ander iets gebeurt. U als begeleider wordt hier alleen maar moe van. Stop hier dan ook mee. Laat u niet misbruiken!

Er zijn ook mensen die medelijden willen opwekken en die het heerlijk vinden zich in hun eigen ellende te wentelen. Stop dit, laat u niet misbruiken. Wanneer de stervende steeds maar weer hetzelfde verhaal afdraait en niet uit zijn cirkeltje wil komen, is het goed kordaat op te treden. We kunnen dan bijvoorbeeld zeggen: 'U draait nu wel steeds dezelfde redenering af, maar probeer het nu ook eens zus of zo te zien.' Doe dit wel vanuit het hart!

Wanneer we de ander iets duidelijk willen maken, moeten we proberen recht op ons doel af te gaan. We moeten ons zo concreet mogelijk uiten, in eenvoudige bewoordingen. Smeer de ander geen stroop om de mond, dat is wel gemakkelijk maar niemand heeft er wat aan. Neem nu bijvoorbeeld iemand die zich op zijn sterfbed steeds maar weer druk maakt over zijn bezit. Ondanks het feit dat de verdeling van bezittingen in kannen en kruiken is en het een en ander daarover voldoende is doorgesproken, kan iemand hier steeds maar weer op terug komen. In zo'n geval kan het goed zijn als u eens wat steviger optreedt. U kunt dan zeggen: 'Nu is het genoeg geweest, u bent aan het sterven!' We moeten er dan wel voor zorgen dat we met de stervende alleen zijn; dergelijke persoonlijke zaken behoort men onder vier ogen te bespreken.

Liefde heeft niets te maken met het laten voortkabbelen van een zinloze situatie. Liefdevol zijn betekent voor het goede opkomen. Denk eens aan ouders die hun kinderen straf geven. Ouders geven hun kinderen straf, niet omdat zij niet van hun kinderen houden, maar omdat zij hun kinderen willen helpen het goede te doen.

Het valt niet altijd mee een stervende steeds maar weer vanuit het hart bij te staan. Sommige stervenden kabbelen maar voort, er zit geen schot is. Alles wat we zeggen glijdt als het ware van hen af. Op een gegeven moment gaan we plichtmatig naar zo iemand toe. Vaak moeten we deze routinebezoeken ook wel afleggen, omdat men dit van ons verwacht.

Het begeleiden van onbewuste mensen kan bijzonder zwaar zijn, omdat zij veel moeite zullen doen om hier op aarde te blijven. Zij zullen zonder dat zij dit weten de energie in hun stoffelijke lichaamsaura willen aanvullen. Wanneer iemand zijn wil aanwent om hier te blijven, kan er op die manier heel wat energie van de mensen in de directe omgeving afgetapt worden. Vooral 's nachts, wanneer er weinig prana aanwezig is (prana is energie van de zon die onder andere de aura van het fysieke lichaam voedt; zie Inleiding), zal dit het geval zijn. 's Nachts daalt het energieniveau in de aura van het stoffelijk lichaam tot een dieptepunt. Veel stervenden ervaren daardoor de nacht als een kritieke fase, waarin angst en onrust naar boven kunnen komen, tenzij men rustgevende of slaapmiddelen gebruikt.

Stervensbegeleiding is soms zwaar werk. Stervenden onttrekken, eigenlijk altijd, onbewust energie aan de mensen in hun omgeving. Dit komt doordat de aura van het fysieke lichaam tijdens het sterven in kracht afneemt. Deze afname in kracht gaat zover, dat de aura uiteindelijk niet genoeg energie meer heeft om het levensbewustzijn aan het fysieke lichaam te kunnen binden.

Iedereen die wel eens een nacht bij een stervende gewaakt heeft, weet hoe zwaar dit kan zijn. Wanneer we in zo'n geval veel energie kwijtraken, kunnen we het beste van tijd tot tijd even in een andere kamer gaan zitten. Neem een tijdje wat meer afstand. Eet voldoende om de eigen energietoevoer op peil te houden. Vergeet ook niet 's nachts voldoende te drinken, want 's nachts kan men flink transpireren. Als u na de nachtwake thuiskomt is het goed om alles van u af te douchen.

Gaat u naar een stervende toe die veel energie vraagt, geef dit dan door aan uw collega's en vraag of zij u wat energie willen toezenden. Als u 's nachts bij een stervende gaat waken en u verwacht dat u uitgeblust thuis zult komen, zeg dit dan van tevoren tegen uw eigen gezinsleden of achterban. Zij kunnen er dan rekening mee houden dat u misschien wat vervelend of chagrijnig thuiskomt. Houd uzelf goed in de gaten en pas op dat uw eigen gezinsleven niet onder uw werk gaat lijden. Neem op tijd voldoende ontspanning.

Ook stervenden die op een mooie manier heengaan zullen energie van de mensen in hun omgeving aftappen, maar hier staat zoveel goeds tegenover; deze stervenden geven ook zoveel.

De begeleiding en de verzorging van zieke mensen kan zwaarder zijn dan het verrichten van zware landarbeid. Iemand die zwaar werk doet in de vrije natuur krijgt van zijn omgeving veel energie, terwijl het verzorgen van zieken soms alleen maar geven en geven is, vooral als het om onvriendelijke of ondankbare mensen gaat. Hoewel ondankbare mensen zich in hun hart wel dankbaar kunnen voelen, vinden zij het meestal moeilijk om dit te uiten. Als we goed in de gezichten van ondankbare of onvriendelijke mensen kijken nadat we ze geholpen hebben, zien we vaak toch iets schitteren. Vaak worden mensen op een ziekbed geworpen om na te denken over hun leven, zodat zij de Godheid in het leven leren zien.

Als verzorgende van zieke mensen kunt u misschien inspiratie ontlenen aan het feit dat ook Meester Jezus de voeten van Zijn discipelen gewassen heeft. Hij zei: 'Een afgezant (Jezus) staat niet boven zijn zender (God)'. Een mens staat niet boven de liefde. Ook de Meester heeft waar Hij maar kon de zieke mens geholpen. Hij kon echter niet iedereen genezen, omdat Hij wist dat dit niet voor iedereen goed zou zijn.

Collega's

Soms ziet de stervende thuis een legertje aan hulpverleners door zijn huis trekken: de huisarts, de gezinszorg, de terminale-thuiszorg, de wijkverpleging, de nachtzorg. Soms komt de wijkverpleging overdag en is er ook avond- en weekenddienst ingezet. De hulpverleners zullen elkaar aflossen en elkaar vervangen bij vrije dagen. Deze noodzakelijke manier van werken biedt de stervende weinig rust en weinig mogelijkheden tot het opbouwen van een persoonlijke relatie. De stervende heeft behoefte aan een vertrouwenspersoon die regelmatig bij hem op bezoek komt en die goed te bereiken is; iemand die rustig de tijd kan nemen voor een gesprek.

Vaak wordt een stervensbegeleider als sluitpost in de hulpverlening gezien. Medische, verpleegkundige en huishoudelijke zorg is voor een stervende natuurlijk een basisbehoefte. Maar dit betekent nog niet dat de stervensbegeleider zich in het circuit van hulpverleners als een buitenbeentje moet beschouwen. Hij is geen sluitpost, integendeel, hij laat juist de opening zien naar het nieuwe leven.

Daarom kan een stervensbegeleider, ook bij zijn collega-zorgverleners, rustig opkomen voor zijn aandeel in de zorg. Vaak weten de andere hulpverleners niet eens dat er een stervensbegeleider bij de hulp betrokken is. Ik heb het in al die jaren dat ik in de thuiszorg gewerkt heb nog nooit meegemaakt dat een pastoraal werkende iets in een overdrachtschrift schreef. (Via een dergelijk overdrachtschrift, dat vrijwel altijd bij de patiënt thuis ligt, communiceren de verschillende hulpverleners met elkaar.) Ik heb ook nooit meegemaakt dat een pastoraal werker contact opnam met de gezinszorg of met de wijkverpleging. Nu hoeft men niet over te brengen hoe het met de stervende gesteld is; dit zou ook het recht op privacy van de stervende schenden. De stervensbegeleider kan wel, in overleg met de stervende, in het overdrachtschrift schrijven dat hij geweest is, of dat hij samen met de familie gebeden heeft. De andere hulpverleners weten dan dat zij bij bepaalde problemen van de stervende naar de stervensbegeleider kunnen doorverwijzen.

Een stervensbegeleider gaat te werk vanuit het hart, vanuit het Zijn. Ik heb eens van een stervende man in een ziekenhuis gehoord dat hij zich nog het meest getroost en gesteund voelde door een vrouw die iedere dag de post op de ziekenkamers rondbracht. Er is dan ook in principe niets op tegen als vrijwilligers de begeleiding van stervenden op zich nemen. Zij behoren wel enige kennis van zaken te hebben; uitsluitend de intentie om dit werk te gaan doen is niet genoeg. Bovendien moet er altijd een meer ervaren persoon op de achtergrond aanwezig zijn, waar de begeleider op terug kan vallen.

In het begin zal iedereen het moeilijk hebben bij de confrontatie met een stervende. Iemand die voor het eerst dit werk gaat doen, kan dan ook beter eerst een paar keer met een meer ervaren collega de stervende bezoeken.

Begeleiding vanuit een team is altijd het beste. Vanwege het opbouwen van een vertrouwensrelatie is het wel noodzakelijk dat er een hoofdpersoon is tot wie de stervende zich kan richten.

Voor de begeleiders zelf is het ook belangrijk dat hij van tijd tot tijd met collega's van gedachten kan wisselen. Bij dergelijke bijeenkomsten van begeleiders zou een open, persoonlijk contact voorop moeten staan. Zo kan de begeleider ook de eigen emoties, de mooie ervaringen en de moeilijkheden naar voren brengen. Bij deze onderlinge gesprekken kan men veel van elkaar leren, want omdat iedereen vanuit zijn eigen bewustzijn te werk gaat, kunnen er verschillende visies zijn over één en dezelfde vorm van hulpverlening. Het vrijelijk kunnen uitwisselen van ervaringen en inzichten kan een grote steun zijn voor de stervensbegeleider. Wanneer hij iets verkeerds heeft gezegd of een misser in een bepaalde situatie heeft gemaakt, moet dit wel eerst bij de stervende zelf naar voren gebracht worden. Probeer een misser eerst samen met de stervende of de familie op te lossen.

Collega-begeleiders behoren van elkaar te weten hoe het contact met de stervende en de familie verloopt: wat de moeilijkheden zijn, hoe de stervende eraan toe is en hoe het met de familieleden gaat. Dit betekent niet dat als een stervende de begeleider iets in vertrouwen heeft meegedeeld, dit in het team doorverteld mag worden. De centrale vraag moet hierbij zijn: hoe kan men de stervende en de familie het beste bijstaan? Eigenlijk zouden stervensbegeleiders zich aan een beroepsgeheim moeten houden, aan een geheimhoudingsplicht. De stervende moet onvoorwaardelijk op geheimhouding van vertrouwelijke zaken kunnen rekenen. Vaak vertrouwt de stervende de hulpverlener meer dan de eigen familie. De stervende kan soms tegen de begeleider iets vertellen dat hij jarenlang voor de rest van de familie verzwegen heeft.

Bij een team van drie of vier mensen kunt u afspreken dat om beurten iemand de weekeinden bereikbaar en beschikbaar is. Ook wanneer een begeleider een vrije dag wil, kan een ander het overnemen; de stervende komt daardoor niet in de kou te staan. En denk eens aan het sterven van een kind: er kan in zo'n geval een hulpverlener zijn voor het kind en een hulpverlener voor de familie, die ook in de tijd na het overlijden van het kind de familie opvangt.

Als de communicatie tussen u en de stervende niet erg vlot, kan de begeleiding overgedragen worden aan een ander. Het kan bijvoorbeeld zijn dat een jong iemand die op sterven ligt liever door een jongere begeleider wordt bijgestaan.

De ene begeleider kan soms heel emotioneel zijn bij het sterven van een negentigjarige doordat men hier een grote betrokkenheid bij voelt, een ander kan nagenoeg niets voelen bij het sterfbed van een klein kind. Het ligt er maar aan wat voor binding u met iemand hebt.

Loop niet over uzelf heen als een sterfbed u erg heeft aangedaan of als u verdrietig bent. Soms heeft men echt de tijd nodig om weer op adem te komen. Wanneer u op zo'n moment naar een volgende afspraak moet, kunt u die misschien overdragen aan een van uw collega's. Houd uw eigen beperkingen in het oog.

Let altijd goed op uw eigen energie. Als u te moe bent, kunt u een ander ook niet goed helpen. Bovendien bent u dan ook eerder vatbaar voor negatieve zaken. De omgang met zieke mensen is zwaar werk. Wanneer we te moe zijn is het beter de stervende een keer over te laten aan een collega-begeleider. Wanneer we goede collega's hebben zullen zij dit ons ook niet kwalijk nemen. We moeten dan wel eerst uitdrukkelijk vragen of de stervende dit goed vindt en of hij er geen bezwaar tegen heeft dat u bepaalde zaken aan uw collega doorgeeft, zodat deze niet weer helemaal opnieuw met de begeleiding hoeft te beginnen.

Wanneer u deel uit maakt van een team waar men nog niet zo veel heeft nagedacht over de betekenis van sterven en het leven daarna, zal dit voor u lang niet altijd even gemakkelijk zijn. Wanneer men hier niet voor openstaat, kan dit ertoe leiden dat u met uw diepere inzichten van uw collega's geïsoleerd raakt. Dit neemt niet weg dat als u zo af en toe wat vertelt over uw inzichten, dit hen toch aan het denken kan zetten, ook al doen een paar woorden in deze richting schijnbaar niet zoveel.

Voor mensen met liefdevolle inzichten zit de schepping prachtig in elkaar.

10 De begeleiding van kinderen, de broertjes, de zusjes en de ouders

Niemand wordt geboren als een onbeschreven blad. Iedereen heeft al vele, vele aardse levens achter de rug. Dit is dan ook de reden dat het ene kind plezieriger op ons overkomt dan het andere. Daardoor heeft ieder kind weer een ander karakter. En daardoor kan het zijn dat een kind met een ziekte geboren wordt. Dit alles komt voort uit hun geschiedenis, het karma.

Dit karma zal ook van invloed zijn op de manier waarop een kind tegen het sterven aankijkt. Laten we om dit duidelijk te maken eens een stevig voorbeeld nemen. Iemand heeft een moord gepleegd. De moordenaar komt te overlijden, incarneert weer en wordt na een aantal jaren ernstig ziek. De moordenaar, nu in een kinderlichaam, komt op sterven te liggen. Dit kind is zich niet bewust van datgene wat het in het vorige leven heeft gedaan. Maar omdat alle daden uit vorige levens, in grote lijnen, staan opgetekend in de aura van het astraal lichaam, kan dit kind het op zijn sterfbed hier wel erg moeilijk mee krijgen. Immers, als men sterft wordt men opgenomen in het astrale en omdat deze omgeving door het voorafgaande leven niet erg verfijnd zal zijn, voelt het kind zich nu op het sterfbed afdrijven naar een negatief geladen sfeer. Het kind voelt deze negativiteit op zich afkomen en dit kan het sterven bijzonder zwaar maken.

Gelukkig hebben veruit de meeste kinderen een mooi sterfbed. Omdat een kind nog niet zo erg lang geleden het astrale tegen het aardse heeft ingeruild, kunnen we in het algemeen stellen dat sterven voor een kind gemakkelijker is dan voor een volwassene. Vooral als het om een klein kind gaat liggen de herinneringen aan het leven dat naast het aardse leven bestaat, meer aan de oppervlakte. Ook heeft een kind nog niet zoveel geïnvesteerd in het aardse. Het heeft nog niet zo'n sterke binding met het aardse leven en hoeft daarom bij het sterven ook minder achter te laten. Hoewel we hier voorzichtig moeten zijn, want een en ander is ook afhankelijk van het karakter van het kind. Aardegebonden zielen hebben over het algemeen een gemakkelijke geboorte. In hun leven staan ze het liefst in het middelpunt van de belangstelling. Aardegebonden 'kinder'-zielen zullen dan ook moeilijker van het aardse afscheid kunnen nemen. Dit in tegenstelling tot kinderen die in hun vorige leven gewend zijn geweest zich op het geestelijke te richten. Meer geestelijk ingestelde mensen hebben vaak een moeilijker geboorte en een gemakkelijker sterfbed. Zij zien vaak meer tegen het aardse leven op omdat zij zich bewust zijn van de nog te leren levenslessen. Zij doen hun werk meestal op een eenvoudige, onopvallende manier. Let wel, dit zijn algemeenheden.

Baby's en kleine kinderen zien de scheidslijn tussen het aardse en het astrale niet zo scherp. Baby's en veel kleine kinderen kunnen helder waarnemen. Maar naarmate zij ouder worden, naarmate zij zich meer gaan identificeren met het grofstoffelijke, zal deze helderziendheid afnemen, totdat deze (vrijwel altijd) geheel verdwijnt.

Het is u misschien wel eens opgevallen dat een klein kind volledig kan opgaan in zijn spel en daarbij voor zich uit praat alsof het met onzichtbare kameraadjes speelt. Stoor het kind dan nooit in zijn spel. De kans is vrij groot dat het dan inderdaad speelt met vriendjes die op dat moment nog in het astrale zijn. Deze astrale vriendjes zijn overleden kinderen die, door middel van dit spel met een kind op aarde, zich voorbereiden op hun nieuwe incarnatie. Of het zijn 'kinder'-zielen die na hun overlijden als kind nog wat met aardse kinderen willen spelen, zodat hun overgang niet zo groot is.

Afhankelijk van hun karakter kunnen baby's zich sterk aangetrokken voelen tot de astrale wereld. Als zij in hun wieg liggen te slapen kunnen zij zich met hun bewustzijn losmaken om naar die heerlijke sferen te gaan. Zij kunnen daar in het astrale zo door al die heerlijkheden in beslag genomen worden, dat zij hun aardse lichaam totaal vergeten; zij vergeten hun realiteit. Nu zal het lichaamsbewustzijn, de aura van het stoffelijk lichaam, op een gegeven moment het fysieke lichaam in beweging zetten, om zo weer de aandacht te vangen van deze 'baby'-ziel. We kunnen dit vergelijken met ons zelf: na het slapen kan ons lichaam zich eens flink willen uitrekken, zodat we weer tot onze positieven kunnen komen. Door ons lichaam te gebruiken verstevigen we de banden tussen ons bewustzijn en ons lichaam.

In het geval van de baby moeten we er wel voor zorgen dat deze het lichaam ook kán gebruiken. Dit moet vrij kunnen bewegen. We mogen het niet te zwaar toedekken, want dan wordt de baby belemmerd in zijn bewegingen. Het is beter de baby goed aan te kleden dan te zware dekentjes te gebruiken. Allerhande tuigjes, die moeten voorkomen dat de baby onder de dekens uit kruipt, zijn helemaal uit den boze. Bovendien kunnen we de baby ook beter op de rug leggen, omdat dit de bewegingsvrijheid vergroot. Op de rug kan de baby ook beter ademhalen en worden ook de hongerprikkels wat eerder gevoeld. Hongerprikkels, maar vooral beweging, activeert het contact tussen lichaam en bewustzijn.

Tussen het lichaam op aarde en het bewustzijn in het astrale moet altijd een binding bestaan. Raakt deze binding verbroken, dan zal dit wiegendood tot gevolg hebben. Er zijn mensen die wiegendood toeschrijven aan een virus. Inderdaad kunnen nu virussen toeslaan, doordat er te weinig zielebewustzijn aanwezig is om dit virus te bevechten.

Het is ook mogelijk dat ondanks alle mogelijke voorzorgsmaatregelen het kind toch in de wieg sterft. Dit kan voorkomen als de tijd op aarde voor dit kind voorbij is.

Er kunnen verschillende oorzaken zijn voor een 'vroegtijdige' dood. Als mens op aarde, met ons beperkte bewustzijn, zullen we nooit met zekerheid kunnen zeggen wat nu de werkelijke oorzaak is.

Sommige zielen kiezen voor een kortstondig verblijf in de baarmoeder, om door middel van een miskraam weer naar het astrale te vertrekken. Deze zielen hebben hiervoor gekozen, om door middel van deze ervaring verder in hun evolutie te komen.

Het is ook mogelijk dat iemand in het vorige leven op een zeer onprettige manier is overgegaan. Door alleen te incarneren in de baarmoeder en vervolgens weer te sterven kan zo iemand erachter komen dat sterven ook op een mooie manier kan gebeuren.

Of neem bijvoorbeeld een kind dat in een eerder leven zelf, als ouder, de eigen kinderen erg onderdrukt heeft. Deze ziel incarneert nu in omstandigheden waarbij zij zich enorm beklemd voelt tussen de andere gezinsleden. Op een gegeven moment heeft het kind voldoende geleerd van al deze dwingelandij. De ziel trekt zich door middel van een ongeluk of een ziekte terug uit het lichaam. Nu kan zij zich in een volgend leven bezighouden met een liefdevol gezin.

Een kind kan ook, voordat het incarneert, besloten hebben slechts een beperkt aantal jaren in een liefdevol gezin te leven. Het heeft hiermee de bedoeling dat alle betrokkenen verder kunnen komen, ondanks – of dankzij – het enorme verdriet dat de ouders zullen hebben. Een ziel kan overeenkomstig het bewustzijn, voordat zij incarneert, kiezen voor een bepaald soort leven op aarde. Een bewust persoon zal bewust kiezen voor een leven waarbij veel geleerd kan worden.

Laten we de ouders niet vergeten. Ook de ouders hebben al dan niet bewust voor bepaalde levenslessen gekozen. Het is niet voor niets dat ouders het ver-

lies van hun kind moeten meemaken. Alles in de schepping heeft een voorge-
schiedenis, heeft een oorzaak. Alles in de schepping heeft de weg naar God te
gaan. Ons karma, onze levenslessen zullen ons hierbij helpen. Niets is zinloos.
We kunnen er altijd van leren, ook al wordt ons dit pas na jaren, of na ons
sterven, duidelijk.

Stel u eens voor dat ouders op een gegeven moment te horen krijgen dat
hun kind zal gaan sterven. Zij zijn ontroostbaar. Wanneer de arts de fatale
diagnose aan de ouders gaat meedelen, moet er een hulpverlener aanwezig zijn
die de ouders kan opvangen. Hun hele wereld stort in. Ze komen in een soort
niemandsland terecht. 'Waarom moet ons dit overkomen?! Ons kind is veel te
jong om te gaan!' U moet er zich op voorbereiden dat wat u op zo'n moment
ook zegt, dat als een dooddoener zal worden ervaren.

Wanneer de arts tegen de ouders van een ziek kind zegt dat het kind niet lang
meer te leven heeft, moeten de ouders dit ook tegen het kind zeggen. Men
mag de waarheid, die in feite betrekking heeft op het kind, niet verzwijgen.
Wordt het kind niets verteld, dan kan het gaan liggen piekeren over wat er nu
eigenlijk aan de hand is. Ook al is dit aan de buitenkant vaak niet aan het
kind te zien, het begint te gissen waarom pappa en mamma zich nu zo anders
gedragen. Als er open kaart gespeeld wordt, wordt het voor iedereen gemakkelijker, vooral voor het kind zelf. Dan kan er openlijk met elkaar gepraat worden. In feite heeft het kind zelf voor deze vroege dood gekozen, overeenkomstig het bewustzijn. Maar dit kunnen we niet meteen tegen de ouders zeggen.
Geef aan dat dit geen straf van God is. Ouders die dit als een straf zien, kunnen gemakkelijk de rest van hun leven wrok jegens de Schepper koesteren en
daar schiet niemand wat mee op. Er zit een bedoeling achter het vroege heengaan, ook al is dit niet meteen duidelijk.

Het is raadzaam de ouders, eventueel in een later stadium, een goed boek
over sterven en stervensbegeleiding aan te reiken. Dan kunnen bepaalde dingen duidelijker worden en kan men ook meer van het eeuwige leven gaan begrijpen. Probeer een dialoog op gang te brengen tussen de ouders en het kind.

De ouders en het stervende kind zullen in de gegeven omstandigheden de
meeste aandacht krijgen, maar vergeet ook de broertjes en zusjes niet. Zij kunnen nu gemakkelijk geïsoleerd raken en in zichzelf wegkwijnen. We kunnen
daarom misschien overwegen met twee begeleiders deze hulpverlening aan te
gaan. Eén begeleider voor het stervende kind en één begeleider voor het gezin.
Geef het gezin en het kind dat gaat sterven alle ruimte om de frustraties te uiten.

De één kan stoïcijns reageren, de ander emotioneel. Een emotionele reactie maakt het allemaal wat gemakkelijker. Door de emoties te uiten ruimt men flink op, waardoor men eerder met de eigen kern in contact komt: de waarheid in ieder mens, waardoor de inwonende Godheid zich kan openbaren. Wanneer de omgeving de emoties gaat onderdrukken, kan het kind ook niet met de eigen emoties over de brug komen. Kinderen kunnen ook bang zijn om zich naar hun ouders te uiten als zij niet zeker weten hoe de ouders op hun emoties en hun vragen zullen reageren. Zij kiezen er vaak voor het de ouders zo gemakkelijk mogelijk te maken. Het ergste dat een kind kan overkomen, is dat het door de ouders alleen gelaten wordt. Het kind kiest vaak voor de veiligste weg en houdt daarom nogal eens het een of ander achter.

Kinderen die op sterven liggen kunnen enorm verdrietig of verbitterd zijn. Verschillende gemoedstoestanden zullen elkaar afwisselen. Ook de ouders gaan door zeeën van emoties. Opstandigheid en ook verwijten naar anderen of naar zichzelf lossen elkaar af. Blijf hier als begeleider zo rustig mogelijk onder, laat de stormen over u heen razen en toon uw begrip en mededogen. Als de stormen enigszins geluwd zijn, probeer dan ook de richting naar God aan te geven. Vertel het kind vooral dat het naar een fijne, liefdevolle wereld gaat. In het astrale zijn ook veel kinderen waar het kind mee kan spelen. Bereid het erop voor dat er een veel gelukkiger leven is na dit leven. Dat het in dit nieuwe leven ook niet meer ziek zal zijn en dat het daar veel fijne en mooie dingen kan gaan doen. Vader en moeder zullen ook naar die mooie wereld toegaan, als hun tijd is gekomen. Zeg ook dat zij in die andere wereld door liefdevolle mensen worden opgevangen en dat zij niet aan hun lot worden overgelaten. Er is daar meer liefde dan hier op aarde; daar zorgt iedereen voor elkaar.

Ook al zien sommige mensen dit anders, doodgaan is niet zo erg. Geboren worden is veel moeilijker, omdat we op aarde de vrijheid en de liefde moeten missen die in de betere astrale sferen aanwezig zijn. Doodgaan is niet zo erg. Men voelt op een gegeven moment ook geen pijn of ziekte meer. Men voelt zich opgenomen worden in liefde. Is de tijd aangebroken om te gaan, dan kan men ook naar die wereld gaan verlangen.

Ook kinderen kunnen wel degelijk naar een volkomen overgave toegroeien. Dan wordt het begeleiden een prachtige en rijke gebeurtenis. Als de ouders u vragen of hun kind veel moeite zal krijgen met het overgaan en u ziet dat het kind een fijne uitstraling heeft, een fijn gezichtje, dan kunt u rustig tegen de ouders zeggen dat hun kind er nauwelijks moeite mee zal hebben.

De moeite die het kind met het sterven heeft is afhankelijk van het bewustzijn, van het karakter dat het door middel van vele aardse levens heeft opgebouwd. Wanneer het kind vóór deze huidige incarnatie in minder positieve sferen heeft vertoefd, kan het ook nu omgeven worden door negatieve invloeden. Dit kind kan aangetrokken worden door dezelfde negatieve sfeer, tenzij het door middel van dit korte leven tot diepere en liefdevollere inzichten is gekomen, en dat is heel goed mogelijk.

Meestal krijgen leuke kinderen de meeste aandacht en is men geneigd de minder leuke kinderen wat te mijden. Het zijn echter juist deze laatsten die eigenlijk de meeste aandacht nodig hebben. Ik heb eens horen zeggen dat kleine kinderen weinig besef van het sterven hebben. Kinderen hebben meer te kampen met scheidingsangst, dat wil zeggen dat zij bang zijn om van hun ouders te scheiden. Deze angst speelt ook wel degelijk een rol, maar toch beseffen kleine kinderen en ook baby's zeer zeker dat zij op sterven liggen.

We kunnen ervan uitgaan dat ieder mens, jong of oud, of men nu dement is of in coma ligt, zich bewust is van het feit dat men overgaat. Er wordt wel eens beweerd dat een kind gemakkelijker sterft dan een volwassene: 'Een kind is toch nog zo'n onschuldig wezen. Zo'n kind hoeft toch niet bang te zijn dat het niet in de hemel komt.' Toch kunnen we er rustig van uitgaan dat een kind van, laten we zeggen, boven de leeftijd van zuigeling, moeite heeft met zijn overgang. We kunnen niet zomaar stellen: 'Het is toch maar een kind', alsof het tweederangs burgers zijn. Een kind is een volwaardige ziel, met een karmisch verleden, een eigen geschiedenis. Het heeft misschien wel veel meer ingrijpende ervaringen achter de rug dan wijzelf. Een kind heeft met zijn bewustzijn een eigen plaats in de evolutie.

Houdt er rekening mee dat een kind verder in de evolutie kan zijn dan de ouders. Sommige kinderen kunnen daarom ook zeer diepzinnige opmerkingen maken. Kinderen begrijpen vaak meer van het sterven dan volwassenen. In het begin moeten we wel in eenvoudige kindertaal praten. Praat in termen van een verhuizing, of over een vogeltje dat uit het ei komt. Sta open voor de symbolische kindertaal; zodra we merken dat het contact beter wordt kunnen we langzaam beginnen te praten zoals we dat met een volwassene zouden doen.

Kinderen zijn ontvankelijker voor astrale indrukken dan volwassenen. Kinderen zien vaak al weken voordat zij daadwerkelijk overgaan flarden van de astrale wereld. Vaak zien zij astrale helpers die hun vertrouwen inboezemen, zodat het heengaan minder moeilijk wordt. Vraag het kind eens of het dergelijke beelden heeft gezien en praat hierover, zodat het kind zich door u gesteund voelt. Ook volwassenen kunnen dergelijke ervaringen op hun sterfbed hebben, maar omdat volwassenen meer rationeel zijn ingesteld zijn zij eerder geneigd deze beelden uit te bannen.

Als het om een kind gaat dat nog niet kan praten, of als het gaat om een baby, dan moet u tegen de ouders zeggen dat u niet weet wat er in het kind omgaat. Het is wel enorm belangrijk dat de ouders zoveel mogelijk bij het kind zijn. Zij kunnen de handjes van het kind vasthouden en het gezichtje van de baby strelen. Laat kinderen en baby's niet alleen. Zij kunnen zich misschien niet uiten, maar de aanwezigheid van de ouders is wel bijzonder belangrijk. Hieraan ontlenen zij waarschijnlijk veel meer steun dan wij denken.

Ook kinderen hebben een intensieve begeleiding nodig, zij het wel op het niveau van het kind. Kinderen vragen om hulp. De ouders kunnen ieder aan een kant van het bedje gaan staan om samen de handjes van het kind vast te houden. Houdt een kind ook vast op het moment van sterven. Het kind zou zich letterlijk in goede handen moeten voelen. Koester het kind; dat maakt het sterven gemakkelijker. Help de ander! Help het kind op weg door het op een positieve manier te ondersteunen.

Pas op, geef aan het sterven geen sombere lading, want daarmee drukken we de stervende naar beneden. Het kan zijn dat de ouders volledig opgaan in hun eigen verdriet. Daarmee gaan zij voorbij aan het verdriet van hun kind dat op sterven ligt. Het kind kan zich dan in eenzaamheid en verdriet voelen wegglijden, alsof het onder water raakt en niet meer boven kan komen. In die toestand voelt het de naderende dood om zich heen en kan het bijna niet meer uit deze donkere diepte opstijgen.

Als een kind op een gegeven moment het eigen sterven heeft aanvaard, is het een zegen als het merkt dat ook de ouders dit kunnen aanvaarden. Wanneer de ouders aan het kind gaan trekken om toch vooral bij hen te blijven, wordt het heengaan bijzonder zwaar. Kinderen kunnen meestal gemakkelijker omgaan met hun sterven dan hun ouders. De ouders kunnen zo intens bedroefd zijn dat zij hierdoor een sombere stempel op het sterven drukken.

Ieder mens heeft moeite om afstand te doen. Het is altijd moeilijk om een partner, de kinderen of de vrienden achter te laten. Ook al zijn de kinderen al een tijd volwassen, het blijft moeilijk ze los te laten. Een ouder wil altijd voor zijn kinderen blijven zorgen.

Hoe zwaar het ook is voor de ouders, zij moeten proberen in te zien dat de tijd voor hun kind gekomen is. Hun kind gaat naar een betere wereld, waar het ook gelukkiger zal zijn dan hier op aarde. Het kind zal het sterven op een gegeven moment gaan ervaren als een bevrijding van het zieke lichaam. Het zal ernaar gaan verlangen heen te gaan.

Volwassen mensen zijn over het algemeen wat rationeel ingesteld. Zij kunnen zich vaak moeilijk openstellen voor zaken die het aardse te boven gaan. Men is het ook meestal niet gewend over dit soort zaken te praten.

Als we met volwassenen over esoterische zaken beginnen, krijgen zij vaak hoogtevrees, draaien om de hete brei heen of steken hun hoofd in het zand. Kinderen zijn meestal ontvankelijker; zij zijn intuïtiever ingesteld en dit maakt ook hun sterven gemakkelijker. Zij voelen eerder aan dat er meer is dan alleen dit leven.

Kinderen hebben vaak andersoortige problemen dan jonge volwassenen. Stel u eens voor dat iemand van twintig jaar te horen krijgt dat hij kanker heeft en niet meer te genezen is. Bij zo'n jong mens, vol plannen en levenslust, zal opstandigheid een grote rol spelen.

Iemand van tachtig jaar zal zich waarschijnlijk wat minder opstandig voelen, omdat zo iemand al een heel leven achter de rug heeft. Maar het gaat te ver als we bij het sterfbed van een ouder iemand zouden zeggen: 'Ach, die heeft toch zijn tijd gehad, die heeft toch niets te klagen.' Ook al heeft iemand nog zo'n mooi en lang leven gehad, het sterven is en blijft altijd voor iedereen moeilijk. Ieder mens kent de angst voor het onbekende; wat gaat er gebeuren, waar ga ik naar toe? Een onbewuste oudere zal zelfs meer moeite met het overgaan hebben dan een bewust kind.

Bejaarde mensen worden soms gemakkelijk aan hun lot overgelaten. Men denkt te vaak dat zij vanwege hun leeftijd gemakkelijk afstand kunnen doen van het leven. Men gaat er dan aan voorbij dat zij het bijzonder zwaar kunnen hebben. Zij hebben zeker zoveel aandacht nodig als kinderen die gaan sterven.

Bejaarde mensen worden soms maar al te gemakkelijk weggestopt, in een slaapkamer thuis of in een kliniek. Men denkt dan: 'Zij gaan toch dood.' Omdat ik in diverse ziekenhuizen heb gewerkt, weet ik hoe gemakkelijk het verplegend personeel de kamer mijdt waarin een stervende ligt. Ook al heeft men even de tijd, men vindt het vaak moeilijk even binnen te lopen.

Ieder mens heeft behoefte aan een ander mens. Ieder mens heeft behoefte aan iemand waarbij men zich kan uitspreken, een medemens die men kan vertrouwen.

Hoe meer inzicht iemand heeft in het hoe en waarom van dit leven, hoe minder de angst en onzekerheid zullen zijn bij het sterven. Vanaf de leeftijd van een jaar of zeven kan een kind zich voor dit soort zaken gaan interesseren. Probeer zo open mogelijk naar het kind toe te gaan en laat u leiden door wat u aantreft.

Licht het kind zo goed mogelijk in: waar het vandaan komt, wat het hier op aarde heeft kunnen leren en waar het naar toegaat. Probeer hier zo rustig mogelijk over te praten, mits het kind hier natuurlijk ook voor open wil staan.

Laat het kind de vragen die na uw bezoek misschien bij hem opkomen opschrijven, zodat hier de volgende keer over gepraat kan worden. Of vraag het kind eens een tekening te maken.

Als het kind er oud genoeg voor is, moet het ook goed uitgelegd worden wat voor ziekte het heeft. Wat voor medische therapie het heeft ondergaan en wat men eventueel nog zou kunnen doen, bijvoorbeeld om de pijn te bestrijden of om het resterende leven nog zo aangenaam mogelijk te maken. Betrek het kind zoveel mogelijk bij de behandeling, anders wordt het kind alleen maar onzekerder en angstiger. Laat het kind zo mogelijk ook zelf, na goede voorlichting, beslissen over eventueel nog te volgen behandelingen.

Thuis zal het kind zich meer op zijn gemak voelen dan in het ziekenhuis. Als het dan ook maar enigszins mogelijk is, laat het dan thuis sterven.

Laat ook de kinderen mooie muziek horen, want dit zal hen positief beïnvloeden. Lees uit eenvoudige, mooie boekjes voor; ook een kinderbijbel kan een kind veel licht brengen. Geef het kind bloemen en speelgoedjes in handen. Laat het kind, als dit mogelijk is, zoveel mogelijk spelen. Laat het tekenen en verhaaltjes bedenken. Laat het zich uiten. Kom ook zoveel mogelijk aan zijn wensen tegemoet. Wees attent; een kind kan net als een volwassene op allerlei manieren om aandacht vragen.

Kinderen voeden hun ouders soms beter op dan ouders hun kinderen. Volwassenen kunnen wel degelijk veel van kinderen leren. Bij het sterven van hun kind kunnen de ouders tot enorm diepe inzichten komen. Zij kunnen de liefde die over de dood reikt gaan ervaren. Als u bij de ouders van een overleden kind op bezoek bent, kunt u aan het overleden kind, in de geest, vragen de ouders te helpen. Alleen kunt u dit beter niet doen als u de indruk heeft dat het hier om een sterk aardegebonden kind gaat. Maar als het een fijn kind is geweest, dan kunt u het zeker om hulp vragen. Ook het samen bidden met de ouders voor het kind dat is overgegaan, opent de kanalen tussen het kind en de ouders.

Het ene gezin heeft een paar maanden nazorg nodig, het andere gezin een paar jaar. Blijf als hulpverlener altijd op de achtergrond beschikbaar door uw telefoonnummer achter te laten.

Hoe vaak gebeurt het niet dat de ouders de kamer waarin het kind gestorven is zo lang mogelijk intact laten, terwijl het eigenlijk juist goed is om deze kamer opnieuw in te richten, vooral als het gaat om een aardegebonden 'kinder'-ziel. Is de kinderkamer opnieuw ingericht, dan kan het kind aan gene zijde eerder tot het besef komen dat er wel degelijk iets totaal veranderd is en dit bevordert het loslaten. Nu hoeft men deze kamer niet meteen na het overlijden te gaan veranderen, maar toch wel binnen een paar weken. Zelfs een paar weken na het overlijden kan een kind, afhankelijk van het karakter, nog vaak terug willen gaan naar de slaap- of speelkamer. Dit is voor het kind niet goed. De kamer kan nu veel beter voor nuttiger zaken gebruikt worden, door er bijvoorbeeld een hobbykamer of een meditatiekamer van te maken.

Net zoals andere sterk aardegebonden mensen kunnen ook kinderen nog een tijd in het gezin blijven rondhangen. Deze kinderen kunnen het gezin soms op een negatieve manier beïnvloeden. De kinderen die in een mooie sfeer zijn aangekomen zullen hier geen behoefte aan hebben, hoewel zij toch nog wel eens afdalen om op een fijne manier met een broertje of zusje of met een vriendje te spelen. Deze fijne 'kinder'-zielen komen ook nog wel eens naar het gezin of naar de ouders om deze positief te beïnvloeden. Dit gebeurt dan meestal onder begeleiding van de gids van het kind en ook in samenwerking met de gidsen van de ouders.

Een kind dat gestorven is kan soms nog lange tijd daarna in contact blijven, in de buurt blijven van het gezin. Ik heb eens meegemaakt dat een jongetje op driejarige leeftijd overleed, waarna zijn broertje zeker tot een jaar na dit overlijden een innig contact heeft gevoeld. Het broertje hield altijd rekening met het overleden jongetje en sprak erover alsof het nog thuis woonde. Wanneer het broertje opging in zijn spel konden we ook horen dat hij met het jongetje in gesprek was; zij speelden samen in de geest. Dit alles had een liefdevolle, verfijnde uitstraling. Op een gegeven ogenblik zal een dergelijk contact ophouden te bestaan, omdat het overleden broertje of zusje de aarde verder achter zich wil laten. Zij willen dan in de eigen wereld verdergaan om tot een nieuwe incarnatie te komen.

Het komt voor dat bij bijzondere familiegelegenheden, zoals een verjaardag of een huwelijk, het overleden kind hierbij aanwezig is. Het wordt dan door de begeleider geholpen en krijgt ook 'toestemming' om naar dit feest toe te gaan. Wanneer het kind weer in incarnatie is, is dit natuurlijk niet mogelijk.

In het algemeen komen kinderen na hun sterven terecht in een gemeenschappelijke kindersfeer. Vanuit deze kinderopvangsfeer gaan zij verder naar hun eigen sfeer, overeenkomstig hun eigen bewustzijn. De kinderopvangsfeer geeft de kinderen de tijd om erachter te komen wie zij zijn. Daardoor is de overgang tussen het kind-zijn op aarde en de volwassen astrale sfeer niet zo groot. Bovendien is de opvang in de kindersfeer specifiek op kinderen gericht.

Een foetus die geaborteerd is zal de kindersfeer niet nodig hebben. Dit geldt ook voor baby's; zij zijn geen kind geweest en kunnen vrijwel meteen door naar hun eigen bestemmingssfeer. Hun nog levendige identificatie met het volwassen-zijn maakt dat zij vrijwel onmiddellijk weer een volwassen astrale intelligentie worden. Omdat een abortus, dood geboren worden of een stervenservaring als baby of kind deze zielen verder heeft gebracht, zullen zij wel in een sfeer terechtkomen die verfijnder, liefdevoller is dan de sfeer van waaruit zij incarneerden.

Het is goed om licht en liefde naar een overleden kind te sturen. De eerste paar weken zal het dit zeker opvangen. Daarna is het meestal wel in de bestemmingssfeer aangekomen en wordt het zo in beslag genomen door alles wat daar te doen is, dat het steeds meer de blik van de aarde afwendt. Een enkele keer kan het, bij speciale gelegenheden, samen met een begeleider in het gezin komen kijken. Omdat een dergelijk uitstapje naar de aarde niet zomaar kan, zal het kind echt niet komen kijken naar wat de ouders aan het doen zijn, temeer daar het kind hier ook geen interesse in heeft.

Voor de ouders is het erg zwaar om een ongeboren kind te verliezen, vooral als de ouders zelf al aardig op leeftijd zijn. De ouders moeten proberen zich zo goed mogelijk te uiten. Als zij angstig zijn voor een nieuwe miskraam, dan zal deze angst de zwangerschap ongunstig beïnvloeden. Men moet dus niet zo snel mogelijk weer zwanger worden, maar eerst het verdriet verwerken. Iedere ervaring kan helpen om verder in de evolutie te komen.

Er gebeurt niets op deze aarde, er gebeurt niets in de schepping, dat geen zin heeft. Ik moet toegeven dat het soms moeilijk is de zin van iets in te zien, maar blijf wel van deze waarheid uitgaan. Er zit een bedoeling achter alles. Sommige gebeurtenissen zullen echter zo'n verslagenheid teweegbrengen dat als we mensen nu gaan vertellen dat dit alles een zin heeft, men ons meteen de deur zal wijzen. We kunnen dan ook beter zeggen dat we de zin niet kunnen zien. We kunnen de zin in feite ook niet overzien. We kunnen als aards mens, met ons beperkte bewustzijn, nooit begrijpen welke bedoeling erachter zit. Toch heeft alles wat gebeurt wel degelijk een betekenis, voor iedere betrokkene. Men kan door een ervaring dichter naar God toe groeien. Men kan zich meer bewust worden van leven en dood en zich zo enorm gaan verdiepen. Er treedt een geestelijke verrijking op. Mensen die zich enorm verdrietig voelen, kunnen verder komen. Mensen die zich door een ervaring laten verharden, zullen minder snel groeien. Dit soort ingrijpende ervaringen zijn als stenen die op onze levensweg worden neergelegd. Als we erover struikelen en languit gaan, zien we echt de zin niet van een ongeluk. Maar als we weer op kunnen staan om onze weg te vervolgen en dan omkijken, kunnen we zeggen dat dit ongeluk ons verder gebracht heeft.

Vooral op de feestdagen die men gewoon is in gezinsverband te vieren, kunnen de ouders en de broertjes en zusjes het gemis weer sterk voelen. Dan komen de emoties weer boven. Het zou dan ook goed zijn als de begeleider weet wanneer de verjaardag en de sterfdag van het kind is, zodat hier passende aandacht aan besteed kan worden. Na een jaar, als de kalender met de feest- en verjaardagen en de vakanties een keer rond is geweest, is het verdriet meestal wat minder. Maar op welke manier en hoe snel men dit verdriet verwerkt, is en blijft sterk individueel. Ieder verlies is individueel, ieder verdriet is individueel. Net zoals duizend gulden voor de één veel meer betekent dan voor de ander.

Het is goed om afhankelijk van de situatie nog een paar keer bij de familie op bezoek te gaan. Laat de nabestaanden dan zoveel mogelijk praten over het overleden kind. U hoeft het gezin echt niet op te vrolijken als het daar nog niet aan toe is. Blijf zo nodig komen en blijf praten, vermijd daarbij de naam van het kind niet. Wanneer een volwassene sterft, is men na een jaar meestal grotendeels over het verlies heen. Wanneer een van de eigen kinderen sterft, kan het rouwproces jaren duren. Meestal duurt het drie tot vijf jaar voordat men hier redelijk overheen is. Toch blijven de ouders de rest van hun leven door deze gebeurtenis getekend. Sommige mensen komen nooit over het verlies van hun kind heen. Deze mensen moeten hun verdriet eens goed onderzoeken: hebben zij nu verdriet over het kind, of hebben zij medelijden met zichzelf?

Als de ouders aan de drank raken, kunt u zeggen dat zij op deze manier het kind niet helpen. Zij kunnen hun overleden kind beter helpen door er liefdevol aan te denken. Dit maakt het ook voor het kind gemakkelijker daar in zijn eigen wereld te zijn. Wanneer het kind vanuit het astrale naar de ouders zou kijken en ziet dat de ouders hun verdriet verdrinken, zal het kind zich hier erg ongelukkig over voelen. Het kind gaat zich zorgen maken, waardoor er een soort negatieve binding met de ouders op aarde ontstaat. Buiten dit alles zijn alcohol en drugs louter verdovende en onderdrukkende middelen. Daar los je niets mee op; op de lange duur krijgt men het er alleen maar moeilijker mee.

Het is prima als de ouders een slaapmiddel krijgen voorgeschreven wanneer zij dat nodig hebben. Het is zinloos als zij 's nachts in hun bed liggen te malen met hun gedachten, alsof er een mierennest in hun hoofd zit.

Als de ouders regelmatig gaan wandelen in de vrije natuur, kunnen zij ook daar veel van hun spanningen ontladen. Breng voor de ouders ook eens een bosje bloemen mee. Ga samen met de ouders naar het graf. Het is soms beter hen niet alleen met de auto naar het kerkhof te laten gaan, omdat zij zo in gedachten verzonken kunnen zijn dat er ongelukken kunnen gebeuren.

Men kan de ouders ook foto's van het overleden kind in de kamer laten neerzetten, zodat het gemis en het verdriet niet ontkend kunnen worden. Laat de andere kinderen en de ouders rustig met elkaar van gedachten wisselen. Ouders kunnen zo in hun eigen verdriet opgaan, dat zij hun overige kinderen vergeten. De kinderen kunnen dit de ouders later kwalijk gaan nemen. Er is dan te weinig gepraat en te veel verzwegen.

Ook kan de vader of moeder zo door het eigen verdriet in beslag genomen worden, dat zij het verdriet van de partner niet meer zien. Ouders kunnen elkaar gaan verwijten dat de één de ander niet opvangt. Op die manier kunnen zij uit elkaar groeien en kan een echtscheiding het gevolg zijn. Het komt voor dat heel goede huwelijken op die manier stranden. Iemand kan zo door zijn verdriet in beslag genomen worden, dat men geen oog meer heeft voor de omgeving.

Stel, een kind steekt de straat over, wordt aangereden en komt te overlijden. Wanneer de ouders opeens deze onheilstijding krijgen, kunnen zij gemakkelijk in een shocktoestand terechtkomen. Zij kunnen beter niet alleen met de auto naar de plaats van het ongeluk of naar het ziekenhuis rijden. Zij zouden dan zelf in staat zijn een ongeluk te veroorzaken. Maar ook de automobilist die het kind heeft aangereden moet opgevangen en begeleid worden. Deze automobilist heeft er misschien niets aan kunnen doen. Hij heeft uit alle macht geremd, maar heeft het kind niet meer kunnen ontwijken. Ook een dronken automobilist die een kind aanrijdt en daarna doorrijdt moet zo goed mogelijk worden opgevangen. Het is ook mogelijk dat een dronken veroorzaker van een ongeluk pas veel later tot het besef komt wat hij misdaan heeft. Langzaam begint de waarheid tot hem door te dringen. De waarheid kan zo overweldigend voor hem zijn, dat hij in een soort apathische toestand terechtkomt.

Iemand die buiten zijn schuld om een kind aanrijdt, wordt dit vaak toch verweten, ook al worden deze verwijten niet altijd uitgesproken. Iemand die buiten zijn schuld een kind heeft aangereden, voelt de verwijten gewoon op zich afkomen. Vaak worden zij ook in hun eigen omgeving met de vinger nagewezen: 'Kijk, die heeft een kind doodgereden.' Dit kan soms zo ver gaan, dat iemand naar een andere omgeving moet verhuizen.

Als een kind is verongelukt, is het zaak bij het lichaampje te gaan zitten, om zachtjes tegen het kind te praten. Men kan dan verschillende keren herhalen dat het nu in een andere wereld is en dat wij daar nog niet kunnen komen. Praat tegen het kind in een taal die het kan begrijpen. Zeg dat het kind om zich heen moet kijken. Dat het zich open moet stellen voor de liefdevolle mensen die ook in die andere wereld wonen en die het kind willen helpen. Iemand die zo plotseling overlijdt, kan nog lange tijd de naweeën, de schok en de pijn van het ongeluk denken te voelen. Praat tegen hen in de geest, of gewoon luid en duidelijk hardop. Zeg tegen hen dat zij nu geen pijn meer hebben. Zij staan volkomen ontredderd naast hun eigen lichaam en begrijpen niet wat er gebeurd is. Zeg tegen hen wat er aan de hand is. Mensen die op deze manier plotseling omkomen, kunnen nog lange tijd in de buurt van het ongeluk blijven rondhangen. Zij kunnen zelfs nog rond deze plek blijven ronddolen terwijl hun lichaam al begraven is. Het is een prachtig gebaar als men bloemen legt op de plaats van het ongeluk. Ook dit kan de overledene tot de realiteit brengen. Pas als men weet dat men overleden is, kan men met een ruimer bewustzijn om zich heen kijken. Pas dan kan men bewust openstaan voor de begeleiding van astrale helpers.

11 De dialoog

Een patiënt die van de dokter te horen krijgt dat hij niet meer beter kan worden, begint te sterven. Iemand die tot het besef komt dat hij binnen afzienbare tijd zal sterven, weet niet waar hij het moet zoeken. De vertrouwde wereld valt onder zijn voeten weg. Angst, wanhoop en razernij wisselen elkaar af, totdat men stiltegebieden begint te ontwaren. In deze luwte kan de begeleider de stervende benaderen. Hier kan hij kleine punten ter oriëntatie aanreiken, waarop later verder gebouwd kan worden.

Wordt de begeleider er pas in een laat stadium bijgeroepen, dan kan er nauwelijks nog sprake zijn van een goede begeleiding. Men verwacht dat de hulpverlener zich in een korte tijd kan omschakelen en kan afstemmen op de stervende. Maar dit zal niet altijd mogelijk blijken te zijn; er gaat meestal de nodige tijd aan vooraf voordat we met de ander diepzinnig van gedachten kunnen wisselen. Ook de stervende heeft tijd nodig om te zien wat voor vlees hij in de kuip heeft. Pas daarna zullen de vragen komen en kan men wat meer van zichzelf laten zien. Pas daarna kan men elkaar in de ogen kijken en kan het contact van hart tot hart gaan.

Een goede vertrouwensrelatie met de stervende is essentieel en voor een goede relatie is tijd nodig. Maar het is ook mogelijk dat het nooit tot een goede verstandhouding komt, doordat men elkaar eenvoudigweg niet ligt. Ook al heeft u nog zoveel kennis en ervaring met het begeleiden van stervenden, de stervende voelt zich soms meer op zijn gemak bij een goede en vertrouwde vriend waarmee hij alles kan delen. Wanneer de stervende gelukkig getrouwd is, of een heel goede vriend heeft, weet hij ook dat hij gehoord wordt. Een stervende wil gehoord worden, wil zich vrijelijk kunnen uiten, wil zich bij de ander veilig voelen.

Het is voor iedereen moeilijk openhartig over het voorbije leven te praten; we zijn dit doorgaans ook niet gewend. We zijn het meestal ook niet gewend over ons sterven en het leven erna na te denken. Daarom is het lastig de gedachten en inzichten hieromtrent te verwoorden, zeker als er derden bij aanwezig zijn. De ervaring heeft me geleerd dat gesprekken met stervenden het beste onder vier ogen gevoerd kunnen worden. Dat wil zeggen dat eventuele familie beter gevraagd kan worden een tijdje in een andere kamer te gaan zitten. U kunt rustig tegen de familie zeggen dat u een tijdje met de stervende alleen wilt zijn.

Zeg tegen de stervende dat hij in vertrouwen alles tegen u kan zeggen. Zeg dat als hij dit wil, u met niemand anders hierover zal praten, niet met zijn familie en ook niet met uw collega-stervensbegeleiders. Ook als de stervende is overgegaan, mogen we over het besprokene met niemand praten. Als de overledene vanuit gene zijde hoort dat hij over de tong gaat, vindt hij dat heel erg. Op aarde heeft men nog een zeker verweer, terwijl men vanuit gene zijde dit alles alleen maar kan aanhoren.

Vertrouw elkaar; wantrouwen jegens elkaar is wantrouwen jegens God. Dit betekent echter niet dat we niet kritisch mogen zijn. Het is juist goed om kritisch te zijn, omdat we zo bewuster worden.

Argwaan jegens de begeleider kan een grote rol spelen. Er zijn stervenden die zullen denken: 'Wat weet jij hier nu eigenlijk van?' Een stervende is snel geneigd te denken dat een ander toch niet kan voelen wat hij voelt, dat een ander toch niet kan begrijpen wat hij meemaakt.

Vertrouwen zal langzaam moeten groeien. Ga niet in discussie, dit wekt meestal alleen maar ergernis op. Vertel wat uw eigen visie is en doe dit zo rustig mogelijk. Zo kunt u de ander inspireren. Zo kunt u bepaalde vingerwijzingen en inzichten aanreiken, zodat de stervende hiermee verder komt. Als de stervende nu zegt: 'Hoe weet u dit nu allemaal, heeft u soms meer ervaring met sterven dan ik?', kunnen we misschien zeggen: 'Ik heb weliswaar minder ervaring met sterven dan u, maar ik heb er wel veel over gelezen en ik heb me er bijzonder in verdiept. Ik wil hierover graag met u van gedachten wisselen.' U kunt ook rustig zeggen dat u boeken leest waarin uitgebreid over het sterven wordt gesproken en waarin ook de intelligenties hun kennis hebben doorgegeven. De ander kan dan op zijn beurt misschien zeggen: 'Daar heb je er weer zo een die denkt dat hij alles weet.' Bedenk dan wel dat u niet zomaar iemand bent, dat u niet zomaar wat voor uw neus wegpraat. Datgene wat we zeggen moeten we wel voor onze eigen verantwoording nemen, maar wat de ander daarmee doet is aan hemzelf.

Vertel over het leven dat altijd na het sterven volgt. Veruit de meeste mensen zullen wel geloven dat er 'iets' is na de dood, maar hebben niet veel moeite gedaan om zich hierin tijdens hun leven te verdiepen. Wanneer een stervende zegt: 'Hoe kunt u dit nu weten, niemand is ooit teruggekomen uit de dood', kunt u verwijzen naar de mensen die een bijna-doodervaring hebben gehad. U kunt zeggen dat u wel eens gehoord of gelezen hebt dat er mensen zijn die door een tunnel gingen en toen het een en ander hebben gezien van de hemel: de astrale wereld. Zeg erbij dat u zelf gelooft dat dit waar is. Hoe we het moeten brengen hangt af van degene die we tegenover ons hebben.

Vertel zo mogelijk over reïncarnatie. Dat men een nieuw leven op aarde kan aannemen zodat men de kans heeft om bepaalde zaken in een volgend leven recht te zetten. Gelukkig is bij mensen die wat vrijer kunnen denken de reïncarnatiegedachte niet zo vreemd meer. De meeste mensen hebben wel eens van reïncarnatie gehoord en hebben hier ook wel eens over nagedacht. De meer orthodoxe mensen zullen deze zienswijze minder snel opnemen. Zij zullen snel geneigd zijn te zeggen dat reïncarnatie onzin is, terwijl zij er ook geen tijd aan willen spenderen om hierover na te denken. Wanneer iemand vraagt: 'Moet ik nog een keer terug naar de aarde voor een nieuwe incarnatie?', dan moeten we zeggen dat we dit niet weten; we kunnen nooit weten of iemand nog eens terug moet.

Sommige mensen voeren een struisvogelpolitiek. Zij blijven maar om de hete brei heen draaien. Daar zitten we dan als begeleider naast een stervende die niet veel verder komt dan te zeggen: 'Wat heeft het voor zin over sterven en het hiernamaals te praten? Geen zinnig mens heeft daar een antwoord op.' Door zo'n houding sluit iemand zich af voor zoveel mooie dingen die we hem misschien hadden kunnen aanreiken. Door deze 'Ik zie wel'-houding sluit iemand zich eigenlijk af voor zichzelf, sluit hij zich af voor de Liefde Zelf.

Men zegt wel eens dat, nu het taboe rond het sterven is opgeheven, daarmee tevens het laatste taboe is opgeheven dat we nog kenden. We kunnen hier onze twijfels over hebben, maar er is nog een taboe en dat is het vrijelijk spreken over God.

Veel mensen zijn het niet gewend met hun grote vragen naar buiten te komen. Met geestelijke zaken weten zij zich geen raad. Ze durven niet. Deze mensen blijven maar op hun eilandje zitten en het is moeilijk voor de begeleider om van wal te steken. Ook al is iemand nog zo intelligent, als men altijd gewend is geweest het denkvermogen op wereldse zaken te richten, kunnen we meestal maar moeilijk tot een diepzinnig gesprek komen. Zo zijn er ook heel wat theologen die zuiver theoretisch te werk gaan en niet vanuit het hart. Ook met deze mensen zal het moeilijk zijn van persoon tot persoon te praten.

Het kan zijn dat het contact met de stervende moeizaam verloopt doordat iemand te zeer met zichzelf bezig is. Anderen praten weer honderd uit over koetjes en kalfjes om zo hun gevoelens te camoufleren. Soms durven mensen zo weinig van zichzelf bloot te geven dat zij in een isolement terechtkomen.

Wanneer de stervende zegt: 'Laat me met rust', kan dit betekenen dat iemand werkelijk naar rust verlangt. Men heeft rust nodig om het afscheid te kunnen verwerken, om tot vrede te komen. Maar het kan ook zijn dat we eens wat flinker moeten optreden om de ander uit zijn cirkeltje te halen.

Wanneer iemand afwerend, minachtend of agressief is, wil dit nog niet zeggen dat die persoon een afwerend, minachtend of agressief persoon is. We kunnen deze uitingen beter vertalen als een teken dat iemand niet met zichzelf in het reine is. Zo iemand vraagt in feite om begripsvolle steun en aandacht. Ieder mens heeft liefde nodig, ieder mens heeft op zijn tijd hulp nodig. Iemand die tijdens zijn leven nogal stoer heeft gedaan en op zijn sterfbed nog steeds stoer blijft doen, verhardt zichzelf. Ieder mens heeft liefde nodig, iedereen heeft nu hulp nodig. We kunnen de ander vragen waarom hij zo afwerend of agressief is. We kunnen hem vragen wat dit gedrag hem oplevert, wat hij hiermee opschiet.

Aan de manier waarop iemand in zijn stoel zit of op zijn bed ligt, kunnen we vaak al veel afleiden. Iemand die met gesloten ogen, met gevouwen handen of met de armen over elkaar met u zit te praten, is op zijn innerlijk gericht. Op zich is dit niet erg; zo kan men vaak beter de gedachten onder woorden brengen. We moeten er wel voor zorgen dat iemand zich niet afsluit. Mensen kunnen zich dermate afsluiten en in zichzelf wegkruipen, dat geen dialoog meer mogelijk is. Mensen liggen in dat geval soms ook wel in elkaar gedoken in bed. Bij demente mensen zien we nog wel eens dat zij zich als een foetus oprollen. Zij willen hun overgang in stilte verwerken.

Aan de stand van de ogen kunnen we soms ook het een en ander afleiden. Soms lezen we angst en onrust in de ogen. Soms zien we de ogen onrustig tekeergaan. Zelfs al zijn de ogen gesloten, dan nog zien we de ogen onrustig in hun kassen heen en weer bewegen.

Wanneer iemand angstig is, kan hij zich vastklampen aan het bed of aan de dekens, om houvast te zoeken. Vaak zien we dat de stervende op een typische manier aan de dekens begint te plukken. Dit is een vrijwel zeker teken dat het einde nabij is; men voelt zich uit het leven wegglijden.

Het is iets prachtigs als we onszelf voor een tijdje kunnen vergeten en we een medemens nabij kunnen zijn, onszelf als het ware volledig in de ander kunnen verplaatsen. Alleen de mens bezit dit vermogen tot medegevoel. De mens is daarom de kroon van de schepping op aarde. Het is iets moois als we van ontroering een brok in de keel krijgen, zodat we op een gegeven moment geen woord meer kunnen uitbrengen.

We kunnen tranen laten van geluk. Het proces van sterven kan heel mooi zijn, en als we deze schoonheid niet kunnen ervaren, moeten we niet aan dit werk beginnen.

Natuurlijk kunnen we van ieder sterfbed leren – niet altijd evenveel, maar toch altijd wel iets.

Houd u aan de waarheid, uw eigen oprechte gevoelens, uw eigen doorleefde inzichten. Praat vanuit het hart. Iemand kan veel geleerd hebben, maar het komt er toch op aan in welke staat van zijn we de stervende tegemoet treden. Liefdevol praten is praten over God. Onze mening liefdevol verwoorden is het verwoorden van de mening van God.

We zijn soms maar al te snel geneigd op onze boekenwijsheid te vertrouwen. De stervende zal echter geen behoefte hebben aan theologische uiteenzettingen of aan het opdreunen van lesjes. We moeten niet gaan zoeken naar antwoorden die de stervende zullen behagen, en het is ook niet altijd even verstandig onze mening rechtuit te verkondigen.

Soms zijn we meer met onszelf bezig dan met de ander. We zijn dan zo vol van onze eigen gedachten dat de woorden en gedachten van de ander er niet meer bij kunnen.

Soms zijn we zo druk bezig met het zoeken naar antwoorden, dat we de mens tegenover ons helemaal vergeten. Neem rustig de tijd. De woorden komen soms vanzelf naar boven. Wanneer u de juiste toon te pakken hebt, kan vrijwel alles gezegd worden. Komt er niets naar boven, dan is dit ook goed; in de stilte kan men Gods Naam horen.

Praat niet overdadig, praat gedoseerd, op een eenvoudige manier. Het is ook helemaal niet erg als er een stilte valt. In stilte kan men dat wat gezegd is of wat men voelt, laten bezinken. We kunnen van stiltes genieten, maar wanneer we denken dat we op dergelijke momenten tekortschieten, wordt een stilte een hoogst onaangename aangelegenheid.

Weten we niet meer wat we moeten zeggen, of voelen we ons hulpeloos, zeg dit dan tegen de ander. We kunnen dan beter afwachten welke aanwijzingen we krijgen om verder te gaan. We kunnen ook bedenken dat het wel eens goed is om de dingen wat op zijn beloop te laten. Wees niet krampachtig, ontspan in de liefde die u ervaart.

Blijf als het ware 'in het midden van je Zijn', niet agressief, niet passief, maar assertief: opkomend voor datgene wat u bent...

Geef uzelf en de ander van tijd tot tijd de mogelijkheid om het een en ander te laten bezinken. Ga te werk volgens de liefde. Verval niet in droge theologische bespiegelingen en weet dat ook humor een vorm van liefde is.

Vraag hulp aan God. We kunnen rustig vragen; durf te vragen om steun en kracht. 'Help me mijn werk zo goed mogelijk te doen.' 'Geef me wat goed voor me is.' God, de Liefde Zelf, zal altijd geven. Maar Híj bepaalt wanneer het goed voor ons is. Niet onze wil, maar Zijn wil geschiede. U kunt rustig aan God vragen; dit opent de kanalen naar God. We moeten wel weten wat we vragen en waarom we om iets vragen. Als u om iets vraagt, visualiseer dit dan, zie het vóór u.

God laat ons niet in de steek, mits we op Hem vertrouwen en ons op Hem richten. God woont in ons hart en vanuit de liefde zal Hij ons helpen. Hij is onze ware leraar.

God is de eeuwige waarheid die alle problemen overwint. Soms laat Hij schijnbaar iemand in de steek, om hem daarna extra dicht tegen zich aan te drukken. Hij weet wat het beste voor ons is.

Help de stervende zijn belevingswereld bespreekbaar te maken. Ga naast hem zitten en als dit mogelijk is, houd dan de ander vast met een arm om zijn schouder, of neem zijn beide handen losjes in uw eigen handen. Wanneer u op zo'n moment vraagt: 'Hoe gaat het ermee?', krijgen we meestal als antwoord: 'Goed'. Het is daarom vaak beter het gesprek rustig in te leiden, door wat algemene vragen te stellen. Om te beginnen kunnen we over algemene, alledaagse dingen praten. Over de familie, liefhebberijen, of iets dat zich voordoet. De familiefoto's die u in de kamer ziet staan kunnen ook vaak een opstapje zijn voor een gesprek. Hiermee worden de communicatiekanalen geopend. Breng langzaam meer diepgang in het gesprek. Hoe kijkt u tegen het leven aan, denkt u veel over uw eigen leven na? Wat gaat er in u om nu u weet dat u gaat sterven? Wanneer u vragen stelt, wekt dit sympathie op, omdat u hiermee blijk geeft van uw belangstelling. Wacht rustig de antwoorden af. Sta open voor de ander en ga niet op een volgende vraag zitten te broeden voordat u het antwoord tot u hebt laten doordringen. U kunt wat de ander heeft gezegd nog eens samenvatten. Bijvoorbeeld: 'Dus als ik u goed begrijp, vindt u dit of dat moeilijk.' Op die manier is het zeker dat u het beiden over hetzelfde hebt en dat u elkaar goed begrijpt. Vraag ook aan de ander wat hij zélf voor een mogelijke oplossing ziet. Let ook op de dingen die niet gezegd worden. Waar wordt omheengedraaid, wat wordt ontweken? U zou dan kunnen zeggen: 'Dus als ik u goed begrijp heeft u vrede met..., maar hoe is het nu met...?'

Verplaats u in de ander, kruip in zijn of haar huid. Wat voelt de ander? Wat betekent het om kanker te hebben, op sterven te liggen? We kunnen ons werkelijk als een soort yogi in de ander verplaatsen, om het troosteloze te voelen, of het verlangen te voelen van iemand die weg wil, de vreugde te voelen van het weggaan.

Als iemand bijvoorbeeld aan u vraagt: 'Waarom moet ik zo lijden?', is de kans groot dat deze persoon eigenlijk zelf het antwoord al heeft. Bij een dergelijke vraag kunt u deze dus ook terugspelen: 'Wat denkt u er zelf van?' Komt de ander nu niet tot een oplossing, dan kunt u samen afspreken hier bij uw volgende bezoek nog eens op terug te komen. Vraag de ander wat aantekeningen te maken, zodat deze bij uw volgende bezoek als leidraad kunnen dienen. Wanneer de vraagsteller zelf het antwoord vindt, is dit antwoord van veel meer waarde dan wanneer u hem het antwoord aanreikt. Uiteindelijk moet ieder mens zelf tot inzichten komen.

Er bestaat ook nog een kans dat iemand eigenlijk het antwoord op zijn vraag wel weet, maar het antwoord wegdrukt omdat het te confronterend is.

Als iemand zich ergens ongemakkelijk over voelt, is het goed dit de ander duidelijk te laten verwoorden. Daarna herhaalt u hetgeen gezegd wordt en probeert u zich hierin te verdiepen en praat u hier openlijk over. Als iemand bijvoorbeeld zegt: 'Ik heb er zo'n spijt van dat ik bijna mijn leven lang sigaretten heb gerookt', kunt u zeggen: 'Als ik u goed begrijp heeft u er spijt van dat u zoveel gerookt hebt'. Hiermee geeft u duidelijk aan dat u het beiden over hetzelfde heeft. Vervolgens zegt u: 'Ik begrijp dat u er spijt van heeft.' Hiermee maakt u duidelijk dat u gelijkgeschakeld bent, waarna u hier beiden op een gelijkwaardige manier over kunt praten.

Biedt uzelf aan als mens en niet als deskundige. Het deskundig begeleiden van stervenden is ook eigenlijk maar het halve werk. Zonder openheid en inlevingsvermogen, zonder liefde, heeft stervensbegeleiding maar weinig waarde. Als we goed met de ander willen communiceren, moeten we van ons podium van deskundigheid afstappen. We zullen naar het gemeenschappelijke moeten zoeken en niet naar de verschillen.

Zo ben ik eens door de familie bij een stervende vrouw geroepen, omdat men dacht dat ik dermate deskundig was dat ik de stervende kon helpen. Daar aangekomen, werd ik door haar met vele vragen bestookt: 'U heeft zoveel ervaring, hoelang heb ik nog te leven?' 'Wat gebeurt er nu precies als ik sterf, hoe gaat dat nu eigenlijk?' En: 'Moet ik me nu bezighouden met meditatie en hoe moet ik nu mediteren?' Toen bleek dat ik op deze vragen niet meteen een pasklaar antwoord had, was de ander zichtbaar teleurgesteld. Ik, op mijn beurt, voelde ook vertwijfeling in me opkomen: 'Ben ik nu deskundig op dit gebied, of weet ik evenveel als ieder ander mens?' De stervende en ik keken wat beteuterd voor ons uit en de paar familieleden die op de achtergrond aanwezig waren, schoven ongeduldig op hun stoelen heen en weer. 'Ik weet veel minder over sterven dan u misschien denkt', zo begon ik. 'U vroeg me net wat over meditatie, heeft u al eens eerder gemediteerd?' Toen dat het geval bleek te zijn, heb ik gevraagd naar haar ervaringen en heb ik op mijn beurt ook wat over mijn ervaringen verteld. Omdat onze ervaringen in grote lijnen overeenkwamen en omdat we elkaar begrepen, ontstond er contact tussen ons. Ik heb haar gezegd dat het niet zo belangrijk is te weten wanneer zij zou overgaan. 'Het is beter alle vooropgezette ideeën los te laten en nu te genieten van de liefde en het licht die u ook tijdens uw meditaties heeft ervaren.' Zo kwam een dialoog op gang, waarbij we elkaar aanvulden, van elkaar leerden en elkaar positief stimuleerden.

Een stervende is niet op zoek naar medelijden, maar wil delen in liefde. Wanneer iemand verdriet heeft, trek u dan samen terug in stilte, zodat de ander prachtige tranen van liefde mee kan nemen. Laat u beiden drijven door de liefde. Geef liefde, zodat de ander ook deze liefde mee naar gene zijde kan nemen. Geef steun aan de positieve gedachten van de ander. Buig negatieve denkbeelden met losse hand om naar het positieve. Alles heeft twee kanten. Onze negatieve kanten – onze moeilijkheden – lijken dan soms wel onneembare obstakels, toch kunnen we deze ook beschouwen als zinvolle lessen, zodat we ook daadwerkelijk verder kunnen komen. We kunnen in veel gevallen dan ook zeggen: 'U heeft misschien fouten gemaakt, maar u ziet uw fouten nu ook in. U heeft van uw fouten geleerd en u heeft er oprecht spijt van. U hoeft dan ook niet de gevolgen (karma) in een volgend leven op te lossen, u heeft ze nu opgelost.'

Wees waakzaam; iedere dag kan voor de stervende de laatste zijn. Ga zo vaak mogelijk op bezoek, bereid de stervende zo goed mogelijk voor. Vertel over het nieuwe leven dat hem te wachten staat. Maar ga nooit met vooropgezette ideeën naar een stervende toe. Laat het aan God over wat u zult aantreffen. Niet alleen is iedere situatie anders, ook kan één en dezelfde situatie in één dag tijd totaal veranderd zijn. De ene keer kan iemand u hartelijk verwelkomen, de andere keer kijkt men u de deur uit. Hoe de ander ook reageert, de stervende heeft er wel recht op dat de begeleider moeite doet om hem te begrijpen.

Na het eerste bezoek kunt u de stervende vragen alvast een aantal vragen voor het volgende bezoek op te schrijven. Ga bij een volgend bezoek op het voorgaande gesprek in. Bij de één kunnen we al snel in de diepte gaan, de ander heeft hier wat meer tijd voor nodig. Iedere boom, iedere bloem groeit op zijn eigen manier. Ieder mens heeft zijn eigen tijd nodig.

Alleenstaanden of mensen die weinig sociale contacten hebben, zijn soms wat geslotener dan mensen die een langdurige relatie of veel vrienden hebben gehad. Maar als u gewoon met de stervende praat, iedere volgende keer weer, dan komen de meeste mensen wel over hun schroom heen. Men wil dan ook wel eens wat dieper op de zaken ingaan. Vooral in de avondschemering is de mens over het algemeen wat gevoeliger voor geestelijke zaken.

Stervenden voelen het meestal snel aan als iemand hun de waarheid niet vertelt. Vertellen we de stervende een leugen, dan sluit de stervende zich af, buigt het hoofd weg, of sluit de ogen. Stervenden kunnen scherper waarnemen en voelen de dingen nu ook beter aan dan in hun voorbije leven. Een enkele keer komt het voor dat iemand die op sterven ligt helderziend wordt. Iemand ziet dan de aura's van de mensen die rond het bed staan.

Wanneer we iemand aanraken, moeten we dit vanuit ons hart doen; vooral een stervende voelt het al snel aan als het niet gemeend is. Wanneer we eens een complimentje geven, werkt dit als voeding voor de ziel. Maar ook hier geldt: doe het vanuit het hart.

Ieder mens is op zoek naar liefde. Ieder mens wil liefde; stervenden laten dit alleen vaak zoveel gemakkelijker blijken. Daarom is het vaak ook zoveel gemakkelijker een stervende in liefde tegemoet te treden en een stervende liefdevol aan te raken.

Veel mensen denken dat zij bij een stervende doodserieus moeten zijn. Toch is dit niet altijd nodig. We kunnen met de stervende ook wel eens grapjes maken; dit fleurt de stervende op. Stervenden en ook de familie hebben geen behoefte aan al die doodgraversgezichten om zich heen. Een stervende wil liever blijmoedig overgaan dan op een doodserieuze manier. We kunnen beter lachend overgaan dan huilend.

Misschien reageert de familie verontwaardigd als u samen eens wat gekkigheid uithaalt. Wijs er dan op dat we van het belang van de stervende moeten uitgaan. Natuurlijk is het moeilijk de humor in het verlies van een dierbare te kunnen zien; toch is het belangrijk dat er ook eens wat gelachen wordt. Zo kunnen er misschien ook eens wat leuke herinneringen opgehaald worden, gebeurtenissen waarvan we weten dat de stervende daar ooit ontzettend om heeft moeten lachen. Humor brengt schoonheid in het leven.

Zoals zaad water nodig heeft om te ontkiemen, hebben woorden ook liefde nodig. Wanneer u praat, probeer dan eens te luisteren naar de Naam van God achter uw woorden. Alsof u praat met Zijn Naam in uw achterhoofd, of met Zijn Naam in uw hart gegrift. De Naam van God heeft een enorme uitstraling; ze geeft onze woorden een enorme kracht. Praat met liefde, dan zal God het verdere werk doen.

We mogen Gods liefde met onze woorden doorgeven. Wanneer we woorden van liefde uiten, krijgen we ook veel liefde terug. Het is dan ook niet vermoeiend als we over mooie dingen praten, integendeel, het geeft juist veel energie. Maar pas op: als mensen hier niet voor openstaan, gooi dan uw liefde niet weg.

Als u praat, wees dan rustig. Waarom zouden we onrustig zijn? Zo is het ook bij iemand die voor een aantal mensen een voordracht houdt. Komen de woorden hakkelend over vanwege de zenuwen, dan zullen de luisteraars meer aandacht besteden aan de houding van de spreker dan dat zij luisteren naar wat de spreker te zeggen heeft.

Pas op dat u niet te lang op een onderwerp blijft doorgaan, want op een gegeven moment zal de ander niets meer kunnen opnemen. Meestal kunnen we aan de ogen zien of iemand vermoeid raakt. Stap dan over op een ander onderwerp of houd een tijdje stilte. Vermoeide mensen zijn moeilijk te bereiken.

Zorg dat er niet te hard gepraat wordt, vooral niet op momenten dat de ander geëmotioneerd is. Wanneer bij de ander de emoties loskomen, praat dan zachtjes; dan moet het contact van hart tot hart gaan. Dan kunnen we soms ook de handen of het hoofd van de stervende vasthouden. Laat het gebeuren, laat de emoties komen. Zeg tegen de mensen: 'Laat je gaan, krop het niet op.' Laat de tranen gaan. Wanneer de stervende huilt, laat hem dan goed uithuilen; huilen lost veel op.

Als we als begeleider bedroefd zijn om het lijden van de ander, dan kunnen gemakkelijk de emoties bij onszelf de kop opsteken. Het verdriet van de ander kan zo aanstekelijk zijn, dat we beginnen mee te huilen. Dat is niet erg; de stervende voelt zich hierdoor begrepen, er is dan een bondgenootschap. We moeten onszelf daarna wel afvragen waarom we nu zo moesten huilen.

Emoties zijn erg persoonlijk; emoties komen van binnenuit. Zo zal bijvoorbeeld een brandend huis bij verschillende mensen verschillende emoties oproepen. De één staat vol woede naar een brandend huis te kijken, een ander ondergaat leed en verdriet, en weer een ander leedvermaak.

Een stervende kan huilen van verdriet en kan huilen van geluk. Een stervende kan ook diep ontroerd raken van datgene wat hij al meemaakt van het nieuwe leven. Een mens kan diep ontroerd zijn door het ervaren van de enorme schoonheid van het Grote Leven. Wanneer iemand iets over deze schoonheid wil vertellen. kan hij van ontroering in huilen uitbarsten. Mannen die vele levens achter elkaar man geweest zijn, zullen over het algemeen wat meer moeite hebben met het uiten van hun emoties. Soms moeten we iemand ook echt aanzetten om te huilen, om de emoties te laten gaan.

Is de stervende geëmotioneerd, kijk hem dan niet recht in de ogen, zodat u geen inbreuk op de ander maakt. Wend uw hoofd iets af, dan zal de ander zich minder beschaamd voelen om zijn emoties te uiten. Ook wanneer we met iemand praten, kunnen we onze eigen ogen eens sluiten of naar beneden laten dwalen, zodat de ander zich gemakkelijker kan laten gaan.

Met de ogen kan men elkaar peilen. Door elkaar in de ogen te kijken kan men soms meer van elkaar te weten komen dan met woorden kan worden duidelijk gemaakt.

Probeer zoveel mogelijk met elkaar alleen te zijn, dan kunt u ook beter met elkaar praten.

Denk ook eens aan Meester Jezus, hoe Hij in eenzaamheid gehuild heeft in de hof van Getsemane. Blijf bij iemand die het moeilijk heeft, laat hem niet in de steek.

Een stervende heeft steun nodig. Hoe die steun het beste gegeven kan worden moeten we zelf proberen aan te voelen. Iedere begeleiding is weer totaal anders. Het ligt er maar aan waar de stervende behoefte aan heeft en waar de begeleider zelf aan toe is. Kom zoveel mogelijk aan de behoeften van de stervende tegemoet. Wanneer we door de ander worden afgewezen, hoeft dit nog niet definitief te zijn. Later, als iemand er wel aan toe is, kan hij alsnog contact met u opnemen. U kunt nog eens opbellen om bij de familie naar de stervende te informeren en nog eens aan te geven dat men altijd contact met u kan opnemen, als de stervende dit zelf ook wil.

Als blijkt dat de ander niet wil openstaan voor hulp en begeleiding, kunnen we vaak niet veel meer doen dan regelmatig op bezoek gaan, om liefdevol naast het bed te gaan zitten. Als er geen dialoog is, kunnen we soms nog troost geven door uit de bijbel of een ander mooi boek voor te lezen, door naar mooie muziek te luisteren, of door samen te bidden. Soms kunt u niet veel meer doen dan, bij uzelf thuis, voor de stervende bidden. Wanneer u zegt dat u voor hem of haar zal bidden, moet u wel die belofte nakomen.

Wanneer een stervende een mooi sterfbed heeft, kunnen we aan de stervende vragen: 'Wilt u me niet een beetje helpen als u aan de andere kant bent? Wilt u me dan wat liefdevolle energie toezenden, zodat ik geholpen wordt om dit werk op een goede manier te doen?' Een overledene kan vlak na het overgaan regelmatig terugdenken aan de mensen die hij gedurende zijn laatste dagen op aarde om zich heen heeft gehad. Een overledene kan de eerste tijd na het over-gaan zo af en toe eens in dankbaarheid aan u terugdenken. Alleen als het om een minder liefdevol persoon gaat, als het gaat om iemand die op een minder prettige manier is overleden, kunnen we dergelijke gunsten beter niet vragen; zend hen naar het licht.

'Zie goed, doe goed, wees goed.' Op die manier stralen we licht en liefde uit en zijn we een baken voor de stervende. Dit is het wat we voor de sterven-de – voor God – kunnen doen.

12 Lijden

Net zoals een geboorte is sterven een overgang naar een andersoortig leven. Net zoals bij een geboorte, kunnen we bij een sterfbed in grote verwondering en verbazing staan te kijken.

Net zoals een geboorte moeten we eigenlijk ook een sterven in de familiekring vieren. Alleen zal iemand die meer van de aardse geneugten houdt dan van het geestelijke gemakkelijker geboren worden dan dat hij zal sterven.

Een wereldlijk mens zal moeilijk kunnen geloven dat sterven een schitterende ervaring kan zijn. Mensen die ervan overtuigd zijn dat zij door het sterven hun hele leven kwijtraken, zullen ook meer angst voor het sterven hebben. Deze mensen zijn moeilijk te bereiken en te begeleiden, doordat zij meestal niets van de liefdevolle dingen zoals de prachtige opvang aan gene zijde of de prachtige astrale werelden willen weten. Zij zien het sterven meer als het verlaten van een gezellige warme huiskamer, om alleen de koude duisternis in te gaan.

Wanneer we een bewust mens mogen begeleiden, is dit een waar Godsgeschenk. Als we bij iemand zijn die in liefde overgaat, zien we dat de hele kamer gevuld is met liefde en licht. Het is een cadeautje van de stervende aan de omgeving.

Voor een goed mens is sterven veel gemakkelijker dan geboren worden. En ik wil u meteen geruststellen: verreweg de meeste mensen zijn goede mensen. De meeste mensen komen dan ook huilend ter wereld en stappen er weer met een glimlach uit.

Het is iets prachtigs als we een sterfbed, net zoals een geboorte of een huwelijk, in de familiekring kunnen vieren. Iedereen, ook al heeft men een heel leven achter de rug, heeft het moeilijk als het aardse leven achtergelaten moet worden. Het is moeilijk kinderen en kleinkinderen achter te laten. Het is moeilijk de levenspartner achter te laten. Men wil toch altijd voor hen blijven zorgen. Veel mensen maken zich zorgen over het wel en wee van de nabestaanden. Zij zijn bezorgd en vol liefde jegens hun dierbaren. Zij kunnen zich uit naastenliefde voor hun medemens wegcijferen. Deze liefdevolle, niet-egoïstische mensen moeten we geruststellen door te zeggen: 'God zorgt voor uw familie.' Wanneer de stervende het moeilijk vindt zijn geliefden los te laten, kunnen we zeggen: 'Het is nu zaak om aan uzelf te denken.'

Ieder sterven kost moeite; houd daar altijd rekening mee. Ook al is iemand honderd jaar geworden en heeft hij nog zo'n mooi leven gehad, het loslaten van de bekende omgeving is moeilijk. Het sterven op zich heeft ook altijd iets engs: hoe zal mijn sterven verlopen, zal ik pijn hebben, zal ik stikken, en waar kom ik terecht?

Ieder mens, niemand uitgezonderd, wordt overeenkomstig het bewustzijn aan gene zijde liefdevol opgevangen en verder begeleid. Niemand wordt aan zijn of haar lot overgelaten, niemand wordt alleen gelaten. Dit zeg ik niet om de stervende een flesje geurige room of een lekker taartje voor de neus te houden, zodat het voor hem aantrekkelijk gemaakt wordt om over te gaan; dit zeg ik alleen omdat dit de realiteit is. De opvang aan gene zijde is vele malen liefdevoller dan de opvang van de opnieuw geïncarneerde mensen hier op aarde. De hulpverleners aan gene zijde kennen de achtergrond van de overledene. Zij overzien de vele eerdere levens van de ander en daardoor kan hun hulp ook vele malen beter zijn.

Er is niemand die volledig zonder angst zal sterven; zelfs de grootste yogi zal nog wat angst hebben bij zijn overgaan.

Mensen kunnen angstig worden doordat zij bang zijn op een angstige manier te sterven; zij kunnen bang zijn dat zij tijdens het sterven volledig door angst in beslag genomen worden: angst voor de angst. Om met schrijver-dichter Nicolaas Beets te spreken: 'Vaak nog lijdt de mens het meest, door het lijden dat hij vreest.' Er kan angst zijn om niet begrepen te worden, of om alleen gelaten te worden. Dit kan zich op alle mogelijke manieren uiten; soms sluit men zich af voor de omgeving, soms reageert men verbitterd, apathisch of agressief. Wanneer dit gedrag niet begrepen wordt en er alleen op deze uiterlijke kenmerken gereageerd wordt, kan de familie de stervende gaan mijden, zodat deze nog meer gaat vereenzamen. Agressie, kwaadheid, zeurderigheid, prikkelbaarheid of depressiviteit zijn uitingen van een onderliggend probleem waar de ander mee worstelt.

Er kan angst zijn voor een negatief oordeel over het voorbije leven. Het is een absoluut waanidee dat we geknield voor Gods troon, Zijn oordeel over ons krijgen uitgesproken. Het geloof in het moeten verschijnen voor de Rechterstoel en ook het geloof in een eeuwigdurende hel zijn naweeën van sadistische denkbeelden, die gepredikt werden om de mensen naar de hand van de kerk te zetten. In werkelijkheid wachten ons aan gene zijde liefde en begrip. De erfzonde, de zonde die we vanaf Adam en Eva van geslacht op geslacht overnemen, is ook een wanbegrip. We zijn zelf verantwoordelijk voor onze daden, en we kunnen gelukkig terugkeren naar de aarde om in een volgend leven bepaalde zaken anders aan te pakken.

Niet alleen orthodoxe gelovigen kunnen bang zijn omdat zij misschien niet goed geleefd hebben, ook mensen die al vergevorderd zijn op het 'pad' kunnen bang zijn dat zij bepaalde dingen niet goed gedaan hebben. Mensen die bewust geleefd hebben, zijn zich ook meer bewust van hun tekortkomingen. We kunnen iedereen aanraden ook naar de goede dingen die men gedaan heeft te kijken. Mensen kunnen op hun sterfbed nog wel eens slecht over zichzelf denken, maar er staat ook altijd weer zoveel goeds tegenover.

God oordeelt niet over ons. Hoe kan Hij over ons oordelen? We zijn immers in wezen zuiver goddelijk. Laten wij dan ook niet over onszelf oordelen door onszelf als slecht, gebrekkig of negatief te brandmerken.

God is de Liefde Zelf. Vrees Hem niet, vrees eerder uzelf!

Mensen willen altijd weten wat er bij het sterven gebeurt. We kunnen dit in grote lijnen wel aangeven, maar hoe het sterven precies zal verlopen is vooraf niet te zeggen. We kunnen de ander wel moed inspreken, want ieder mens is bang om over te gaan. We kunnen vertellen over het mooie leven dat de ander te wachten staat en over zijn eerder overleden dierbaren, die hem staan op te wachten, mits zij niet alweer geïncarneerd zijn. We mogen ook niet vergeten dat demente mensen en mensen die in coma liggen evengoed hun angsten hebben, ook al kunnen zij dit niet of nauwelijks uiten. Praat ook tegen deze mensen en stel hen zoveel mogelijk gerust.

Het rustig voorlezen van een korte toepasselijke passage uit de boeken van bijvoorbeeld Kübler Ross*, vooral de stukken die over haar ervaringen met stervenden gaan, kunnen rustig stemmen. Of leest u voor uit een ander mooi boek. Dit geeft de mensen meer rust en door deze rust kunnen zij de wereldlijke zaken ook gemakkelijker loslaten. U kunt ook voorlezen uit een boek waarin 'bijna-doodervaringen' beschreven staan. Vermeld er dan wel uitdrukkelijk bij dat deze ervaringen voor iedereen weer anders zijn. Bovendien zijn deze ervaringen nauwelijks in woorden te vatten en zijn het slechts surrogaatbeelden voor iemand die voorgoed naar de hoogste astrale gebieden gaat.

Welk boek u kiest om uit voor te lezen is afhankelijk van het karakter van de stervende en van de toestand waarin deze verkeert. Iemand die vol angst en onrust in zijn bed ligt te woelen, zal niet openstaan voor de stervenservaringen van anderen.

Wanneer u voorleest, doe dit dan langzaam; ook langzaam bidden stemt rustig. Samen bidden is iets prachtigs. Bij iemand die veel bidt zou u ook eens kunnen vragen: 'Waarom bidt u nu eigenlijk?' Het is zaak dat iemand die veel bidt, ook weet waarom hij dit doet. Het kan namelijk zijn dat de drijfveer om te bidden angst is. Men bidt om de angst te onderdrukken en niet zozeer om met God in contact te komen waardoor de angst kan oplossen. Het gebed is net zoals een meditatie: in eerste instantie een afstemming op God, daarna kan overgave volgen. Overgave aan God of versmelten met God is een toestand die een mens overkomt; het kan niet geforceerd worden.

Het geijkte gebed, dat soms met de rozenkrans in de hand wordt afgeraffeld, is van weinig waarde. Sommige mensen draaien klakkeloos hun standaard-gebed af, of bidden alsof zij een mitrailleur op de hemel leegschieten. Bid zo bewust mogelijk; het maakt het bidden waardevoller als men bewust bidt. Als u zich tot God richt, doe dit dan bewust.

Pas ook op dat iemand niet gaat mediteren als vlucht voor dagelijkse werkelijkheid. Sommige mensen vinden het heerlijk om te mediteren, dat wil zeggen weg te dromen. Dit is van weinig waarde; men kan dan beter een stukje tekst uit een boek lezen en hier eens een tijdje over na denken.

Als we bidden of mediteren, zijn we dan op God gericht of op onszelf?

Men kan soms de mooiste ervaringen krijgen tijdens een gebed of meditatie. Er schuilt hierin wel het gevaar dat men zich zo aan deze ervaringen gaat hechten dat men in een soort verstarring terechtkomt. Men wil zich per se weer net zo goed voelen als tijdens een meditatie die men bijvoorbeeld een week eerder heeft gehad. Men wil weer die mooie ervaringen krijgen, die mooie beelden zien, die mooie gevoelens hebben, zeker nu men op sterven ligt. In dit geval realiseren wij ons niet dat we als het ware God claimen. We bevelen God over ons te komen, en dat zal ons waarschijnlijk niet lukken. We voelen teleurstelling, we lijden eigenlijk door de gehechtheid aan ervaringen die we gehad hebben. We lijden aan de angst dat we niet zullen bereiken wat we willen bereiken. Mediteren betekent bewustwording van het eigen Zijn en bewustwording van onze omgeving, inclusief alle problemen, nare pijntjes of pijn, inclusief onze emoties en gedachten. Negeer deze minder leuke zaken niet en stop ze niet weg. Kijk ernaar en richt je via al deze negatieve zaken op het licht dat erachter schijnt of erdoorheen schijnt. Ook al is dit licht soms nog zo klein, het is wel ons baken, ons ware Zelf.

Wanneer we het over angst hebben, is er altijd een element van toekomst mee verbonden. Wat zal er gaan gebeuren? Waar kom ik na mijn sterven terecht? Iemand die met al zijn energie in het hier en nu is kent geen angst. Niemand is dan bang voor zaken die zich in het hier en nu afspelen. Probeer daarom door de ander vast te houden en gerust te stellen, hem in het hier en nu te krijgen. Probeer God te ontdekken hier en nu. De meeste mensen zullen op een gegeven moment tot berusting komen.

Bij mensen die angstig zijn, is het goed om lange tijd naast ze te gaan zitten. Houd de handen van de stervende vast, probeer hem gerust te stellen, geef hem steun. We moeten er wel voor oppassen dat onze steun niet alleen bestaat uit het inspreken van moed. Komen we niet verder dan te zeggen: 'Kom, houd vol', dan kunnen we de stervende daarmee in een isolement drukken. Probeer te achterhalen wat de oorzaak van de angst is, maak die bespreekbaar. Als iemand angst heeft om dood te gaan, pak hem dan bij de handen vast, spreek hem liefdevol toe. Vraag: 'Waar bent u nu bang voor, wat gaat er in u om?' Wanneer u ziet dat de stervende onrustig is maar zich hierover niet wil of kan uitten, werk dan ook een beetje op zijn gemoedsrust. Moedig hem aan. U kunt zeggen dat geboren worden veel moeilijker is dan sterven. Of als iemand zegt: 'Ja, maar ik heb zoveel fouten gemaakt', zeg dan dat men het recht heeft om fouten te maken: 'U heeft nu ook ingezien dat u bepaalde zaken anders had moeten doen, u heeft ervan geleerd; laat het nu verder aan God over.'

We kunnen God nooit en te nimmer verspelen, zelfs niet als we bijzonder negatieve daden hebben verricht, of als we tijdens ons leven nooit aan God gedacht hebben. We kunnen God niet verspelen, omdat we zelf goddelijk zijn.

Met angst is heel wat energie gemoeid. Denk er maar eens aan hoe hard u wel niet kunt rennen als u bang voor iets bent. Angst zal dan ook een flinke uitputting teweegbrengen bij een stervende. Daardoor zal eventuele pijn en ander lichamelijk ongemak ook minder goed verdragen worden. Slecht slapen en slecht eten kunnen het gevolg zijn van angst. Soms is de onrust zo sterk dat dit een te zware belasting gaat worden voor de familie. Kalmerende medicijnen zullen dan uitkomst moeten brengen. Zeg dan wel tegen de stervende hoe de vork in de steel zit en pas ook op dat deze medicatie niet onnadenkend gebruikt wordt. Het komt namelijk nogal eens voor dat de angst bij de stervende na bijvoorbeeld een week flink afgenomen is, terwijl men uit gewoonte doorgaat met het toedienen van kalmerende middelen.

Wanneer iemand aan het einde van zijn vorige leven gemakkelijk is overgegaan, zal men in dit leven ook betrekkelijk weinig moeite met het sterven hebben.

Op het sterfbed kunnen gemakkelijk, vanuit het onderbewustzijn, herinneringen aan eerdere stervenservaringen naar de grens van het bewustzijn komen drijven. De angst kan voortkomen uit een eerdere negatieve stervenservaring of een gewelddadige dood tijdens een vorige aards leven.

's Nachts zijn stervenden meestal angstiger dan overdag. Iemand kan eigenlijk beter overdag sterven dan 's nachts. Tijdens het overgaan in het schemerduister zijn de meeste mensen angstiger. De nacht wordt geassocieerd met slaap en dood, terwijl de dag bij het leven hoort. Overdag kan de familie meestal ook gemakkelijker de stervende bijstaan. Probeer met de familie te regelen dat er altijd iemand in de buurt is. Verzeker de stervende dat er altijd iemand voor hem in de buurt is, ook 's nachts. Eventueel kan de stervende door middel van een belletje iemand roepen als dit nodig mocht zijn. Laat 's nachts een lampje branden, zodat de stervende zich kan oriënteren.

De stervende die aan God vraagt: 'Laat me alstublieft overdag heengaan', zal verhoord worden, tenminste als het ook goed voor de stervende is om overdag, temidden van zijn familie, over te gaan. De stervende kan hierom vragen.

Stervenden die vlak voor hun overgaan staan, zoeken nog al eens steun bij materiële zaken om zich heen. Iemand houdt zich dan aan de rand van het bed vast, of begint aan de dekens te trekken of te plukken. Men voelt zich uit het leven wegzakken en wil zich als een drenkeling aan het bed of aan de dekens vasthouden. Stervenden kunnen ook steun aan hun eigen lichaam ontlenen, door zich bijvoorbeeld te gaan krabben. Of iemand zoekt veiligheid bij zichzelf door zich als een foetus op te rollen, hoewel dit laatste weinig voorkomt. Meestal sterft men languit liggend op de rug: in overgave; met het hoofd en soms de schouders gesteund door kussens.

Liefde is de keerzijde van angst. Als de astrale wereld begint te dagen en deze wereld ook als werkelijkheid wordt ervaren, zal angst verdwijnen. Op een gegeven moment komt iemand over zijn angsten heen; hij heeft een grens gepasseerd en gaat verlangen naar verlossing. U hoeft niet bang te zijn!

Voor een goed mens is sterven iets heerlijks. Een goed mens zal de handen vouwen, of de handen uitsteken naar boven. Dit is schitterend om te zien. Om bij deze stervenden aanwezig te mogen zijn, is een heerlijkheid. De stervende zal dan ook vaak meer aan de begeleider en aan de omgeving geven dan andersom. Er straalt zoveel geluk van zo iemand af, dat we dit niet gauw zullen vergeten.

Wanneer we ons richten op God zijn we nooit alleen. Soms laten de grote heiligen ons schijnbaar wel eens aan ons lot over. Maar zij doen dit alleen om ons daarna des te intenser naar zich toe te trekken. Weet altijd dat God er is. De Schepper Zelf waakt over ieder mens en is zich bewust van al onze moeilijkheden. Mediteer hierover. God is de stille getuige die in ons woont.

Onze angsten zullen net als al het andere voorbijgaan; alleen God blijft.

Wanneer we weten dat we goddelijk zijn, wat blijft er dan nog te vrezen over?

Ieder mens heeft de kracht van God in zijn binnenste om het dagelijks leven, het verdriet over onszelf en het verdriet over onze omgeving aan te kunnen. Datgene wat op onze weg komt, kunnen we aan! God geeft kruis naar kracht. Het leven legt niets op ons bordje wat we niet aan kunnen. Het heeft ook geen zin dat ons iets zou worden voorgeschoteld waar we aan onderdoor gaan. We krijgen het kruis te dragen overeenkomstig onze kracht.

Laten we nog eens terugkeren naar ons voorbeeld: Meester Jezus. Aan het kruis bereikte Hij volledige eenheid met de Vader. Zijn lijden was niet het lijden van het fysieke lichaam; Jezus was immers Meester over het fysieke. Kijk maar naar de vermenigvuldiging van de broden en vissen, en naar alle wonderen die Hij heeft verricht. Zijn lijden was niet het lichamelijke lijden, maar het lijden van de geest, het lijden dat voortkomt uit het verlangen naar liefde. Hij deed niets anders dan liefde geven en wij hebben hem bespot. Hij wilde ons de hemel geven, maar we hadden er geen belangstelling voor. Jezus heeft Zijn kruis kunnen dragen omdat Hij wist dat Hij op weg was naar de Vader.

Wanneer we aan het lijden van de Meester denken, worden we geconfronteerd met ons eigen lijden. Het lijdensverhaal en de opstanding zijn een projectie van onszelf; we bezien het vertaald vanuit ons eigen bewustzijn.

Wanneer je uitroept: 'God help me, God waar bent U?!', en er niets gebeurt, je niets voelt, weet dan dat je hier alleen doorheen moet. Weet dan dat je een aantal stappen zelf hebt te zetten. Blijf bij je geloof dat je een goddelijkheid bent. Op een gegeven moment zie je dan ook weer het licht in je, ook al is dit licht nog zo klein of zwak. Als je nu bij dit licht kunt blijven en op kunt gaan in vertrouwen en kunt zeggen: 'Niet mijn wil maar Uw wil geschiede', word je rustiger. Maar blijf bij dit licht, blijf je dit lichtbeeld voor de geest houden.

Vraag om hulp en kracht, je gebed zal altijd verhoord worden, maar wel op de manier waarop de liefde dit wil. Als we ons alleen en verlaten voelen, ten einde raad, roep dan God aan of roep Moeder Maria aan. Zij zullen zeker komen om te troosten op een manier waarvan zij weten dat dit het beste voor ons is.

Het lijden hoort bij de schepping. Lijden en verdriet zijn niet altijd karma; het wordt vaak op onze weg gelegd opdat we dichter naar God toegroeien. Op aarde wordt ontzettend veel geleden, en niet alleen in landen waar oorlog en honger heersen. Ieder mens krijgt op zijn tijd lijden en verdriet te verwerken. Elke dag kan een dag zijn die ons dichter bij God brengt.

Er bestaat lichamelijk lijden en geestelijk lijden; vooral dit laatste kan bijzonder zwaar zijn. Ga niet aan het lijden voorbij en pas ervoor op dat iemand geen lijden simuleert om aandacht te trekken.

Vraag: 'Waarom dit lijden?' Vraag het aan God en Hij zal antwoorden. Hij is er altijd, Hij is de schepping zelf. Hij zal helpen, soms op een onverwachte manier, soms direct, soms via een medemens, soms op een subtiele of raadselachtige manier. God kan in iedere vorm verschijnen; Zijn mogelijkheden zijn onbeperkt. Soms komt Hij tot ons in een droom; wees alert. God is niet ver weg; zet Hem niet op een voetstuk. Zie God in uzelf; we zijn een eenheid. Als u hieraan denkt kan God ook in u stromen, dan kunt u de eenheid ook gewaarworden. We zijn één met God; nooit zijn we alleen, want Hij is de schepping zelf. Vrees God niet, vrees eerder uzelf!

Misschien is het voor ons mogelijk te sterven zoals Meester Jezus stierf: verheven boven alle ongemakken van het lichaam. Een soort inwijding voor het bewustzijn.

Iemand die aards gericht is, heeft meer kans op pijn. Aards gerichte mensen zullen over het algemeen eerder met een pijntje naar de dokter gaan en zullen zich ook eerder medicijnen laten voorschrijven. Fysieke pijn hoort bij het aardse lichaam. We zullen zien dat iemands pijn minder wordt, of zelfs helemaal verdwijnt, als we een liefdevol gesprek met hem hebben. Ook na het sacrament der zieken zal de pijn meestal minder worden. Dit geldt ook voor mensen die met pijn naar een kerk gaan om te bidden, of wanneer iemand naar een bedevaartsoord of naar een gebedsdienst gaat. Men merkt dan dat de pijn minder wordt. Dit komt doordat dan het bewustzijn wat uit het fysieke naar het astrale wordt opgetild. Zo zal een op God gericht mens zich vaak over de pijn heen weten te tillen. Ons werkelijke Zelf, de ziel, kent geen lijden, geen pijn en geen verdriet.

We hebben allemaal de eenzaamheid in ons zolang we het eindpunt niet bereikt hebben. Het is voor ons onmogelijk constant gelukkig te zijn, maar we kunnen wel veel van het geluk van binnenuit ervaren. Vele ernstig zieke mensen zijn gelukkiger dan carrièremakers, doordat deze zieke mensen zich op de liefde richten. We hebben ons allemaal vroeg of laat op God te richten.

Laten we als voorbeeld iemand nemen die tijdens zijn leven een eigen bedrijf heeft gehad. Hij heeft zich vaak zorgen gemaakt over het wel en wee van zijn bedrijf en er bleef maar weinig tijd over voor ontspanning. Op een gegeven moment komt deze man op sterven te liggen en kan hij zich afvragen: 'Wat heb ik nu eigenlijk bereikt?' De wereld was zijn afgod en wat heeft hij nu aan al het geld dat hij verdiend heeft? Nu hij op bed ligt, heeft deze zakenman alle tijd om tot rust te komen. Hij kan gaan inzien dat het aardse relatief is.

Het aardse is dan wel een middel om verder te komen, maar het is geen doel op zich.

De ziel heeft een enorm offer gebracht door zich in de engte van een fysiek lichaam te begeven. Daarom kent iedereen het verlangen naar verlossing. De ziel incarneert echter omdat Zij het Grote Doel wil dienen: uitgroeien tot een goddelijke ziele-persoonlijkheid.

De ziel incarneert uit liefde. De ziel is zuiver goddelijke liefde. Onze ware aard is liefde. De beste manier om van pijn en lijden af te komen, is die waarbij men zich op de ziel, op God richt. Dan kan de genade op ons in gaan werken als een soort morfine. Dit neemt niet weg dat we altijd het lichaam zo goed mogelijk moeten verzorgen en ons zo nodig moeten laten ondersteunen met pijnbestrijdende medicijnen.

Een stervende die zijn laatste leven op aarde afsluit, kan ook wel degelijk pijn hebben. Ook deze vergevorderde ziel kan door God wel degelijk een groot lijden toebedeeld krijgen. Dit lijden kan ervoor zorgen dat men de laatste restjes karma kan wegwerken. Dit lijden kan er soms ook voor zorgen dat men niet al te lang in het astrale hoeft te blijven en sneller door kan gaan naar het oorzakelijke.

Voordat we uiteindelijk met het aardse klaar zijn, hebben we meren vol met tranen vergoten. Ook in het astrale bestaat lijden en verdriet, verdriet en lijden zullen blijven bestaan totdat we volledig één met God zijn. Verdriet en lijden zijn krachten die ons vooruit helpen op de weg naar God.

We kunnen ook eens naar het levensverhaal van Meester Boeddha kijken en dit verhaal eens vergelijken met de gelijkenis die Meester Jezus in het Nieuwe Testament vertelde over de verloren zoon. Boeddha leefde als prins in het koninklijk paleis van Zijn vader. Ondanks dat Hij hier in luxe en weelde leefde, kreeg Hij het verlangen om te zien wat er zich in de buitenwereld afspeelde. Hij ontvluchtte het vaderlijk paleis en kwam na Zijn omzwervingen tot de ontdekking dat de wereld vol lijden is. Door jarenlange meditatie kwam Hij tot het hoogste bewustzijn. Boeddha begon daarna met Zijn verkondiging van de Vier Edele Waarheden: 1. Overal in de wereld is lijden. 2. De oorzaak van het lijden is gelegen in verlangens. 3. Het lijden kan alleen ophouden te bestaan als er geen verlangens meer zijn. 4. De weg die leidt naar het opheffen van verlangens is het Achtvoudige Edele Pad. Dit zijn de door Boeddha gegeven acht richtlijnen: juist inzicht, positieve gedachten, oprecht spreken, liefdevol handelen, geen schade berokkenen aan medeschepselen, het juiste doel nastreven, bewust leven, de juiste meditatie. Dit is het Achtvoudige Pad waardoor begeerten en verlangens kunnen verdwijnen. Wanneer verlangens en gehechtheid ophouden te bestaan, zal het lijden ophouden te bestaan.

Lijden ontstaat als er het verlangen is naar iets wat we willen hebben of willen bereiken. Het geluk lijkt altijd ergens anders te zijn, behalve in het hier en nu. Hoe prachtig zou het zijn als we de hele wereld als God zouden kunnen ervaren. Eens zullen we allemaal dit bewustzijn bereiken. Leven zonder verlangen, en alles en alle dingen als God ervaren.

Job, uit het Oude Testament van de Bijbel, heeft enorm moeten lijden en werd daarna een gezegende van God. Job werd alles afgenomen, hij werd als het ware tot nul gereduceerd. Hij gaf zich echter niet over aan wanhoop; hij bleef in het bewustzijn dat alleen God ís.

Wanneer we in het lijden persoonlijke groei kunnen gewaarworden, wordt het lijden gemakkelijker aanvaard. Het lijden zal ons niets opleveren wanneer we niet tot dieper inzicht komen. We hebben vroeg of laat (in het astrale) tot dieper inzicht te komen. We kunnen naar God gaan en vragen: 'God, wilt U mijn lijden wegnemen?' We kunnen echter niet door God geholpen worden als we niet weten waar ons lijden vandaan komt. Meester Jezus heeft in zijn leven in Palestina ook niet iedereen kunnen genezen. Maar wanneer we ons richten op God, dan komen we daar ook zeker aan.

Sai Baba heeft gezegd dat twijfels een mens zullen opjagen totdat hij de waarheid herkent. Als twijfels door de voordeur binnenkomen, verdwijnt geloof door de achterdeur. Twijfels kunnen een mens plotseling treffen als een hartaanval. Er is geen machtiger beschermer dan waarheid. Waarheid is de alles beschermende God.

Laat me hier ook een stukje uit de 'hindoebijbel', de *Bhagavad Gita* citeren. Hier spreekt Krishna zijn vriend en toegewijde Arjuna toe, op het grote slagveld van het leven: 'Krishna: Schud je wankelmoedigheid af, deze is je niet waardig. Geef je niet over aan zwakheid, ken de waarheid van de ziel. Zoals een mens zijn versleten kleren aflegt om nieuwe kleren aan te trekken, zo legt de ziel lichamen af en treedt nieuwe lichamen binnen. [Baby's en kinderen hebben dan wel geen oude kleren, maar hun kleren zijn gemaakt van oude stof, karma.]

Lichamen worden geboren en wat geboren wordt moet ook sterven. De eeuwige, onsterfelijke ziel echter wordt nooit geboren en zal nooit sterven.

Wapens kunnen de ziel niet deren, vuur kan haar niet vernietigen, water kan haar niet nat maken en wind kan haar niet doen verdrogen.

De ziel is niet het vergankelijke lichaam, zij is het onvergankelijke Zelf in elk mens. Als je dat eenmaal weet, waarom zou je dan nog bezorgd zijn? Wijze mensen treuren nooit, niet om de levenden en niet om de doden.

Ik ben die ziel, Ik ben de allerhoogste Heer. Zetelend in het hart van elk levend wezen. Ik ben de Vader en ook de Moeder van deze wereld en Ik houd haar in stand. Ik ben het begin, het midden en het einde. Alles is uit mij gemaakt, alles is doordrongen van mij. Geen schepsel kan zonder mij bestaan. Welk pad mensen ook gaan, het is mijn pad. Waar zij ook heen gaan, zij bereiken mij.'

Sai Baba: 'Maak de Hemel binnen in je tot werkelijkheid en ineens worden al je verlangens vervuld en komt er een einde aan elke smart en elk lijden. Voel dat je boven het lichaam en al wat het omgeeft staat. Boven het verstand en zijn drijfveren. Boven gedachten van succes of vrees. De belangrijkste oorzaak van het lijden in de wereld is dat de mensen niet in zichzelf kijken, maar zich op krachten buiten zichzelf verlaten.'

'Het is niet zo moeilijk als je misschien denkt. Wanneer je eenmaal weet dat alles God is en dat slechts God bestaat, hoe kun je dan nog bang blijven; of dit nu angst voor de dood is, of angst voor het te kort schieten in een of andere wereldse betekenis. Al deze dingen gaan voorbij, net als je huidige leven op aarde. Sta daarom op in het zekere weten dat jij God bent en dan, wat blijft er dan nog te vrezen over? God kent geen angsten.'

'Je lichaam is als een wagen, de geest die je bent is als een paard. Span het paard vóór de wagen. Laat de geest het lichaam leiden. Verspil geen tijd met gedachten over –mijn– en –ik–. Alles behoort toe aan God. Het lichaam is een huis gehuurd van God. Leef erin zolang als Hij het wil. Het lichaam is slechts een werktuig. Het lichaam moet gebruikt worden als een vlot, waarmee je de nimmer kalme zee van veranderingen kunt oversteken, die ligt tussen geboorte en dood; gebondenheid en vrijheid. Wees ervan overtuigd dat je het universele, onsterfelijke, allerhoogste Zijn bent.'

Als we pijn hebben en verdrietig zijn is het soms o zo moeilijk om de liefde te zien. Dan kan het zolang duren voordat we de schoonheid in de schepping weer kunnen ervaren. Maar wanneer we dan weer een lichtpuntje ontdekken, wanneer we de schoonheid van het leven weer kunnen zien, dan moeten we wel uit ons lijden, in die schoonheid durven stappen.

Als het ons slecht gaat, kunnen we God vervloeken. Het zal ons echter niet helpen; we maken het onszelf alleen maar moeilijker. Het afwijzen van liefde is liefdeloos. Het afzweren van God keert in negatieve zin naar de persoon terug. Als iemand zegt: 'God bestaat niet, want anders zou ik nooit deze ellendige ziekte hebben gekregen!', sta dan wel toe dat de ander opstandig is en laat hem of haar dan bekoelen. Wanneer iemand weer tot rust gekomen is, probeer dan in een dialoog uit te leggen wat de bedoeling van ziekte en lijden is.

Lijden heeft Zelfkennis tot doel. Iemand die ernstige pijnen heeft, iemand die veel lijdt, kan gaan twijfelen aan het nut van dit lijden. Deze twijfel zal bij iedereen van tijd tot tijd naar boven komen. Zelfs de besten onder ons zullen momenten kennen van vertwijfeling, angst en onrust. Vrijwel iedereen zal op een gegeven moment gaan twijfelen aan het bestaan van God, maar na een periode van rust zal het geloof terugkeren.

Ook iemand die veel pijn heeft wordt het mogelijk gemaakt zonder pijn te sterven. Zo ongeveer, laten we zeggen twintig uur voor het sterven, heeft de stervende nog maar nauwelijks pijn. Zo vlak voor het overgaan is iemand al enigszins los van het lichaam. Als pijn te meten zou zijn, dan zouden we zien dat de stervende nu toch wel veel pijn moet hebben, terwijl de stervende zelf zegt hier niets van te voelen. Het bewustzijn wordt bij het sterven vanuit het fysieke naar het astrale overgeheveld, zodat men zich niet meer van fysieke pijn bewust is.

Sommige mensen identificeren zich zodanig met hun fysieke lichaam en de daarbij behorende ziekte of pijn, dat het na hun overgang nog lange tijd kan duren voordat zij tot het besef zijn gekomen dat zij geen fysiek lichaam en dus geen fysieke pijn of andere fysieke ongemakken meer hebben. Voor die mensen duurt het dus langer voordat zij de gelukzaligheid aan gene zijde kunnen gaan ervaren. Deze mensen komen na hun overgaan vrijwel altijd terecht in een soort opvang-ziekenhuizen, waar men verder geholpen wordt.

Lijden kost veel energie; daardoor raakt de aura van het grofstoffelijk lichaam eerder uitgeput. Dit betekent dus dat men bij het lijden aan angst of pijn eerder zal sterven, omdat deze aura eerder op is. Deze uitputting van de stoffelijke aura wordt meestal gecompenseerd door een snelle ademhaling. De prana-energie in de lucht zal dan de aura nog een beetje kunnen oppeppen. Een snelle ademhaling dient ter compensatie van een uitgeputte aura van het grofstoffelijk lichaam. Dit geeft dus tevens aan dat het einde niet zo erg lang meer op zich zal laten wachten.

Als u verdriet heeft, heb dan ook verdriet, maar laat u niet meesleuren in het verdriet. Laat u niet meesleuren door pijn. Probeer eruit te komen, probeer de gedachten te verzetten. Door u op God te richten wordt het lijden minder.

Het is zinloos om lijden te laten voortwoekeren We moeten kijken wat we hieraan kunnen doen; het is onze plicht er wat aan te doen. Het is een absoluut verkeerde gedachte te denken: 'Hoe meer ik lijd, hoe meer zonden mij vergeven worden.' Zonden – ofwel negatief karma – kunnen we alleen oplossen door inzicht te krijgen, berouw te hebben en ons gedrag te veranderen. Lijden op zich levert niets op. Het is net als bij kiespijn: we kunnen lang blijven rondlopen met kiespijn of we kunnen zo snel mogelijk naar de tandarts gaan. We kunnen ongetwijfeld beter naar de tandarts gaan om ons te laten helpen. Tegelijkertijd zullen we ook tot het inzicht moeten komen dat goed tandenpoetsen en regelmatig tandartsbezoek een hoop narigheid kunnen voorkomen.

Een stervende die aandacht te kort komt kan zeggen dat hij pijn heeft. Als we dan vragen: 'Waar heeft u pijn?', dan kan iemand ons soms met verbazing aankijken: waar heeft u het over? Zweverige mensen, mensen die graag veel aandacht krijgen, kunnen met diverse klachten de aandacht trekken. Lijden kan gebruikt worden om aandacht te trekken. Deze behoefte aan aandacht kan veroorzaakt worden doordat de omgeving de stervende links laat liggen. Als iemand zegt dat hij overal pijn heeft, kunt u dit in eerste instantie misschien vreemd vinden, maar dit is ook zeer wel mogelijk. Pijn hoeft niet voort te komen uit een ziek orgaan; vooral uitgeteerde zieken hebben vaak over het gehele lichaam pijn.

Iemand die te horen krijgt dat hij kanker heeft, kan de kanker ook gaan voelen. Hij gaat de ziekte voelen, hij ziet de ziekte in het lichaam. Dit ziektegevoel kan na verloop van tijd weer wegebben, zodat de zieke ook weer wat gemakkelijker kan gaan leven.

Neem de pijn van de ander altijd serieus. Probeer de pijn bespreekbaar te maken, vraag waar iemand pijn heeft. Meestal komt de pijn met vlagen opzetten: wanneer heeft men vooral pijn?

Tegenwoordig bestaan er heel wat geavanceerde technieken waarmee pijn bestreden kan worden. In sommige ziekenhuizen zijn er artsen die zich speciaal bezighouden met pijnbestrijding, en soms komen deze artsen ook bij mensen aan huis. Men kan tegenwoordig met medicijnen en andere technieken, zoals het verdoven van bepaalde zenuwen, iemand pijnvrij houden zonder dat het bewustzijn verdoofd wordt. Ik heb ook eens gehoord van iemand bij wie de pijn door middel van acupunctuur bestreden werd. Het was in dit geval wel noodzakelijk dat de acupuncturist dagelijks aan huis kwam.

Wanneer er sprake is van pijn door kanker, kan er op een gegeven moment gekozen worden voor een morfineachtig preparaat. Zo'n medicatie werkt doeltreffend. Bovendien kan de dosis verhoogd of weer verlaagd worden, al naargelang de pijn zich ontwikkelt. Wanneer iemand met dit soort medicijnen begint, kan men nog wel eens versuft of verward raken. Vrijwel altijd zal dit binnen een paar dagen weer overgaan en blijft men verder helder van geest. De morfine wordt als het ware geabsorbeerd door de pijn. Zodat, als de juiste dosis gebruikt wordt, het bewustzijn helder blijft. Verwardheid zal eerder optreden bij stervenden die te weinig vocht innemen of waarbij de hersenen te weinig zuurstof krijgen, dan door het gebruik van goed gedoseerd morfinegebruik.

Een alcoholist of iemand die gewend is verdovende middelen te gebruiken, zal met een beneveld bewustzijn overgaan en aan gene zijde aankomen in een benevelde of versluierde sfeer: alsof men door een beslagen bril kijkt. Verslaafden zijn het niet gewend met een helder bewustzijn waar te nemen. Bovendien krijgen zij ook aan gene zijde te maken met ontwenningsverschijnselen. Mensen die gewend zijn geweest hun hele leven maar wat te niksen en verdoofd voor zich uit te zitten kijken, zullen na hun sterven in een soortgelijke sfeer aankomen. Iemand die gewend is geweest normaal, bewust te leven zal, ondanks de eventueel noodzakelijke pijnbestrijding, ook bewust aan gene zijde aankomen. Op aarde wordt de grondslag voor het bewustzijn gelegd en als iemand op aarde nooit verdovende middelen gewend is geweest, zal hij ondanks de eventuele morfine ter bestrijding van de pijn met een helder bewustzijn kunnen overgaan. Hij zal helder aan gene zijde aankomen, of een eventuele lichte mist zal in het astrale al snel optrekken. Dit geldt evenzo voor mensen die onder narcose op de operatietafel overgaan. Ook deze mensen zullen, zodra zij uit het lichaam stappen, vrijwel onmiddellijk helder kunnen waarnemen.

Probeer pijn zo goed mogelijk te onderdrukken. Maar niet zodanig dat men er versuft van raakt, zodat men als het ware in nevelen gehuld is en het overgaan niet of nauwelijks bewust kan meemaken. Een heel enkele keer valt er echter niet aan te ontkomen dat men een zodanige dosis pijnbestrijding toegediend moet krijgen, dat men toch versuft of verward raakt. Helaas is hier weinig tegen te doen; dit is dan een voldongen feit, en het gaat dan ook niet tegen de liefde in.

Soms zijn mensen erg bang om over te gaan, ook al zeggen zij dat dit niet zo is. Het is mogelijk dat een stervende zich niet bewust is van zijn angst voor bepaalde zaken, terwijl deze wel degelijk onder de oppervlakte aanwezig is. Vaak komen we hier dan achter doordat bepaalde vragen steeds weer herhaald worden; of men hult zich in stilzwijgen. Wanneer mensen geestelijk of lichamelijk lijden, kunnen we dit meestal horen aan de stem, of zien aan de schichtige blik. Help hen, sta hen bij. Ieder mens heeft liefde nodig. Ook mensen die stoer doen op hun sterfbed en zeggen dat er niets aan de hand is, hebben liefde nodig, ook zij hebben hulp nodig. Door flinkdoenerij verhardt iemand zichzelf, sluit hij zich voor al het goede af.

Angst voor de dood komt niet zomaar opzetten als we op sterven liggen; angst voor de dood speelt eigenlijk een mensenleven lang. Ieder mens heeft hier tijdens zijn leven, van tijd tot tijd, min of meer bewust, last van. We kunnen iemand die angstig is vaak beter vastpakken dan dat we met hem gaan praten. Angst maakt dat we niet meer goed kunnen nadenken. Angst is niet gemakkelijk weg te redeneren.

De verschrikking van de dood komt voort uit de gehechtheid aan een voor ons bekende vorm van leven: de vorm van ons lichaam en de vorm van onze omgeving, de vrienden en familie; de vorm van ons aardse leven. Wanneer we ons kunnen realiseren dat iedere vorm van leven een uitdrukking van de geest is, wordt het sterven er een stuk gemakkelijker op. Voor degene die zich kan richten op de waarheid achter de vorm, voor iemand die zich kan richten op het geestelijke, bestaat er geen dood. De dood wordt dan een uiteenvallen van de vorm, opdat de waarheid achter de vorm geopenbaard kan worden. Het sterven dient om tot opstanding te komen. De opstanding van de geest is het doel van meditatie en gebed. De opstanding van de geest is het ware doel van alle religies.

Meester Jezus heeft met Zijn opstanding laten zien dat een kind van God niet bang hoeft te zijn voor de dood. Of beter gezegd; Hij heeft aan de mens op aarde laten zien dat er eigenlijk geen dood bestaat. De steen waarmee het graf van Jezus was afgesloten werd opzij gezet, de materie maakt plaats voor de liefde. De materie is ondergeschikt aan de liefde, zoals de Meester ook heeft aangetoond met Zijn Hemelvaart.

In het afgelopen Vissentijdperk is altijd een grote nadruk gelegd op het sterven van Jezus. We hoeven maar een bezoekje te brengen aan een katholiek kerkgebouw en we zien de muren volgehangen met afbeeldingen over het lijden en sterven van de Meester. In het afgelopen tijdperk hadden opoffering die voortkwam uit betutteling van bovenaf en het lijden aan dogma's een centrale plaats. In de nieuwe tijd zal de nadruk op geestelijke opstanding komen te liggen. In dit nieuwe Watermantijdperk zal een nieuwe stroom van God-gegeven levenswater op gang komen. Dit Water zal ons leiden naar de Bron van het Leven Zelf, het Vat der Waarheid. Dit nieuwe Leven zal stromen in het denken en in de harten van de mensen. De Liefde Zelf, haar meesters en discipelen zullen ons helpen dit nieuwe levenswater te kanaliseren, zodat het zal stromen naar alle gebieden, onderwijs, politiek, religie, wetenschap, psychologie, economie en kunst. Het zal ons inspireren tot dieper inzicht.

Moge goddelijk licht en liefde en macht
van de ene meest heilige God
in ons hart en in ons denken stromen.
Moge dit licht en liefde en macht
ons leiden bij het zoeken
naar dat wat in stilte in ons verblijft.

13 Overgave

Sai Baba: 'De dood is het kleed van het leven. Het lichaam is het kleed van de goddelijke Geest. Huilen we, als we dit kleed laten wassen? Huil je dan? Huilt iemand als zijn kleed oud wordt en afgedragen is? Niemand zou moeten huilen als een lichaam ons ontvalt. Laat je lichaam je lichaam, een instrument om over te steken, niet meer en niet minder.'

Strikt genomen is het niet juist als we zeggen: 'Ik moet sterven.' We kunnen beter zeggen: 'Ik laat nu het lichaam achter, het lichaam dat ik van God gekregen heb.' We kunnen dan ook het beste ons lijden aan God overgeven. We moeten proberen bij het besef te blijven dat we goddelijk zijn en dat ons lijden slechts van tijdelijke aard is. We zijn veel en veel meer dan onze pijn en ons lijden. Op deze manier kunnen we eerder tot rust en ontspanning komen, waardoor pijn en lijden kunnen afnemen.

We kunnen niet zonder meer tegen een stervende zeggen: 'Laat alles maar los.' In beperkte mate is deze houding van 'laat maar los, laat het maar gebeuren' wel goed; het is echter evenzeer belangrijk zich op God te richten. Het is iets prachtigs als iemand bij leven en bij sterven zich actief op de liefde richt.

Wanneer een stervende niet op de liefde gericht is, moet de begeleider proberen hem hierbij te helpen. Het is te gemakkelijk om tegen een stervende te zeggen: 'Laat maar gaan.' Dit is dan wel de gemakkelijkste weg, maar niet de meest liefdevolle. Ouders laten hun kinderen ook niet aan hun lot over. Ouders willen hun kinderen helpen op de weg naar liefdevolle volwassenheid. Ook de stervensbegeleider zal een dergelijke intentie moeten hebben.

De stervende kan zich aan zijn lot overgeven en kan zijn sterven zien als een zinvolle gebeurtenis, waarbij hij bewust en actief dichter naar God toegroeit. Maar niemand zal na het sterven volledig in Gods liefde worden opgenomen; we worden hierin opgenomen overeenkomstig ons bewustzijn. Een werkelijk volledig bewuste versmelting met God ontstaat pas als we alle werelden onder de knie hebben, als we in het absolute aankomen. Pas dan is er geen versluiering meer, geen begrensdheid. We gaan dan volledig op in het volledige. Het is als een wolk die zich oplost in de hemel: we weten dat de bestanddelen van de wolk er nog zijn, maar de wolk is er niet meer. Nu zijn we hier op aarde nog als een bijna ruwe diamant. Ieder goed leven dat we leven, in welke wereld dan ook, is als het slijpen van een facet van deze diamant. Aan het einde van onze reis is deze zo zuiver geslepen, dat als we hem tegen het licht houden er geen verschil meer te zien is tussen de diamant en het licht zelf.

Alle werelden moeten stap voor stap genomen worden. Wanneer we ons bewust zijn van de goddelijke schoonheid op aarde, kan overgave volgen. Dan kunnen we de aarde de aarde laten. Dan kunnen we ons lichaam ons lichaam laten. We kunnen dan gemakkelijker uit ons lichaam stappen, om op de andere oever aan land te gaan.

Als we ons doel kennen en vertrouwen, kan overgave volgen. Overgave is meestal niet iets wat we nog eventjes op ons sterfbed kunnen bereiken. Hier is oefening en ontwikkeling in geloof en vertrouwen voor nodig, gedurende vele levens. Uit geloof ontstaat vertrouwen en uit vertrouwen ontstaat overgave. Overgave is het einddoel van geloof. Zonder geloof en vertrouwen in de Grote Waarheid wordt het moeilijk het lichaam in dankbaarheid achter te laten.

Hoe geloof en vertrouwen uitmonden in overgave, mag blijken uit het sterven van Meester Jezus. Toen Hij aan het kruis hing, voelde Hij zich verloren. Jezus riep het uit: 'Vader, waarom heb je me verlaten?' Maar Hij kreeg geen antwoord! Toch bleef Jezus vragen, Hij bleef vragen om hulp en bijstand. Het leek of God hem niet hoorde, er gebeurde niets; maar God heeft hier altijd een bedoeling mee. Toen opeens zag Hij de volheid van Zijn leven: Jezus ging voorbij aan zichzelf.

Overgave heeft niets met een handeltje te maken. Wanneer we ons leven aan God overgeven, betekent dit nog niet automatisch dat we er Zijn liefde en genade voor in de plaats krijgen. We kunnen overgave niet veroveren door meditatie, gebed of goede daden. Hoe kan iets kleins, onze kleine persoonlijkheid, iets groots, God, veroveren?

Overgave is geen handeltje. Het betekent niet dat we iets geven en dat we iets ontvangen. Er is geen gever of ontvanger, er is geen 'ik' die tegenover God staat. Bij overgave is er alleen God.

De gemakkelijkste weg naar overgave is het groeien in geloof, het groeien in vertrouwen en het ontwikkelen van devotie. Devotie wil zeggen: aan jezelf voorbijgaan. Als geloof, vertrouwen en devotie groeien, zal dit ons automatisch naar overgave brengen. Dan kan er overgave ontstaan, dat wil zeggen de ervaring van overgave. We verzinken in datgene wat we werkelijk zijn.

Gods liefde en genade stromen net als water van boven naar beneden. Gods zegen kan niet naar plaatsen stromen waar het ego is. Gods zegen zal stromen naar devotie, onthechting en overgave. 'Zalig zijn de eenvoudigen van Geest.'

Wanneer bij een mens het hart-chakra zich opent als een lotusbloem, verandert de hele wereld. Dan is het mogelijk in volledige harmonie met de omgeving te zijn, dat wil zeggen: in overeenstemming met de kracht van God. Dan kunnen we zeggen: 'Alleen de Ene is, alleen de liefde is.' Deze waarheid zal u vrijmaken. (Joh. 8:32)

Al onze bezittingen zijn in feite nooit echt van ons geweest. Onze bezittingen, onze status en ons lichaam hebben we mogen lenen van de Schepper; omdat Hij weet dat dit alles ons verder in onze evolutie kan brengen. Onvermijdelijk komt het moment dat we 'onze' bezittingen weer aan God terug mogen geven. Een liefdevol mens zal alles wat hij van God heeft mogen gebruiken op dat moment in liefde en dankbaarheid aan de Schepper teruggeven. Voor deze mens telt de aardse wereld al bijna niet meer. Zijn bezit zegt hem niet veel meer. Hij kijkt verlangend vooruit naar die mooie wereld die begint te dagen. Zijn aardse lichaam telt voor hem niet meer. Eventuele lichamelijke pijn wordt steeds minder gevoeld, omdat men het lichaam aan de aarde overgeeft. Men geeft het lichaam terug aan de elementen waaruit het is opgebouwd. Het is dan ook veelal een teken dat het einde nabij is, als iemand zich minder voor aardse bezittingen of lichamelijke zaken gaat interesseren.

Een stervende die zich steeds minder interesseert voor aardse aangelegenheden, is zich van de aarde aan het losmaken. Hij geeft zich over aan die nieuwe wereld, waarvan men de liefde en het licht al kan gewaarworden. Stervenden met een beperkt bewustzijn zullen die nieuwe wereld niet zo snel gewaarworden. Voor mensen die zich niet op hun nieuwe leven kunnen richten, is en blijft het aardse het belangrijkste oriëntatiepunt.

Ook na het sterven kunnen sommige mensen zich nog bijzonder druk maken over datgene wat zij niet hebben kunnen meenemen. Vooral mensen die tijdens hun aardse bestaan verslaafd zijn geraakt aan hun status en luxe kunnen hier in het astrale nog flink mee bezig zijn. Zij zullen hun status en bezittingen missen en zich daardoor ongemakkelijk voelen. Mensen die op aarde enorme bezittingen hebben gehad, vinden het vaak heel erg dat hun bezit nu verdeeld wordt; en omdat zij bang zijn dat dit opdelen niet goed gebeurt, of bang zijn dat de nabestaanden hun vermogen gaan verkwisten, willen deze mensen ook zo snel mogelijk weer incarneren. Zij blijven bezeten van het aardse; het aardse heeft hen in zijn macht. Dit kunnen mensen zijn die leven na leven in dezelfde familie incarneren. Het kunnen mensen zijn die naar hun vertrouwde dorp verlangen. Zij willen terug naar de familieboerderij en hun landerijen. Zij kunnen zich hier zo op fixeren, dat zij op een gegeven moment, als zij weer geïncarneerd zijn, in hun vertrouwde dorp langs hun eigen graf lopen. Denk ook eens aan de politieke of milieuactivisten, mensen die zich met enorm veel energie ergens op storten. Of dit nu voor het algemeen nut is of voor een privé-zaak, wanneer men ergens fanatiek in is, kan deze gerichtheid het moeilijk maken naar boven te kijken.

Het is niet erg als men zich ergens flink voor inzet; dit is juist goed, als men maar niet fanatiek is. Ieder mens moet van tijd tot tijd ook eens wat afstand kunnen nemen, om een band naar boven, met God te ontwikkelen. Wanneer we ons bewustzijn niet weten uit te breiden, blijven we gevangen in ons eigen kleine wereldje. Wanneer we onbewust blijven, worden we als een eenzaam stofje in de onmetelijke kosmische oceaan. Dan worden we door de golfslag van het Grote Leven doelloos heen en weer geslingerd.

Wanneer iemand in grote armoede sterft, wil dit nog niet zeggen dat het verlangen naar rijkdom en materieel bezit niet bestaat. Ook een arm iemand kan een materialistische instelling hebben. Het is niet zozeer de hoeveelheid aardse bezittingen die het sterven moeilijk maakt, het is de houding tegenover dit aardse bezit die het sterven beïnvloedt.

Er zijn altijd erg rijke mensen geweest die niet in de ban van hun bezittingen geraakt zijn. Zij hebben nooit veel om hun bezittingen gegeven en hebben vaak in stilte veel goeds met hun geld gedaan. Het is ook helemaal niet erg om van mooie dingen te houden, integendeel, de mooie spullen om ons heen zijn ons door God aangereikt, om ervan te genieten en ze te gebruiken. Op een gegeven moment moeten we wel alles, in dankbaarheid, aan de Schepper teruggeven, dit betekent in liefde loslaten. Ook Meester Jezus stierf aan het kruis met lege handen, maar met een vol hart.

In liefde sterven betekent in God sterven. In liefde sterven wil zeggen dat we de aardse schepping liefhebben. Wanneer we de aardse wereld niet liefhebben betekent dit dat we God, de Schepper van hemel en aarde, niet werkelijk serieus nemen. Wanneer we niet kunnen inzien hoe mooi het aardse leven is, zullen we nog een keer naar aarde terug moeten keren. Als we in liefde, in dankbaarheid de aarde kunnen achterlaten, met het gevoel: 'Ik heb het aardse leven wel gezien, ik voel dat ik op aarde ben uitgeleerd', dan kan dat een teken zijn dat dit de laatste overgang van het aardse naar het astrale wordt.

De begeleider kan de aandacht van de stervende eens op een plant of een bos bloemen vestigen. De stervende kan dan soms zeggen, of denken: 'God, ik wist niet dat de schepping zo mooi is!' Zo kunnen we de ander wat verfijndheid meegeven. Zo kan men later gemakkelijker van de astrale schoonheid genieten. Een mens die liefdevol overgaat heeft van zijn leven gehouden. Een liefdevol mens kan zijn leven in liefde loslaten, om in liefde verder te gaan. Een materialistisch iemand kan wel van de uiterlijke genoegens van het leven gehouden hebben, maar dit is dan meer een opvulling van zijn leegte geweest. Een materialist houdt wel van materiële zaken die zijn leven hebben veraangenaamd, maar houdt niet van het Grote Leven.

Mensen kunnen met diepe wrokgevoelens leven. Het valt bijvoorbeeld ook niet mee als iemand zijn kind verloren heeft bij een auto-ongeluk, of als men zich afvraagt waarom God het heeft toegelaten dat miljoenen mensen in de gaskamers van nazi-Duitsland werden vergast. Er is zoveel ellende op de wereld, omdat God ons toestaat onze eigen weg te gaan. Hij geeft ons de vrijheid om te kiezen tussen goed en kwaad; daarmee kiezen we ook voor de vruchten van goed en kwaad. Zo groeien we in bewustzijn. Door bewuste keuzes te maken kunnen we uitgroeien tot een bewuste, goddelijke persoonlijkheid. De aarde is een goddelijke leerschool, vol liefde en vrijheid. Wrokgevoelens zullen niemand verder kunnen helpen. Wrok en haat jegens de Schepper stagneren de groei naar God. Het is niet God die ons allerlei vervelende dingen aandoet, wij zijn het zelf. Gods liefde heeft wel altijd het laatste woord.

White Eagle, de liefdevolle boodschapper van de geestelijke wereld: 'Wees ervan overtuigd, mijn kind, dat je Vader in de hemelen weet wat je nodig hebt. Wat je overkomt, gebeurt om je karakter te vormen en schoonheid in je leven te brengen. (...) Men vraagt ons vaak: Waarom moet de onschuldige zo vaak lijden door de schuldigen? Ons antwoord hierop is dat de onschuldige niet voor de schuldige lijdt. Je ziet dit alleen vanuit je aardse standpunt en je kent de oneindige liefde en genade van je Schepper niet. Je verzuimt de tedere zorg te ontdekken waarmee zij die lijden, zij die eenzaam en angstig zijn, omgeven worden. Je ziet rampen, je ziet het dode lichaam, het lege huis en je roept uit: Wat vreselijk! Wat afschuwelijk is de dood! Maar je weet niet hoe de voorzienigheid zorgt voor hen wier lot het is om plotseling van het lichaam verlost te worden, hetgeen de schijn van een akelig toeval heeft. Want er is voorzien.'

Wanneer men zich vol liefde aan het Grote Leven Zelf kan overgeven, betekent dit ook dat men kan openstaan voor andere religies. Elke religie is gebaseerd op liefde; alleen de religie van de liefde telt. Bij God spelen uiterlijkheden geen rol. Wanneer men dit kan inzien is men tot dieper inzicht gekomen; men kan de eenheid in de schepping gaan ervaren; dit geeft rust en maakt opener.

Strak religieuze mensen, zoals bijvoorbeeld Jehova's Getuigen, kunnen hun leven lang rondgelopen hebben met het idee dat zij het weten. Op het laatst van hun leven kunnen zij hier enorm onder gebukt gaan. Zij kunnen zich angstig voelen als zij zich af gaan vragen of zij wel op het goede paard gewed hebben. De streng orthodoxe gelovigen, of dit nu katholieken, protestanten, joden of islamieten zijn, krijgen meestal ingeprent dat zij na hun sterven hun eigen God zullen zien. Sommigen zijn zo verhard in dit geloof, dat zij na hun sterven eenvoudigweg eisen God te zien. Zij moeten God zien, en u begrijpt dat dit niet kan. God manifesteert zich in ontelbare vormen. Overeenkomstig het eigen bewustzijn ziet men God in al deze vormen. God openbaart zich in de vrije natuur en in oorlog, hoewel dit laatste soms moeilijk te zien is. Er bestaat niets zonder God; er bestaat niets buiten Zijn schepping. Eist iemand na het sterven God te zien, dan verlangt hij misschien naar een man in een mooi gewaad, die op hem afkomt en zegt: 'Ik ben God.' Zo kan een hindoe Krishna als Opper-God willen zien. Het wordt helemaal moeilijk als iemand twijfelt tussen de God van de christenen en Allah. De vooringenomenheid, dat men na het sterven zijn favoriete God zal zien, kan voor veel ellende zorgen. Het kan maken dat men tijden lang rond de een of andere astrale creatie doolt. Dat wil zeggen dat mensen die God bijvoorbeeld als een oude man op een stoel zien, dit beeld voor zichzelf creëren. Zij aanbidden hun eigen droombeeld en in het astrale manifesteren droombeelden zich gemakkelijker dan op aarde. Gelukkig zijn er in het astrale wel altijd de liefdevolle intelligenties, die ons de weg kunnen wijzen mits wij ons hiervoor kunnen openstellen. God is geen oude wijze man in een mooi gewaad, God is eeuwige, onbeperkte Liefde. Zijn onbegrensde schepping is zijn gewaad.

De vooringenomenheid dat men na het sterven God zal zien, kan maken dat we niet open kunnen staan voor de vele vormen waarin God zich manifesteert. We kunnen dan niet openstaan voor het goddelijke in de mens, of voor de liefdevolle astrale intelligenties. Zo staan we onszelf in de weg als we de verwachting koesteren dat we na ons sterven volledig opgaan in God. Deze verwachting maakt het voor ons moeilijker ons over te geven aan de liefde op aarde. Wanneer we ons niet als een kind aan de Vader overgeven maar met vooropgezette ideeën sterven, is het lastig al die liefde in het astrale te ervaren.

U kunt als begeleider vertellen over Meester Boeddha en Meester Jezus. Zij waren gedurende tweeduizend jaar beiden goddelijke lichtbakens voor mensen in verschillende werelddelen. Zij zijn nog steeds lichtbakens voor de mensen die zich hiertoe aangetrokken voelen. Nu, in deze tijd, ziet men wel steeds meer in dat Jezus en Boeddha niet ieder vanaf Hun eigen podium hebben staan getuigen. In deze tijd is het gemakkelijker in te zien dat de boodschap één en dezelfde is, dat Zij elkaar aanvullen, dat Zij Broeders van elkaar zijn.

De Boeddhisten hebben het niet over een God in de hemel; dit is begrijpelijk, want met het woord God kan gemakkelijk het beeld van een persoon worden opgeroepen. Christenen spreken wel over een God en vroeger zag men deze ook als een persoon die we gunstig moesten stemmen, waar we voor moesten knielen en die uiteindelijk over ons zou oordelen. Tegenwoordig beseffen ook christenen steeds meer dat God geen persoon is maar een Alomtegenwoordigheid. Een Alomtegenwoordigheid net als het nirwana van de boeddhisten.

We moeten ons realiseren dat de ene religie niet beter is dan de andere. Iedere religie wordt beleden door individuele mensen. De ene mens heeft een beperkt en de ander een vrijelijk bewustzijn. Er zijn in het boeddhisme net zo goed bewuste en onbewuste mensen als in het christendom.

We zullen er in het astrale waarschijnlijk versteld van staan hoeveel verschillende religies er zijn. De Romeinen zeiden dan wel dat alle wegen naar Rome leiden, het is beter om te zeggen dat alle wegen naar God leiden. Het is iets prachtigs als we de eenheid in de schepping kunnen ervaren. Sai Baba: 'Er is maar één kaste, de kaste van de mensheid. Er is maar één religie, de religie van liefde. Er is maar één God, Hij is alom aanwezig.'

Er hebben veel grootse mensen op aarde geleefd, mensen die waarlijk groots waren louter en alleen omdat zij geloof en vertrouwen hadden. Om groots te kunnen sterven kan de stervende zich als een eenvoudig kind op God richten. Stel u open als een kind dat weet dat vader en moeder het beste met u voor hebben. Zo kunnen we ook onze zorgen en angst aan onze ouders overgeven; de ouders zullen dan de zorgen oplossen en de angst wegnemen. Ook al voelen we ons nog zo volwassen, richt u als volwassene op de goddelijke Moeder-Vader, dat is het beste en het gemakkelijkste. Door langzaam, innig en liefdevol de goddelijke mantra God... God... God... te reciteren, kunnen we ons op God richten. In een enkel geval is het noodzakelijk dat de begeleider de naam van God reciteert en in gebed de moeilijkheden van de stervende aan God overgeeft. Soms moet de begeleider dit voor de stervende doen omdat de stervende hiervoor te zwak is. Beter is het als de stervende dit zelf doet.

Mensen die alles tot het einde toe in eigen hand willen houden, hebben het bijzonder zwaar. Wanneer we het ons gemakkelijker willen maken, kunnen we beter om Zijn genade vragen. God staat altijd voor ons klaar. Hij kent al onze moeilijkheden. 'Er valt geen mus naar beneden, zonder dat de Vader het weet. En alle haren op uw hoofd zijn geteld. Wees dus niet bang, u bent meer waard dan heel wat mussen bij elkaar'. (Matth. 10:29)

God is de schepping Zelf! Durf rustig aan God te vragen; Hij staat altijd voor ons klaar. Alleen weten we soms niet wat werkelijk goed voor ons is; soms weten we niet wat we in werkelijkheid vragen. Daarom komt Hij gelukkig niet altijd aan onze wensen tegemoet. Denk eens aan Meester Jezus; ook Hij heeft niet alle zieken willen genezen. Hij wist dat genezing niet voor iedereen goed zou zijn. Wanneer we op een gegeven moment op een punt komen en echt gemeend, vanuit het hart kunnen zeggen: 'God, neem mijn leven in Uw hand, doet U maar', dan worden het leven en sterven zoveel gemakkelijker. Wanneer we in ons gebed onze zorgen aan Hem overgeven, kan God hiervoor zorg dragen. Wanneer we ons leven en ons sterven aan Hem kunnen overgeven, kan Zijn wil geschieden. Wanneer er overgave is, zijn we in overeenstemming met Gods wil. Overgave betekent: Gods liefde ervaren. Op een gegeven moment, tijdens een gebed of meditatie, kan er overgave ontstaan. We kunnen dan ons leven aan God overgeven. We moeten echter wel alert blijven, want we zijn vaak geneigd datgene wat we in Gods hand hebben neergelegd, een paar uur later al weer terug te nemen. En zoals eerder gezegd: 'De Liefde Zelf heeft altijd het laatste woord.'

Als we één stap in de richting van God zetten, komt God ons tien stappen tegemoet. De Vader trekt ons aan zoals een magneet. U kunt misschien opmerken dat u niets merkt van deze aantrekkingskracht, maar dat betekent nog niet dat de magneet niet bestaat. We voelen dan Zijn aantrekking niet omdat het ijzer (wij) vervuild is. De magnetische kracht kan er niet bij. Als we ons in egoïsme hullen, als we denken het zelf beter te kunnen, dan kan God ons moeilijk bereiken. God is ons niet nabij, Hij is in ons en om ons heen. Laat Zijn wil geschieden. Dat zou onze houding moeten zijn. We moeten weten dat we goddelijk zijn. Richt uw gedachten liefdevol op deze grootsheid. En zeg zachtjes: 'God, doet U maar.' Hij kan dan onze Gids worden, onze Vader, onze Moeder.

Geloof is de grond waarop we bouwen. Vertrouwen is het fundament. Genade is het huis waarin we wonen.

Een stervenservaring kan zo prachtig zijn, zo'n mooie ervaring. Men kan zoveel schittering en liefde ervaren dat we bijna kunnen zeggen dat dit sterven voor herhaling vatbaar is.

Op een gegeven moment voel je dat je tijd is aangebroken. Misschien heb je je hierop voorbereid; men moet zich hier ook eigenlijk op voorbereiden, vanaf het moment dat een mens bewust kan gaan nadenken, dat wil zeggen van af de pubertijd. Het is goed al vanaf jonge leeftijd na te denken over de dood. De dood wordt zo gemakkelijk weggemoffeld; in het Westen denkt men niet graag aan de dood of aan sterven.

Nu lig je op sterven en je zegt tegen je geliefden: 'Nu ga ik. Ik voel dat mijn tijd gekomen is. Willen jullie me ook bijstaan?' En iedereen staat je ook bij, zo goed als men kan. Je bedankt iedereen voor al het mooie dat je van hen hebt mogen ontvangen en je vraagt hun al je tekortkomingen te vergeven.

Doordat zij naast je staan, door je handen vast te houden, voel je je niet alleen. Het is belangrijk voor een stervende dat hij niet alleen is. Het is belangrijk dat je geliefden kunnen zeggen: 'Ga maar, ga maar rustig.'

Je voelt de droefenis van je familie en voelt tegelijkertijd de vreugde van het gaan.

Je overgang is in één woord 'schitterend'. Je hebt eerst wel angst, want je weet niet precies wat je te wachten staat, maar enkele uren voordat je overgaat verdwijnt deze angst volkomen. Je ziet nu zoveel moois, dat je nu ook zo gauw mogelijk wilt vertrekken. Je gaat nu misschien door een tunnel, of je moet een rivier doorwaden. Misschien ervaar je dergelijke beelden niet en ervaar je alleen bevrijding; bevrijding van je lichaam, terwijl je je ook dankbaar voelt voor het lichaam dat je hebt gehad.

Je ziet nu misschien je partner die eerder is overgegaan, of je ziet je partner uit een vorig leven. Je ziet je kinderen of je ouders uit vorige levens; je herkent ze meteen. Alle indrukken die je hebt opgedaan op aarde vergeet je namelijk nooit. Deze indrukken raak je tijdelijk wel kwijt als je naar de aarde teruggaat, maar als je in het astrale aankomt, komen al die herinneringen, al die indrukken terug. In het astrale kun je veel scherper waarnemen.

Alles is er. Alles is in Gods schepping aanwezig. Maar je kunt God niet zien in de vorm van een persoon. God is de schepping Zelf. Misschien kun je van hieruit de mensen op aarde zien. Je ziet hen meer in de auravorm dan in de stoffelijke vorm. Trouwens, wat is stof eigenlijk? Het lichaam van de mens bestaat eigenlijk uit niet veel meer dan water en lucht.

Iedereen blijft na het sterven een tijdje bij zijn eigen religie, maar op een gegeven moment begint deze te vervagen; men kan hier doorheen kijken en ziet alleen nog maar het universele.

Het beste kan men in overgave gaan, in innige overgave aan de Schepper. Bij een volledige overgave aan God vallen alle religies weg. Ga in overgave, zonder er allerlei poespas bij te halen. Het is bij het sterven het beste datgene te doen wat je hart je ingeeft. Rituelen of richtlijnen bij het sterven hebben eigenlijk ook niet veel zin; het gaat om het mooie dat je ervaart.

Het uitvoeren van rituelen bij het sterven is een heel oud gebruik. In boeddhistische kloosters bestaan deze rituelen nog wel, maar ze worden ook daar steeds minder gebruikt. We kunnen dit vergelijken met de rituelen rond het sterven die de westerse kerken kennen. Zoals boeddhisten bepaalde mantra's hebben, gebruiken westerlingen gebeden bij een sterfbed. Eigenlijk is elk gebed een mantra. Dit zijn mooie overblijfsels van vroeger. Deze rituelen maken ook dat de familie en vrienden zich meer verbonden voelen met de stervende, of met de overledene. Het is soms goed deze rituelen te gebruiken, omdat de familie zo de stervende helpt het leven gemakkelijker te beëindigen. Voor de stervende kunnen de voor hem of haar bekende rituelen houvast betekenen.

Het vat leegmaken en liefde aandragen

Het opmaken van de levensbalans is iets waar vrijwel iedere stervende mee bezig is; dit is inherent aan afscheid nemen. De meeste stervenden zullen dit uit zichzelf doen; zij denken veel na op hun ziekbed. Anderen beginnen hier al eerder aan, bijvoorbeeld als de kinderen uit huis gaan of als zijzelf gepensioneerd worden. Eigenlijk is het zo dat hoe eerder men zijn levensbalans opmaakt, hoe beter het is, omdat men dan nog een heel leven voor de boeg heeft. Als men hier al vroeg mee begint, kan men nog veel fouten goedmaken en kan men ook bewuster gaan leven.

Het opmaken van de balans geeft de stervende de mogelijkheid om bewust te worden van zijn leven. De stervende zal dan met een aantal zaken in het reine willen komen. Wanneer hij onafgemaakte dingen kan afmaken en fouten kan herstellen, raakt zijn aardse levensvat leeg. Bij iemand die sterft met een schone lei, daar kan God binnenkomen. Hoe meer we het vat kunnen leegmaken, hoe meer God daar als vanzelf voor in de plaats komt.

Het vat leegmaken betekent dat de stervende de nodige zaken voor zijn begrafenis of crematie geregeld heeft. Ook moet er een testament zijn opgesteld en moeten bezittingen verdeeld zijn. Dit alles moet wel tijdig gebeuren, als de stervende hier nog genoeg energie voor heeft. De stervende is dit verplicht aan de familie, omdat anders ruzies kunnen ontstaan en de familie soms nodeloos belast wordt. De stervende kan ook rustiger heengaan als hij weet dat dit alles geregeld is.

Verder kunnen we bij het vat leegmaken denken aan de nog niet gestelde vragen en verlangens die iemand kan hebben. De ruzies die moeten worden bijgelegd en de schuldgevoelens die iemand kan hebben. Wat is nog niet afgemaakt? Wie heeft men het een en ander te vergeven en wie wil men om vergeving vragen? Vraag of de ander zich zorgen maakt.

Soms moet je als begeleider de ander wel eens wakker schudden en wat steviger aanpakken, zodat iemand bewust kan worden wat hij met het leven gedaan heeft. Vaak kunnen nog heel wat zaken rechtgetrokken worden. Daarom is het belangrijk dat de begeleider de stervende hiermee helpt. Mensen die in het astrale aankomen en die bepaalde zaken hebben laten liggen, krijgen het daar moeilijk mee; maar dan is er niets meer aan te doen. Heeft iemand op aarde door negatieve daden de schepping aangetast, dan is het belangrijk dat dit op aarde wordt uitgesproken. Anders zal men er aan gene zijde mee blijven zitten. Aardse zaken moeten op aarde worden opgelost, astrale zaken behoren tot de astrale wereld.

Aan mensen die gescheiden zijn en later weer hertrouwd, zou u kunnen vragen: 'Heb je nog wat met je ex-partner te bepraten?' Doe dit wel in overleg met de huidige echtgenoot of echtgenote. Maak de huidige partner ook duidelijk dat door zich uit te spreken veel dingen opgeruimd kunnen worden en dat dit voor alle betrokkenen plezierig is.

De stervende de gelegenheid geven zich uit te spreken is belangrijk; dit brengt hem of haar als vanzelf tot diepere inzichten.

Aan de buitenkant is moeilijk te zien waar een stervende mee bezig is. We zien soms stervenden maandenlang in bed liggen zonder dat er ogenschijnlijk iets met hen gebeurd. Deze toestand kan zinloos lijken, maar toch moeten we ervan uitgaan dat iemand bezig is de nodige zaken te verwerken. Het kan zijn dat de stervende zich niet eens bewust is van het feit dat hij het een en ander aan het verwerken is. Of de stervende zegt tegen u dat er niet veel met hem gebeurt omdat u zelf niet voldoende met hem vertrouwd bent geraakt; hij wil zich niet bloot geven.

Laten we als voorbeeld een politieagent nemen die een misdadiger op de vlucht heeft doodgeschoten. Deze agent kan het daar op zijn sterfbed bijzonder zwaar mee hebben. Let wel, hij kan er niets aan doen dat hij iemand an-

ders het leven heeft ontnomen; hij deed zijn plicht. Na dit afschuwelijke gebeuren heeft hij misschien een paar maanden vrij van dienst gekregen om het
een en ander te kunnen verwerken. Daarna heeft hij er tientallen jaren niet
meer over gesproken, zodat iedereen dacht dat hij er wel overheen zou zijn.
Nu ligt deze politieagent op sterven en komt alles weer naar boven. Wellicht
zal hij er nu ook niet over willen beginnen; hij wil het zijn familie niet zwaarder maken dan deze het al heeft. Hij ligt stil voor zich uit te staren en is bezig
om het te verwerken. Misschien kan hij op een gegeven moment tegen een
vertrouwd persoon zeggen: 'Ik vind het zo erg wat ik toen gedaan heb.' Als dit
eruit komt, zeg dan: 'Je treft geen schuld, je hebt je werk gedaan en je aan de
regels gehouden zoals die door de maatschappij zijn opgesteld.' Als een politieagent, of een soldaat, het vreselijk vindt dat hij een ander heeft moeten doden, dan is dit een teken dat hij op de liefde is afgestemd. Als iemand zegt dat
hijzelf en ook de maatschappij erop zijn vooruitgegaan omdat hij iemand gedood heeft, dan kunnen we toch wel stellen dat zo iemand verhard is en daardoor ook moeilijk voor liefde kan openstaan.

Als u bij een stervende bent, praat dan zoveel mogelijk over de goede en
mooie dingen, zonder de minder mooie zaken weg te schuiven. Wanneer u bij
iemand bent die een grote blunder of een negatieve daad heeft begaan waar
hij nu veel spijt van heeft, zeg dan: 'U heeft dat gedaan maar u ziet nu in dat
dit niet goed is geweest. U heeft er nu ook oprecht spijt van en berouw over
en heeft ervan geleerd. Omdat u tot dieper inzicht bent gekomen, zult u hiervan geen negatieve gevolgen meer hoeven te dragen, ook in een volgend leven
niet. We zijn hier op de aarde om te leren en is de les geleerd, dan is het voorgaande opgelost en kunnen we verdergaan. Iedereen op aarde heeft het recht
om fouten te maken, de aarde is tenslotte een leerschool; maar we hebben wel
de plicht om van onze fouten te leren.'
U kunt soms tot de ontdekking komen dat de ander over bepaalde zaken
ontzettend veel spijt kan hebben, zelfs over zaken die in een ver verleden gebeurd zijn. Iemand voelt zich, nu hij afscheid neemt van het aardse, op verschillende gebieden onzekerder worden. Een stervende is eigenlijk altijd min
of meer onzeker; daarom wil iemand liever zoveel mogelijk zaken uitpraten.
Laat hen opbiechten wat hen dwarszit, zodat zij rustiger kunnen worden.
Als voorbeeld geef ik een man die tientallen jaren geleden van zijn gezin gescheiden is. Deze man kan hier nu enorme spijt over hebben; hij is door de jaren heen gaan inzien dat hij zijn gezin eigenlijk in de steek heeft gelaten.
Maar hoeveel huwelijken vallen op een gegeven moment niet uiteen omdat
men niet verder met elkaar kan gaan. Als men niet verder met elkaar wil of

kan, dan kan het huwelijk ook uitgewerkt zijn en is het beter voor iedereen zijn of haar eigen weg te gaan. Een huwelijk waar geen groei meer in zit heeft maar weinig zin.

We moeten onze gedachten ook eens laten uitgaan naar degenen die in gevangenissen zitten. Sommige gedetineerden zijn zich al snel van hun fouten bewust en willen ook per se gestraft worden, zodat zij hun rekening kunnen vereffenen. Anderen hebben soms vele jaren nodig om tot het inzicht te komen dat zij verkeerd hebben gedaan. Het kan ook zijn dat als het einde van het aardse leven in zicht komt, iemand nu met enorme gewetenswroeging te kampen krijgt; zo iemand gaat vaak door een hel, dag in dag uit.

Een gevangene die gaat sterven zal kunnen worden overgebracht naar een ziekenhuis of naar zijn eigen huis. Het is bijzonder belangrijk dat deze mensen worden opgevangen. Een stervende die een zwaar misdrijf heeft gepleegd, zal een enorme behoefte krijgen om het weer goed te maken. De gewetenswroeging kan met de dood in zicht zo sterk worden dat men besluit er zelf maar voortijdig een einde aan te maken.

Als er sterke wroeging naar boven komt, is het vooral zaak over het verleden te praten. Moedig de ander aan zich uit te spreken en zeg erbij dat hij niet bang hoeft te zijn dat u dingen zult doorvertellen. Zeg tegen de ander dat als u kunt helpen, u ook zult helpen. U kunt aanbieden contact op te nemen met een eventueel slachtoffer van de gedetineerde. Wanneer het slachtoffer niet meer in leven is, kunt u naar de familie gaan om te zeggen dat de dader nu heel ernstig ziek is en graag om vergeving wil vragen. Zegt de familie: 'Nee, wij willen het hem of haar niet vergeven', dan moet u dit ook eerlijk tegen de gedetineerde zeggen en de hem vragen de gemaakte misstap los te laten.

Wanneer de gedetineerde oprecht geprobeerd heeft met de slachtoffers in het reine te komen maar de slachtoffers hier niet op in willen gaan, is het wat dit betreft voor de gedetineerde ook een afgedane zaak. Wat de slachtoffers zelf verder doen is hun zaak; zij zullen vroeg of laat toch ook hun haat in liefde moeten oplossen.

Wanneer een stervende in het krijt staat bij iemand die reeds is overleden, wordt ook deze schuld ingelost, mits de stervende inziet dat hij fout is geweest en daar oprecht spijt van heeft. Als iemand eronder lijdt dat hij een ander kwaad heeft gedaan, dan wordt deze negatieve daad goedgemaakt.

Iemand die een diep gemeend berouw toont, zal zijn negatieve daad ook vergeven worden. Zelfs als iemand een ander vermoord heeft maar tot inzicht is gekomen en er daardoor oprecht berouw over heeft, zal men in een volgend leven niet nogmaals een dergelijke negatieve daad begaan en zal men ook niet zelf vermoord worden. Karma is niet het oog om oog, tand om tand. De wet van karma is niet de wet van vergelding. De wet van karma is de liefdevolle wet die mensen met de neus op de feiten drukt, zodat men bewuster kan gaan leven. Karma is een zinvolle wetmatigheid; men hoeft niet twee keer dezelfde les te leren. Denk maar aan de goede moordenaar die naast Meester Jezus aan het kruis hing. Hij zag in dat hij fout was geweest en had er heel veel spijt van; daarom werden zijn zonden hem vergeven. De slechte moordenaar kwam niet tot dit inzicht; daarom zal hij een nieuw aards leven moeten aangaan, waarin hij wel eens zelf vermoord kan worden. Hij kan misschien alleen op die manier tot het inzicht komen dat het ombrengen van een medemens niet goed is. Maar wanneer iemand hardleers is en in een volgend leven doorgaat met moorden, wordt het nog moeilijker hieruit te komen.

Behandel een gedetineerde net zoals ieder ander; maak geen onderscheid. Zeg ook dat er geen onderscheid tussen mensen bestaat: 'U heeft nu deze daad gepleegd, maar ieder ander mens, ook ik, had dit gedaan kunnen hebben.' Begeleid zo mogelijk ook de familie van de gedetineerde; zeg tegen de familie dat ieder mens de kans heeft om het weer goed te maken.

Mensen die werelds geleefd hebben, sterven meestal niet zo rustig als zij hun levensbalans opmaken. Tijdens hun leven hebben zij weinig moeite gehad met hun levensstijl en was er niets aan de hand. Nu kunnen ze het er wel moeilijk mee krijgen. Dit kan ik toelichten met een tekst die ik eens in een boek van Sai Baba gelezen heb: 'Stel dat iemand een brief post zonder adres of afzender, dan was het tijdverspilling om deze brief te schrijven. Evenzo is het tijdverspilling om in deze wereld te komen, als je niet weet waar je vandaan bent gekomen en waar je heen gaat. De brief gaat naar de afdeling onbestelbare poststukken en de ziel zal terechtkomen op het rad van wedergeboorte. Zo zul je in begoocheling blijven ronddolen.'

Als mensen zien dat zij een enorme puinhoop van hun leven hebben gemaakt, kunnen zij hierover veel wroeging hebben. Als iemand veel verdriet hierover heeft, kan er ook veel worden uitgewist.

Ook al is het nog zo verkeerd geweest wat je gedaan hebt, je negatieve daad wordt gezuiverd wanneer je er intense spijt van hebt. Ook al wil degene die je benadeeld hebt je niet vergeven, God zal je vergeven. Door in te zien dat je slecht hebt gehandeld, zullen de chakra's waarin de negatieve daad staan opgetekend zich openen. De Liefde Zelf zal je chakra's schoonwassen, de tranen van de ziel spoelen het negatieve karma weg.

God zal je vergeven, durf ook jezelf te vergeven!

Door inzicht en intens berouw kan de liefde op ons inwerken. Ook al heeft iemand twintig moorden begaan, geen mens is door en door slecht; ieder mens is en blijft goddelijk. Iedereen kan zich te allen tijde openstellen voor de Liefde Zelf. Alleen als we leven na leven volharden in negatief gedrag, verharden we onze chakra's dermate – en maken we onze aura's tot zo'n harde schil – dat we bijna ongevoelig worden voor de liefde. Door berouw verliest men zijn hardheid.

De hulpverlener moet de ander proberen bij te brengen dat vergeving van zonden, het zuiveren van chakra's en aura's wel degelijk mogelijk is. Men moet dan wel zelf tot inzicht komen en intense spijt en intens berouw voelen.

De stervende wil schoon schip maken, zodat hij met een schoon geweten kan overgaan. Vraag de stervende ook eens naar de mooie en goede dingen die hij gedaan heeft. Belicht beide zijden, de negatieve en de positieve kanten.

Mensen kunnen op hun sterfbed met enorme angsten zitten; daarom kunnen negatieve zaken die al eens eerder besproken zijn nog eens aangehaald worden, totdat u de indruk hebt dat iemand hiermee echt in het reine is gekomen. Mensen kunnen erg bang en vertwijfeld zijn doordat zij zich afvragen of zij het wel goed gedaan hebben in hun leven.

Denk eens aan de goede dingen die iemand gedaan heeft, ook het zich openstellen voor de medemens is hetzelfde als liefde geven. Iemand kan veel negatieve daden hebben gepleegd in zijn leven, maar wees er wel bewust van dat daar ook zoveel goeds tegenover staat.

Wanneer we goed hebben geleefd kan er veel negatiefs worden uitgewist, mits we dit negatieve ook bewust als negatief zien. We weten ook niet hoeveel voorbereidend werk we in dit leven hebben gedaan voor een prachtig volgend leven.

Sta niet overdreven veel stil bij het verleden; probeer God te zien in jezelf, hier en nu.

U kunt iemand er ook op wijzen dat sterke karaktereigenschappen die in het voorbije leven negatief gebruikt zijn, in een volgend leven op een positieve manier aangewend kunnen worden. Iemand die zich bijvoorbeeld zodanig ontwikkeld heeft dat hij zich volledig kan overgeven aan carrière maken, kan deze eigenschap in een volgend leven gebruiken om zich aan God over te geven. Iemand die eraan gewend is geraakt een bepaald doel na te streven, waarbij al het andere van minder belang werd geacht, kan in een volgend leven deze ontwikkelde karaktereigenschap aanwenden om zich volledig op de medemens te richten.

Zo heeft de struikrover Valmiki zijn enorm ontwikkelde moed, vastberadenheid en bekwaamheid aanvankelijk op een negatieve manier gebruikt om, samen met zijn bende, argeloze reizigers te overvallen. Toen Valmiki in contact kwam met een aantal wijze mannen, kreeg hij van deze mannen een gebed waarmee het hoogste bewustzijn voor een mens op aarde verkregen kon worden. Zoals Valmiki zich eerst op argeloze reizigers had gestort, stortte hij zich nu op dit gebed (mantra). Door zijn karakter kwam hij uiteindelijk bewust in contact met God. Zo werd Valmiki de schrijver van een van de belangrijkste boeken in het hindoeïsme, de *Ramayana*, het verhaal van Rama.

14 Bewust sterven

Iemand die bewust het sterven meemaakt, zal de schoonheid van het sterven zelf ervaren; men zal op het sterfbed de astrale wereld zich zien openen met een enorme liefdevolle glans. Een schittering van geluk en liefde straalt je tegemoet. Bewust overgaan betekent het ervaren van een overstelpend geluk, golven van geluk die je overspoelen. Het is iets schitterends om een aards leven in zo'n toestand te kunnen afsluiten. Wanneer men bewust sterft zal men in een gelukzalige sfeer terechtkomen en men kan daar ook weer sneller vooruitkomen.

We kunnen dan ook tegen een stervende zeggen: 'Denk eraan dat je aan het sterven bent, wees je ervan bewust dat je aan het sterven bent.'

Ieder mens moet een keer bewust sterven om niet meer naar aarde terug te hoeven keren. Ieder mens moet zich op aarde geheel op God kunnen richten. Ieder mens moet zich tijdens zijn aardse leven een keer geheel in God kunnen laten opgaan, ondanks alle ongemakken of pijn die hij op dat moment heeft.

Het mooiste en meest waardevolle is wel om bewust het lichaam te verlaten. Als iemand op een gegeven moment het gevoel heeft: 'Ik moet gaan, het is nu tijd om te gaan, ik laat nu rustig mijn lichaam achter', dan kan men dit ook rustig, in vrede en bewust doen. Zo iemand zal met het volledige behoud van zijn bewustzijn overgaan. Men maakt dan zijn of haar overgaan van het begin tot het einde mee.

Bewust sterven betekent dat men de liefde die aan het sterven ten grondslag ligt kan ervaren. Dan ziet men tijdens het sterven de betrekkelijkheid en ook de schoonheid van het aardse leven.

Het komt vaak voor dat mensen die tijdens hun leven weinig of niets aan religie hebben gedaan, op hun sterfbed gelovig worden. Dit kan door de omgeving gemakkelijk uitgelegd worden als een vlucht: de stervende zoekt houvast. We kunnen er echter rustig van uitgaan dat, nu de geestelijke wereld zich aandient, de stervende ook het een en ander hiervan begint te voelen. Iemand begint bepaalde dingen te ervaren en krijgt hier hoe langer hoe meer belangstelling voor. Hij wéét ook dat dit soort zaken realiteit zijn; dit wordt als waarheid ervaren.

De stervende drukt zich nu ook anders uit, op een meer symbolische manier. Nu kunnen we gemakkelijk denken dat de stervende wartaal uitslaat, maar bij nadere beschouwing hoeft dit niet altijd het geval te zijn. Een stervende lag eens in zijn bed en zei tegen zijn familie dat hij naar boven wilde. Omdat de stervende beneden in de huiskamer in bed lag, dacht de familie dat hij misschien boven, op zijn oude vertrouwde, rustige slaapkamer wilde liggen. Na enige tijd werd duidelijk dat hij het aardse voor gezien hield en dat hij klaar was om naar 'boven' te gaan. Een ander zei eens dat hij op reis wilde gaan. De omgeving dacht toen dat de stervende de kluts kwijt was en zijn situatie niet juist kon inschatten. Zo heb ik ook eens een stervende horen praten over de op handen zijnde verhuizing. Iemand zei me eens dat hij zijn nette pak ging aantrekken en een ander stond op het punt te gaan trouwen. Dit alles zijn prachtige, subtiele uitdrukkingen van mensen die al met één been in de subtiele wereld staan.

Een paar keer heb ik meegemaakt dat een stervende zich tot het einde toe bleef afsluiten voor het geestelijke. Een en ander gaat dan gepaard met veel gedraai en geworstel. Toch zullen er maar weinig mensen als een verstokte atheïst sterven. Iemand die naar overgave groeit, kan zich gaan openstellen voor de mooie, verfijnde zaken in het Grote Leven. Men zal dan ook meestal volkomen vrij van negatieve gedachten kunnen sterven. Op het moment van overgaan weet men, of voelt men, ook vrijwel altijd naar wat voor soort gebied men gaat.

Er zijn ook stervenden die op hun sterfbed heen en weer gaan tussen positieve en negatieve gedachten. Veel stervenden pendelen heen en weer tussen liefde en angst. Ook al kan de stervende zich verder niet uiten, men kan tijdens dergelijke onrustige perioden bij de stervende de ogen in de gesloten oogkassen zien rollen. Spreek zo iemand dan rustgevend toe. Vaak zien zij nu beelden van dingen die zij in hun leven verkeerd hebben gedaan. Soms worden zij omgeven door negatieve energieën; zij zien dan negatieve beelden. Verwijs deze beelden naar het licht, dan wordt de stervende rustiger. Iemand die het negatieve heeft overwonnen, kan in vrede sterven. U kunt naast de stervende gaan zitten en een gebed uitspreken. We kunnen de stervende een paar woorden meegeven, op de manier zoals in het hoofdstuk over magnetiseren staat beschreven. Het hangt er maar van af wat voor een boodschap we de ander meegeven. Misschien heeft u in een eerder gesprek gezegd dat de aarde een leerschool is en dat men daarom ook fouten mag maken. Of u heeft al eens gezegd dat als men zijn fouten inziet deze ons ook vergeven worden, omdat men ervan geleerd heeft. Herhalen we nu deze woorden, dan zal dit herkend worden.

Mevrouw A klampt zich uit alle macht vast aan haar aardse leven. Omdat zij zo sterk aan het stoffelijke gehecht is, zal zij er nauwelijks erg in hebben dat de astrale wereld zich voor haar opent. Dit is de wereld van de geest, en dat is nu net iets waar zij niets mee van doen wil hebben. Haar gedachten gaan uit naar de voor haar bekende vormen: de vorm van haar lichaam, de vorm van haar familie en vrienden, de vorm van haar omgeving. Zij beseft niet dat al deze vormen eigenlijk een uitdrukking van de geest zijn. Het astrale begint meer en meer te dagen, maar omdat zij hier niet voor openstaat gaat haar leven uit als een nachtkaars. Als zij in het astrale niet tot dieper inzicht komt, suddert zij daar wat door in de onbewuste gebieden en zal zij op een onbewuste manier reïncarneren.

Ook mevrouw B is aan het sterven. Al veel eerder heeft zij veel nagedacht over haar leven. Zij heeft overeenkomstig haar bewustzijn haar levensbalans opgemaakt. Misschien heeft zij nog het een en ander kunnen regelen en recht-zetten. Nu, op haar sterfbed, neemt zij in liefde afscheid en probeert zich in te stellen op het leven dat komen gaat. Misschien gaan er nog dagen of weken voorbij. Zij gaat op een langzame manier bewust over. Zij ervaart bij vlagen steeds bewuster de enorme liefde en het prachtige astrale licht in die nieuwe wereld. Zij voelt zich hierin overgaan. Zij gaat in liefde over.

Te leven in onwetendheid is erger dan de dood. Of anders gezegd, voor ie-mand die weet en ervaart, bestaat er geen dood. Ook voor een bewust mens kunnen de bekende aardse levensvormen die nu uiteen wel wat angst oproe-pen, maar een bewust mens weet dat deze angst van voorbijgaande aard is. Hij ervaart tegelijkertijd de achterliggende waarheid. Incarneren en sterven dienen om tot opstanding te komen. Opstanding is het doel van het leven op aarde.

Verschillende geloofsovertuigingen maken niet dat mensen op verschillende manieren overgaan. Of het nu om een jood, een christen of een islamiet gaat, de begeleiding blijft in principe hetzelfde, omdat ieder mens op een gegeven moment angst heeft om te sterven. Als begeleider kunt u een jood de weg wij-zen naar Jahweh en de islamiet naar Allah. Wanneer men een tijdje in het as-trale heeft doorgebracht ziet men geen verschil meer tussen de diverse religies.

Elke godsdienst is een uiting van de Grote Eenheid. Sluit men deze eenheid buiten het bewustzijn en sterft men als een fanatiek gelovige, dan zal men na zijn sterven in een sfeer aankomen waar men zich tussen geloofsgenoten be-vindt. Fanatieke joden en fanatieke islamieten, die tijdens hun leven tegenover elkaar hebben gestaan, zullen zich ook na hun sterven tegenover elkaar ge-plaatst zien. Maar na verloop van tijd kunnen zij wel in gaan zien dat er meer is dan hun eigen religie; zij kunnen elkaar de hand gaan reiken. Iemand die in zijn laatste leven fanatiek jood is geweest, kan er dan voor kiezen in een volgend leven bij islamitische ouders te incarneren.

Atheïsten, of mensen die zeer weinig of nooit over een leven na de dood hebben nagedacht, zullen vaak een tijdje nodig hebben om zich te realiseren dat zij daadwerkelijk zijn overgegaan en dat zij nu in het astrale verder leven. De mogelijkheid van een hiernamaals hebben zij tijdens hun aardse leven uit hun bewustzijn gebannen.

We moeten overigens wel toegeven dat er in de Bijbel weinig terug te vinden is over het leven na dit leven. Meester Jezus heeft hier wel degelijk over gesproken, maar dit is altijd door de religieuze leiders ontkend. De kerk heeft veel teksten die over de astrale werelden gingen uit de Bijbel geschrapt. Men sprak hier liever niet over, omdat men van mening was dat het voor de mensen beter is goed en liefdevol op aarde te leven; dan volgt de beloning vanzelf. Volgens mijn bronnen zijn door de religieuze leiders de teksten over reïncarnatie en over het hiernamaals uit de Bijbelse Testamenten verwijderd, juist om de mensen te activeren om in dit leven klaar te komen met de aardse leerschool.

In de tijd waarin we nu leven, komt veel van de oude, eeuwige waarheid weer naar de oppervlakte drijven. Vooral onder jongere mensen begint de kennis omtrent reïncarnatie, het hiernamaals en het bestaan van intelligenties weer op te bloeien. Dit is ook prima, het is goed dat men een idee heeft hoe het er na het aardse leven uit kan zien; zo kan men zich beter voorbereiden.

Het is ook goed te weten dat reïncarnatie wel degelijk bestaat. Deze wetenschap kan iemand juist aanzetten tot goede, positieve daden. Het bewust zijn van reïncarnatie is een stimulans om zoveel mogelijk goede dingen in het leven te doen. Het geloof in een eenmalig leven en daarna een eeuwigdurend verblijf in de hemel maakt mensen passief; immers wat kan men nu wezenlijk uitrichten in één mensenleven? Wat is dan de zin van het leven van een kind dat op zijn vijfde levensjaar sterft? Wanneer iemand de zin van een zo vroeg afgebroken leven niet kan inzien, krijgt hij de neiging er maar op los te leven.

Om misverstanden te voorkomen: iemand die goed geleefd heeft zal ook zeker in een liefdevolle sfeer terechtkomen, ongeacht of hij zich wel of niet bewust is van begrippen als reïncarnatie of karma, chakra's of aura's. Deze kennis zal men zich vroeg of laat, in een volgend leven of in het astrale, wel eigen moeten maken.

Ieder mens is een goddelijke ziel,
voortgekomen uit – en geschapen door –
zuiver goddelijke energieën.

Omdat deze energieën zuiver goddelijk zijn
en omdat deze energieën er altijd zijn,
zijn we een eeuwige, goddelijke ziel.

Om de mens in staat te stellen als ziel een eigen karakter te ontwikkelen, een eigen geschiedenis en ook een volledig bewustzijn aangaande alle uithoeken van de schepping, heeft God deze aarde geschapen. Door met gebruikmaking van een aards voertuig – ons fysieke lichaam – deel te nemen aan dit aardse leven, kunnen wij ons bewust worden van dit leven. Wanneer we dit aardse leven onder de knie hebben, kunnen we verdergaan naar een meer verfijndere wereld, de astrale wereld, om zo uiteindelijk als een volledig bewuste ziele-persoonlijkheid weer in het vaderhuis terug te keren.

Echter, voordat we voorgoed afstand kunnen nemen van het aardse leven, moeten we ons er eerst wel voldoende bewust van zijn. Hiertoe krijgen we oneindig veel mogelijkheden. Het is mogelijk door middel van tien levens het aardse meester te worden; meestal zijn hier echter tientallen levens voor nodig. Ook al zou men honderden levens nodig hebben en zou de aarde om een of andere reden niet meer bruikbaar zijn voor dit doel – doordat de aarde bijvoorbeeld vernietigd is door rampen – dan zijn er altijd nog andere planeten in de diverse universa waar men op een soortgelijke manier verder kan leren. Maar wees gerust, een oorlog of een alles vernietigende ramp zit er de komende tweeduizend jaar niet in. De hardnekkigen onder ons, de echte verknochten aan het aardse plezier, kunnen dus gerust zijn.

Een en ander betekent wel dat de aarde een gemeenschappelijke leerschool is en daarom treffen wij hier mensen aan van diverse pluimage. Zoals eerder beschreven in de Inleiding verdelen we, voor het gemak en voor de duidelijkheid, de mensheid qua bewustzijn in drie groepen: de bewuste mensen, de half-bewuste mensen en de onbewuste mensen. Ieder mens leeft, sterft en gaat aan gene zijde verder overeenkomstig het eigen bewustzijn. Een bewust mens zal zich bewust zijn van de essentie van de schepping: liefde en schoonheid. Alleen hij zal zich daarom bewust kunnen worden van de hogere astrale gebieden. Alleen met een voldoende ontwikkeld bewustzijn hoeft men niet meer te incarneren; maar dit bewustzijn moet wel op aarde ontwikkeld worden. Daarom is het belangrijk ons leven tot het einde toe zo bewust mogelijk te beleven.

Het is niet nodig verlicht te zijn om de aardse leerschool voorgoed achter ons te kunnen laten. Ieder mens kan verlichtingservaringen, Godservaringen krijgen en dat is iets heel moois. Godservaringen kunnen we vooral krijgen door in alle rust en stilte te zijn en naar de eigen goddelijke ziel te kijken, naar de Godheid in ons. Dat te ervaren is iets prachtigs, vol liefde.

Een stervende heeft het recht om in rust en stilte te kunnen zijn. Geef een stervende alle ruimte om tot zichzelf te kunnen komen. Een stervende kan in de korte tijd die rest nog gemakkelijk tot dieper bewustzijn komen: door zijn leven te overzien en door vergiffenis te vragen aan degenen die men hij niet liefdevol tegemoet is getreden; door fouten in te zien en oprecht vergiffenis te vragen, ook aan de eigen kinderen. Vaak is het zo dat als de kinderen een tijdje het ouderlijk huis hebben verlaten, de ouders dan pas inzien wat zij fout hebben gedaan. Wanneer iemand inziet dat hij fout heeft gehandeld jegens de levenspartner, de kinderen, de vrienden, kan hij ook daadwerkelijk verder komen in de evolutie. Tot inzicht komen, berouw tonen en vergeving vragen; daar gaat het om. Als iemand de stervende niet wil vergeven, dan is dat de zaak van die persoon zelf. De stervende heeft het dan in ieder geval aangereikt en heeft zijn deel gedaan, is met zichzelf in het reine gekomen.

Besteed uw leven zo goed mogelijk. Wanneer men zich tijdens het leven nooit op God heeft gericht, lukt dit op het sterfbed ook nauwelijks. Men kent dan geen binding met de Schepper. Wanneer iemand niet gewend is in God te verzinken door middel van meditatie of gebed, door liefdevolle belangeloze hulpverlening aan zijn naaste of door studie, zal het sterven moeilijker zijn.

Het gaat om verzinken in de eigen natuur, verzinken in dat wat men is; overgave aan datgene wat men is; bewust worden van de natuur rondom; verzinken in de eigen natuur en de natuur rondom.

Op aarde wordt de grondslag van het bewustzijn gelegd. Leef daarom hier op aarde zo bewust mogelijk, ook al is het sterfbed reeds daar, ook al is er nog maar weinig tijd. Voel uw lichaam en de materie, probeer door meditatie het innerlijk licht te zien. Wees bewust van uw gedachten en uw daden. Wees bewust van wat u eet, wees bewust van hoe televisieprogramma's op u inwerken. Wees bewust van wat voor vrienden u hebt. Hoe bewuster we hier op aarde zijn, des te bewuster kunnen we ook in het astrale verdergaan.

De toestand waarin iemand verkeert voordat hij overgaat, leent zich er uitstekend voor om meer bewust te worden van de betekenis van het leven. De begeleider kan de stervende hier bij helpen door mee op te lopen. Het sterven zelf, de daadwerkelijke overgang, moet ieder mens alleen doormaken. De mensen in de omgeving moeten zich dan gereserveerd opstellen. U zou kunnen vragen of de stervende het goed vindt als zijn familie en vrienden rond het bed staan als hij overgaat.

Omdat geluidsgolven op zich al een aardige hoeveelheid energie op het trommelvlies achterlaten, hoeft de mens zelf maar weinig energie op te brengen om te kunnen horen. Het gehoor is dan ook het zintuig dat bij de stervende het langst intact blijft. Het is alsof de Schepper het zo geregeld heeft dat we een stervende op het laatste moment nog wat moois kunnen influisteren. We kunnen bijvoorbeeld zeggen: 'Ik ben hier; als je me nodig hebt, roep me dan. Kijk wel naar het licht dat je zult gaan zien en als je me nodig hebt, roep me.'

Op het moment van overgaan zelf zal de stervende meestal schijnbaar bewusteloos zijn. Toch heeft dit niets met bewusteloosheid te maken. Iemand is zich wel degelijk bewust van wat er aan de hand is en ziet ook de astrale wereld langzaam naar voren komen. Hij is zich ervan bewust dat hij van de ene naar de andere wereld overstapt, maar de energie om dit aan de omstanders duidelijk te maken is er niet meer. Stervenden hebben vaak de kracht niet om te zeggen: 'Blijf bij me.' Daarom is het zo belangrijk dat we vol liefde en vol aandacht bij de stervende blijven.

Zij die gewend zijn drugs te gebruiken, zullen hun overgang met een verwrongen bewustzijn ondergaan. In eerste instantie voelen zij zich hemels, maar als het spul is uitgewerkt begint de ellende. Bovendien maken negatieve intelligenties gebruik van hun zwakheid: zij scheppen mooie sferen om de verslaafde te lokken en te kluisteren. Negatieve krachten kunnen een drugsverslaafde gemakkelijk beïnvloeden, doordat de verslaafde zijn of haar aura door druggebruik ernstig verzwakt kan hebben; de aura kan dan niet meer haar beschermende werking uitoefenen.

Wanneer een verslaafde zichzelf doodspuit, kan het soms een tijd duren voordat zo iemand in de gaten heeft dat hij is overgegaan. Ook voor iemand die overvloedig alcohol gebruikt heeft, wordt het erg moeilijk om bewust over te gaan, om helder in de astrale wereld aan te komen. Deze mensen snakken ook daar naar alcohol; ze zijn beneveld en verzwakt. In de astrale wereld gaan zij verder overeenkomstig het bewustzijn dat zij op aarde hebben opgebouwd; zij zien alles als het ware door een nevel. Als een alcoholist in het astrale afkickt, wordt hij weliswaar bewuster dan op aarde, maar dan krijgt hij het juist extra moeilijk. Dan komt al het mooie dat zo iemand verdronken heeft naar boven.

Bij iemand die aan de arts vraagt om een spuitje om door euthanasie uit het leven te stappen, zal het bewustzijn zich door het negatieve van deze daad en door het dodelijk middel zelf dermate vernauwen dat hij het sterven op een zeer onbewuste manier zal ervaren. Deze persoon kan dan in eerste instantie wel denken dat hij door euthanasie niets meer van het sterven hoeft mee te maken, maar dit is een misrekening.

We zullen op aarde tot het einde toe zo bewust mogelijk moeten leven. We moeten daarom ook door minder prettige tijden heen. Bewust leven en bewust uit het aardse leven stappen kan een mens een heel eind verder brengen. Daarom, als men de kans hebt om het sterven van het begin tot het einde mee te maken, moet men deze kans zeker benutten. Ieder mens heeft ook eigenlijk diep in zich het verlangen om, zoals Mozes, bewust met Gods naam op de lippen te sterven. Kiest iemand ervoor om stukken in zijn leven over te slaan, dan zullen deze ontvluchte zaken ongetwijfeld terugkomen.

Ieder mens – niemand uitgezonderd – is zich min of meer bewust van het feit dat hij overgaat, dat hij uit het lichaam raakt. We hebben allemaal de mogelijkheid om dit mee te maken, maar door een versluierd of gedeformeerd bewustzijn als gevolg van drugs of alcohol dringt hiervan maar weinig tot ons door.

Goede voorbereiding op het sterven is van levensbelang. Het is belangrijk dat men op een zo bewust mogelijke manier uit dit leven stapt. Bewust sterven betekent dat men de liefde die aan het sterven ten grondslag ligt kan ervaren. Iemand die is voorbereid op wat hem te wachten staat kan meer openstaan voor de liefde en het astrale licht. Zo iemand ziet de schoonheid van de astrale wereld terwijl hij eigenlijk nog hier op aarde is. Zo iemand ziet tijdens het sterven de betrekkelijkheid en ook de schoonheid van het aardse leven. Bij een goede voorbereiding op het sterven wordt het sterven gemakkelijker. Bij iemand die niet weet wat hem te wachten staat kan angst gemakkelijker de kop opsteken. Angst verkrampt en sluit iemand af voor de schoonheid van het sterven.

Een goed ingesteld mens kost het veelal niet veel moeite te vertellen wat hij tijdens het overgaan ziet. Bij zo iemand gaat het leven niet als een nachtkaarsje uit; hij blijft zich bewust. Hij is er zich van bewust hoe hij van het ene in het andere leven overglijdt. Bewust sterven betekent bijna altijd dat men geleidelijk en langzaam overgaat. De stervende kan dan ook tot praktisch het allerlaatste ogenblik tegen de omstanders vertellen wat hij allemaal ziet en meemaakt.

Veel mensen ervaren tijdens hun overgang zo'n intens geluk en zo'n totale liefde, dat men geneigd is te denken dat deze stervenservaring hen als een Boeddha verlicht heeft. Een dergelijke stervenservaring kan men ook in zekere zin wel zien als een verlichting, maar totale verlichting betekent totale eenheid met God. Een mooie overgang is een tijdelijke verlichtingservaring.

Sterven is voor de meeste mensen veel gemakkelijker dan men denkt, vooral als iemand niet al te erg aards gebonden is. Sterven is afscheid nemen en ieder afscheid nemen is een beetje sterven. Sterven is een noodzakelijk en nuttig proces om tot opstanding van de Geest te komen. Het is een opnieuw rangschikken van ervaringen. U kunt als begeleider het de stervende een stuk gemakkelijker maken door hem tot diepere inzichten te laten komen en hem voor te bereiden op het nieuwe leven. De begeleider en de stervende kunnen een innige band voelen. In het astrale kan iemand, met gevoelens van dankbaarheid, nog wel eens terugdenken aan de gesprekken die hij gevoerd heeft. Een begeleider kan ook nog dikwijls aan een overledene denken.

Het verlies van een zo beperkende vorm als het stoffelijk lichaam is vrij onbelangrijk voor iemand die beseft dat het leven eeuwig is.

Sai Baba: Een jongen klampt zich vast aan het levenloze lichaam van zijn moeder. Hij snikt het uit: 'Moeder, waarom heb je me verlaten?' De moeder heeft misschien jarenlang voor de jongen gezorgd en nu is zij weggegaan. Ja, maar wat is er nu eigenlijk weggegaan? Het lichaam ligt er nog en een verstokte materialist zou tegen de jongen kunnen zeggen: 'Kom jongen, houd je maar rustig. Je moeder is er toch nog, je hebt haar zelfs vast.' Maar de jongen die zijn moeder heeft moeten afstaan, weet dat zijn moeder niet het lichaam is. Hij heeft afstand moeten doen van een levend bewustzijn, een ziel die voor hem een moeder was.

15 Dromen en visioenen

Zelfs al zijn we in een diepe slaap verzonken, het goddelijk Licht is altijd op de achtergrond aanwezig; God is er altijd. God geeft alles wat nodig is, ook in onze slaap. (Psalm 127)

De mens is een goddelijke ziel en heeft daarom alle werelden in zich, vanaf de wereld van het materiële tot en met het absolute; vanaf de wereld van de slaap tot en met volledig bewustzijn.

In de Bijbel kunnen we lezen hoe Jakob zijn hoofd te ruste legde op een grote steen en zag hoe alle werelden in de schepping zich openden. Hij zag een ladder die in de aardse wereld stond, een ladder die reikte tot in het allerhoogste en waarlangs engelen op en neer gingen. Jakob zag hoe de verschillende werelden met elkaar verbonden zijn door de ladder van bewustzijn. (Gen. 28:12) In de stoffelijke wereld is de alom aanwezige energie tijdelijk gestold in een bepaalde vorm, de energie 'slaapt'. De astrale wereld is de wereld van de droom. In de oorzakelijke wereld zijn we ontwaakt.

Jakob zag dat deze ladder op aarde stond; hij zei: 'Waarlijk, ik heb niet geweten dat God aan deze plaats gebonden is. De aarde is een poort naar de hemel.' Of, zoals eerder gezegd: op de aarde ligt de basis van het bewustzijn.

Slapen

Sterven wordt nogal eens vergeleken met inslapen. Echter, als we in slaap vallen treedt er een soort bewustzijnsvernauwing in. Astrale beelden kunnen nu alleen als dromen worden waargenomen als zij een flinke energetische lading hebben. Alleen dan dringen deze beelden door tot in het fysieke bewustzijn.

Slapen is bewustzijnsvernauwing, sterven betekent bewustzijnsverruiming. Als we in slaap vallen, kunnen we niet direct het astrale waarnemen. Ons bewustzijn blijft dan grotendeels in onze fysieke aura. Als we sterven, glijdt ons bewustzijn uit het fysieke naar het astrale. Wanneer we op een bewuste manier sterven, gaan we bewust over van de ene naar de andere wereld, zonder een hiaat in ons bewustzijn. Ook wanneer iemand in zijn slaap sterft, ziet hij de astrale wereld opkomen, net zoals iedere andere stervende. Zo iemand is zich dan ook wel degelijk bewust dat hij aan het sterven is.

Tijdens de slaap blijft ook het contact met het fysieke lichaam in stand. Zelfs al maken we in de slaap een uitstapje naar de astrale sfeer, we kunnen altijd weer terugkomen in ons lichaam. Bij het sterven wordt dit contact verbroken. Daarom is er na het sterven geen weg terug meer mogelijk. Er is dus eigenlijk geen overeenkomst tussen slapen en sterven. Wel doen we in beide gevallen de ogen dicht, hoewel zelfs dat niet altijd het geval is; er zijn veel mensen die met open ogen sterven.

Wanneer het lichaam tijdens de slaap te rusten ligt, komen alle energieën in de chakra's en aura's tot rust. Daardoor kunnen de aura's gemakkelijker de energieën vanuit de hogere gebieden doorgeven aan het lichaam, met name het zenuwstelsel. In de slaap absorbeert het lichaam de kracht van God.

Tijdens het slapen absorberen we ook de diverse energieën om ons heen. Het is dan ook belangrijk dat onze slaapkamer, onze omgeving, aangenaam is. Een prettige kamer, geen sombere voorwerpen, frisse lucht en als men daardoor niet op de tocht komt te liggen, altijd een raam open. Slapen en rusten dienen om Gods schoonheid te absorberen.

Een stervende zal veel slapen. Omdat bij een stervende de aura van het stoffelijk lichaam steeds meer in kracht afneemt, worden ook het zenuwstelsel en het stoffelijk lichaam zwakker en heeft iemand dus steeds meer rust nodig om dit op te laden.

Omdat de energieën vrijelijk door de aura's moeten kunnen circuleren, is het goed op een niet te zachte ondergrond te liggen. Kunststof pyjama's en de elektrische velden van een elektrische deken werken storend op de energiecirculatie. De circulatie wordt ook minder als we op een niet voldoende dikke natuurlijke – katoenen of molton – onderlaag liggen. Bij een stevige matras krijgen de ingewanden de ruimte, zodat de stofwisseling ook zo goed mogelijk kan blijven doorgaan. De energieën kunnen minder goed doorstromen wanneer we opgevouwen in bed liggen.

Het is beter terughoudend te zijn met slaappillen. Deze verdoven het zenuwstelsel, waardoor het minder goed de verkwikkende energieën vanuit de aura's kan opnemen. Warme melk voor het slapen gaan brengt het zenuwstelsel tot rust, waardoor het beter open kan staan voor deze energieën. Slaapmiddelen zullen ook het dromen onderdrukken. Homeopathische kalmerende medicijnen hebben dit nadelige effect veel minder. Er bestaat ook een 'slaapmantra' (mantra = krachtwoord) die uitkomst kan bieden. We moeten dan rustig en langzaam op een innige manier de woorden RUTRAM – RUTRAM – RUTRAM – herhalen. Dit heeft een slaapverwekkende invloed op de aura. Maar wanneer iemand niet kan slapen, zal hij wel eerst moeten weten wat de oorzaak hiervan is.

Lees eens een paar regels uit een mooi boek voor het slapen gaan. Dit zal het u gemakkelijker maken u af te stemmen op mooie energieën. Bovendien nemen we dan de tekst met onze slaap mee, en als we deze tekst 's morgens bij het wakker worden herlezen, zal ons inzicht zich verdiepen.

Dromen

Tijdens het rusten en slapen wordt er veel verwerkt van wat we overdag hebben meegemaakt. De aura's hebben een natuurlijke neiging om eventuele spanningen te egaliseren. Alle indrukken van overdag worden tijdens de slaap als het ware in de aura's en chakra's gerangschikt en kunnen zo tot rust komen. Tijdens dit harmoniseren en rangschikken kunnen er gemakkelijk energieën vrijkomen; dit kan in de slaap droombeelden veroorzaken en hierdoor kan iemand tot bepaalde gedachten worden aangezet als hij wakker is.

Als het fysieke lichaam te ruste ligt, kan de aura van het stoffelijk lichaam gemakkelijk uitdijen. De stoffelijke aura zal in de slaap dan ook uitdijen tot in de diepere lagen van de astrale aura. Op die manier kunnen beelden die in deze diepere astrale lagen liggen, geactiveerd worden.

Gebeurtenissen tijdens het aardse leven veroorzaken bepaalde energieën in de fysieke aura. Deze energieën refereren aan energieën in de astrale aura die een soortgelijke vibratie hebben. De astrale aura bevat de informatie aangaande vorige levens. Een gebeurtenis in dít leven kan nu een kanaal openen naar soortgelijke gebeurtenissen uit vorige levens. Met andere woorden: actuele gebeurtenissen kunnen soortgelijke ervaringen uit het verleden activeren. Zo is het mogelijk dat iemand die nu op sterven ligt, droomt over een eerdere stervenservaring.

Zo kan een stervende ook gemakkelijk over het voorbije leven gaan dromen. Immers, een stervende zal vrijwel altijd de balans van zijn leven willen opmaken. Door deze bezigheid overdag kunnen er 's nachts gemakkelijk droombeelden loskomen die te maken hebben met het verleden. Men wil hier ook meestal graag over vertellen, zodat bepaalde zaken opgeruimd kunnen worden.

Het gaat hier om twee soorten dromen.

1. De eerste soort komt voort uit de natuurlijke neiging van de aura's om tot harmonie te komen. Hierbij zullen bepaalde energieën gaan verschuiven en kunnen er dermate geladen energieën vrijkomen dat we deze in onze slaap bewust kunnen opvangen als dromen. Dit zijn meestal dromen die te maken

hebben met het leven van alledag, het recente verleden; bijvoorbeeld een droom over een examen, over een beslissing die we hebben genomen of op het punt staan te nemen, of over een spannende film die we voor het slapen gaan op de televisie hebben gezien.

2. In de astrale aura liggen alle beelden van eerdere incarnaties en zelfs nog daarvoor. Het kan zijn dat iemand contact maakt met de beelden uit het verleden en uit vorige levens die dieper in de astrale aura liggen. Deze beelden worden geactiveerd door overeenkomstige gebeurtenissen in het heden. Dit soort dromen laten het een en ander zien van karmische patronen en neigingen die men soms gedurende vele levens heeft gevolgd. De huidige situatie legt als het ware dit soort patronen en neigingen opnieuw bloot. Dergelijke dromen hebben een diepere lading; ze voelen aan als belangrijke dromen.

Laten we als voorbeeld iemand nemen die over zich heen laat lopen. Zijn huidige situatie kan op een gegeven moment een overeenkomstig droombeeld losweken. Als deze persoon in een van zijn vorige levens verongelukt is, kan hij hier nu over gaan dromen. In deze droom maakt hij opnieuw een dergelijk ongeluk mee, maar nu vertaald in begrijpelijke beelden van deze tijd. Zo'n droom zal zich altijd manifesteren in begrijpelijke taal. Is zo iemand eeuwen geleden overreden door een ossenwagen, dan zal deze gebeurtenis zich nu vertalen in het beeld van bijvoorbeeld een auto of een tractor die over hem heen rijdt.

In dit leven krijgt men hedendaagse beelden voorgeschoteld die beelden uit het verleden afdekken. Een klein kind dat nog niet zo sterk kan putten uit de bibliotheek van hedendaagse beelden, kan dan ook nog wel eens dromen over een stoomtrein of een ouderwetse waterput, terwijl het deze beelden nog niet eerder in zijn korte leven gezien heeft.

Om nog even terug te komen op ons voorbeeld van de persoon die over zich heen laat lopen: wanneer hij droomt dat hij overreden wordt door een auto, zijn we snel geneigd dit als een symbolisch beeld te zien die zijn situatie weergeeft. Dit is ook zo, maar we moeten ook beseffen dat dit ongeluk in het verleden daadwerkelijk gebeurd is. We hebben allemaal een enorm verleden achter de rug, vele levens, eeuwen lang. We dragen dit verleden altijd in onze aura's met ons mee, en dit kan te allen tijde geactiveerd worden door overeenkomstige situaties in het heden. Worden de oude ervaringen geactiveerd, dan worden deze vertaald in begrijpelijke, hedendaagse beelden.

Stervenden dromen soms over een eerdere stervenservaring, vooral als deze ervaring gewelddadig is geweest. Zo kan iemand dromen dat hij op een slagveld omkomt. Omdat we al vele incarnaties achter de rug hebben, is het goed mogelijk dat we een keer op een slagveld zijn omgekomen; we hebben ook bijna allemaal wel eens iemand om het leven gebracht.

Als we aan het bed van een stervende zitten en deze begint te vertellen over een akelige droom die hij heeft gehad waar bij hij onder een auto kwam, dan is het heel goed mogelijk dat hij vroeger door een of ander voertuig is overreden. Dit kan dan aanleiding zijn om te zeggen: 'U hoeft nu niet bang te zijn dat nu zoiets kan gebeuren; u ligt nu veilig in uw eigen omgeving.' We kunnen ons tevens afvragen waarom nu juist deze vroegere ervaring geactiveerd wordt.

Is er sprake van een nachtmerrie, dan betekent dit dat er een grote ontlading in de aura plaatsvindt. Maak zo iemand niet wakker, er kan op deze manier veel naar boven komen en opgeruimd worden. Hierdoor kan er een ware aardverschuiving in de aura's plaatsvinden. Het is een proces waarbij veel energie vrijkomt. Later kunt u vragen of iemand zich nog wat kan herinneren; ga hier dan zo mogelijk op in. Ga wel subtiel te werk, want vooral als deze ervaring nog vers is, zit zo iemand nog min of meer in deze vervelende energie. Hij kan ook angstig zijn voor een herhaling van de droom en durft dan niet opnieuw te gaan slapen.

Overigens heeft de oorsprong van het woord 'nachtmerrie' te maken met het gedrag van wilde merriepaarden, die 's nachts tijdens de ovulatie flink tekeer kunnen gaan.

Een stervende kan bijvoorbeeld dromen dat hij de beheerder van een hotel is en dat daarbij alles uit de hand loopt. Hij heeft dan waarschijnlijk in een vorig leven (of in dit leven), een dergelijke leidinggevende functie gehad. Nu hij op sterven ligt ervaart hij zijn leven als iets dat hij niet in de hand kan houden, en dit wordt vertaald in het beeld van een hotelmanager. Dit kan ook een aanleiding zijn om zo iemand te vragen hoe hij vroeger met zijn medemensen, zijn medewerkers is omgegaan.

Een ander voorbeeld. Stel een man ligt op sterven. Hij wordt volledig door zijn vrouw in de watten gelegd. Hij hoeft niets te doen, alles wordt voor hem geregeld. Zijn eigen initiatieven worden weinig op prijs gesteld en als u wat aan de man zou vragen, zou zijn vrouw antwoord geven. Zo wordt deze man klein gehouden, opgesloten in de wereld van zijn vrouw. Deze man heeft de les te leren dat hij voor zichzelf moet opkomen, om van lijdend voorwerp uit te groeien naar een zelfstandige persoonlijkheid. Laten we aannemen dat het gedrag van deze man niet zomaar uit de lucht komt vallen. Hij heeft dit karma waarschijnlijk gedurende meerdere levens ontwikkeld. Dit karma kan zich in een vorig leven hebben gemanifesteerd in een situatie waarbij de man, misschien wel als een onschuldige, veroordeeld werd en in de gevangenis terechtkwam. Hij kan ook in een gebouw verzeild geraakt zijn waar hij de nacht moest doorbrengen omdat de deur in het slot gevallen was. In een ander leven kan hij als kind opgesloten en onderdrukt zijn door de andere gezinsleden. Telkens weer krijgt hij zijn karma op zijn bordje, net zolang tot hij de les geleerd heeft. In het huidige leven is deze man met een dominante vrouw getrouwd en nu hij op sterven ligt kan hij gemakkelijk beelden krijgen die met soortgelijke ervaringen uit vorige levens te maken hebben.

Het is goed om op dit soort dromen in te gaan. Niet alleen omdat zij met de actuele situatie te maken hebben, maar ook omdat ze veel zeggen over een bepaald, soms levenslang volgehouden, patroon van iemand.

Net zoals dromen houden ook ziekten bepaalde lessen in. Het is dan ook opvallend dat dromen vaak een beeld laten zien dat verband houdt met de ziekte die iemand heeft. Zo kan iemand met een ernstige longziekte zichzelf in een droom zien waarbij hij een ander de levensadem beneemt. Iemand met een hartlijden kan in een droom zien dat hij zijn medemens van zich afhoudt, of dat hij met een hebben–hebben-instelling roem en macht, of geld en juwelen naar zich toe graait. De droom vertelt dan het een en ander over het gedrag waardoor de ziekte is ontstaan.

De herinneringen die zich in de vorm van beelden in de aura's bevinden kunnen dus geactiveerd worden. Gaat het om een heftige ervaring, dan zal hierbij veel energie vrijkomen, soms zoveel energie dat we er wakker van worden of dat we ons onze droom bij het opstaan nog herinneren. Als we dromen bevinden we ons altijd in een min of meer half-slaaptoestand, een staat van sluimeren. De droomenergie tilt ons net even uit de absolute slaaptoestand.

Om te voorkomen dat u bij het opstaan uw droom vergeet, kunt u met uzelf afspreken dat u iedere droom opschrijft. Deze afspraak opent een kanaal tussen de droomsferen en het dagbewustzijn. U zult dan merken dat u uw dromen beter kunt onthouden.

Men verwerkt het verleden door erover te dromen. Dromen houden lessen in! Repeterende dromen houden meestal aan totdat de les geleerd is.

Maar er bestaat nog een derde soort dromen, dromen die van buitenaf komen. Stervenden kunnen dromen over hun naderend einde. Een stervende vrouw vertelde me eens over haar droom waarbij een vogel in haar ruggengraat zat. Zij wist tijdens haar droom dat de vogel weg zou vliegen wanneer zij daar sterk genoeg voor was. De vogel staat hier symbool voor haar geest. Haar geest zou uit haar ruggengraat – dat deel van het lichaam dat maakt dat we kunnen gaan en staan in dit leven – wegvliegen wanneer zij sterk genoeg zou zijn. Ik vroeg haar dan ook of zij ook sterk genoeg was om heen te gaan, of zij er klaar voor was. De vrouw duidde ook de plaats aan, tussen haar schouderbladen, waar deze vogel klaar zat om weg te vliegen. Hiermee gaf zij te kennen dat zij via het hart-chakra zou overgaan. (Hier komen we later nog op terug.)

Stervenden hebben vaak dit soort dromen. Ze kunnen dromen over een reis, over een graf of over de eigen uitvaartdienst die op komst is; dit alles ter voorbereiding op datgene wat komen gaat. Deze dromen worden van boven, vanuit de oorzakelijke aura geactiveerd. Ze komen vanuit ons hogere zelf. Dergelijke dromen zijn meestal lucide, met lichte, heldere kleuren, een verfijnde trilling. Dit soort dromen trekken ons als het ware omhoog en geven een bevrijdend gevoel. Dit soort dromen kunnen ook ontstaan doordat onze persoonlijke intelligentie bepaalde energieën in onze oorzakelijke aura activeert. Het kan ook zijn dat deze intelligentie tijdens onze slaap bepaalde beelden op onze astrale aura projecteert met de bedoeling ons te helpen, ons voor te bereiden. Maar let op, want ook minder positief ingestelde intelligenties kunnen hun negatieve beelden op onze aura projecteren. In zo'n geval zal de droom duidelijk minder lucide zijn.

Het is voor de begeleider de moeite waard te weten of de stervende gedroomd heeft. We kunnen vragen of hij de laatste tijd nog gedroomd heeft. Vraag of hij de dromen wil opschrijven, zodat u deze later samen kunt doorspreken. Eigenlijk zou ieder mens zijn dromen moeten opschrijven. Als u, voordat u inslaapt, zich voorneemt 's morgens de droom meteen op te schrijven, zult u zien dat de herinnering aan uw droom gemakkelijker stand houdt. Met dit voornemen en natuurlijk ook door het te doen, opent u een kanaal tussen dromen en waken.

Mensen kunnen soms verwonderd reageren als we vragen naar de betekenis van hun droom. Maar als we er een tijdje over doorpraten, kunnen zij vaak toch met een verklaring komen. Wanneer iemand de betekenis van een droom begrijpt, zet hij een stap verder op zijn weg. Als iemand achter de betekenis van een angstaanjagende of verwarrende droom komt, kan hij zich ook emotioneel ontladen. Vraag daarom vooral aan stervenden die er gespannen uitzien of zij nog gedroomd hebben.

Laat de dromer zijn droom rustig en volledig uitvertellen. Iedereen weet hoe moeilijk het is een droom na te vertellen, dus besteed hier de nodige tijd aan. Wanneer de droom begrepen wordt, zal deze ook niet meer terugkomen, en dit is vooral in verband met akelige dromen een hele opluchting.

Astrale creaties

In de astrale aura liggen al onze ervaringen in de vorm van beelden opgeslagen. Deze beelden hebben echter niet altijd van doen met concrete ervaringen op aarde. Ze kunnen ook zijn voortgekomen uit de eigen emoties en gedachten. Hier hebben we het over astrale creaties. Ieder mens op aarde bouwt zijn of haar astrale creaties, net zoals iemand die aan gene zijde vertoeft dat doet. Bijvoorbeeld: iemand kan voor zichzelf het beeld hebben gecreëerd van Meester Jezus die ons na de dood zit op te wachten in zijn rechterstoel. Iemand anders kan ervan overtuigd zijn dat hij een rivier over moet steken voordat hij aan gene zijde verder kan gaan. Weer een ander kan gedurende vele levens zijn astrale aura volgepropt hebben met afbeeldingen van akelige duiveltjes die hem belagen.

Tijdens het sterven wordt het astrale steeds belangrijker, waardoor dit soort zelfbedachte beelden naar boven kunnen komen, ook als de stervende wakker is. Iemand kan dan in zijn eigen astrale creatie terechtkomen. Hij raakt verstrikt in zelfbedachte werkelijkheden, en wanneer dit een vervelende werkelijkheid is, zal ook de ervaring vervelend zijn.

Eigenlijk heeft men in alle culturen bepaalde beelden bewust aangewakkerd, omdat deze beelden de stervende ook kunnen helpen bij het overgaan van de ene naar de andere wereld. Er is dan sprake van een astrale creatie die collectief in stand gehouden wordt. Zo kunnen de priesters in een bepaalde cultuur bijvoorbeeld het idee uitdragen dat als men sterft, men eerst een rivier over moet steken om in het land aan gene zijde te komen. De stervende stelt zich in op dit beeld, en terwijl hij de zekerheid van het stoffelijk lichaam gaat missen, begint het vertrouwde beeld te dagen. Daar ligt het bootje al voor hem klaar, of daar wacht vol liefde de veerman (de persoonlijke intelligentie) die hem over zal zetten. Dit zijn hulpmiddelen die het de stervende gemakkelijker maken. Zo kan hij gemakkelijker de vertrouwde wereld loslaten, omdat de nieuwe wereld er niet totaal onbekend uitziet. Het bakent ook de grens af tussen de twee werelden, zodat de stervende er op een gegeven moment bewust voor kan kiezen over die grens te stappen.

Astrale creaties kunnen dan ook een nuttige voorbereiding op het sterven zijn. In het Tibetaanse boeddhisme zijn dit soort astrale creaties, als hulp voor stervenden, bijzonder gedetailleerd uitgewerkt. Bedenk wel dat deze alleen voor dat volk in die cultuur bestemd zijn. Het is absoluut niet goed een stervende zonder meer uit het *Tibetaanse Dodenboek* voor te lezen. Hij zal in grote verwarring raken als hij hoort over al die verschijningsvormen waarover verteld wordt. Eigenlijk werd dit dodenboek ook niet voorgelezen aan een stervende, maar werd het na het overlijden aan de overledene voorgedragen. Dit deed men omdat men wist dat de overledene na het sterven nog een tijdje in de buurt van zijn lichaam zou blijven. Men moet in deze cultuur zijn grootgebracht om hier profijt van te kunnen hebben.

De oude Egyptenaren hadden ook hun dodenboek, evenals de Grieken. Volgelingen van Orpheus kregen de volgende tekst mee, hier vrijelijk weergegeven: 'Links van het huis van Hades zult u een waterbron vinden; naast deze waterbron staat een witte cipres. Kom niet te dicht bij deze waterbron. U zult een andere bron vinden, het meer van de herinnering. Hieruit stroomt koel water en hier staan wachters. Zeg tegen de wachters: 'Ik ben een kind van de aarde en een kind van de sterrenhemel en mijn geslacht is uitsluitend hemels. Ik kom om van de dorst, geef mij van het koele water uit het meer van herinnering.' Spontaan zullen de wachters u dan te drinken geven en u zult heersen temidden van andere helden.' (De eerste bron is de Lethe, de rivier die door de onderwereld stroomt en die vergetelheid, onbewustheid, schenkt.)

Wij 'moderne westerlingen' hebben eerder het idee dat een stervende door een tunnel gaat, op weg naar een helder licht: het astrale licht. Zo krijgen veel mensen, afhankelijk van hun cultuur en van hun bewustzijn, tijdens het overgaan bepaalde beelden te zien. Soms gebruikt iemand al levenslang een bepaald beeld bij het overgaan. Een enkele keer komt het voor dat een westerling als vanzelf de beelden gebruikt zoals die beschreven zijn in het *Tibetaanse Dodenboek*. Het is in zo'n geval goed mogelijk dat deze persoon meerdere levens in deze cultuur heeft doorgebracht. Eenmaal aan gene zijde houdt men deze beelden nog even vast, maar dan verdwijnen zij ook vrij snel.

Ieder mens heeft bewust of onbewust een bepaald beeld van de grens tussen het stoffelijke en het astrale. Vaak is dit een tunnel die naar het licht voert. Dit beeld komt hoofdzakelijk voort uit de persoon zelf, waarbij de stervenservaringen uit vorige levens een rol spelen. Ook zullen de verhalen van mensen met een bijna-doodervaring en wat iemand ooit gelezen of gehoord heeft een bijdrage leveren aan het beeld. Ook de persoonlijke astrale intelligentie kan een enkele keer het beeld activeren. Op die manier kan de stervende bewust van het ene naar het andere leven overstappen. Zo kan hij ook meer open gaan staan voor die andere kant en gemakkelijker verder komen.

De verharde mensen onder ons, zij die nooit hebben willen nadenken over een eeuwig leven, beseffen soms na hun overgang niet dat zij gestorven zijn. Juist voor deze mensen is een dergelijke tunnelervaring dus belangrijk; zij kunnen dit soms echter slechts vaag meemaken, doordat het min of meer buiten hun bewustzijn valt.

De persoonlijke intelligentie kan wel eens een tunnel waar men doorheen moet op de aura van de stervende projecteren, maar of dit gebeurt is afhankelijk van de persoonlijke situatie. Mensen die veel angst hebben bij het sterven kunnen door de persoonlijke intelligentie een rustgevend beeld voorgeschoteld krijgen. Het kan ook zijn dat het overgangsbeeld van een angstig iemand door de persoonlijke intelligentie op een rustgevende manier wordt beïnvloed. Zo sluiten de beelden van de stervende en die van de persoonlijke intelligentie op elkaar aan. Onze persoonlijke intelligentie kan ook onze vorige levens en onze eerdere stervenservaringen overzien.

Iemand die veel moeite heeft met het loslaten van de aarde, zal een meer uitgesproken beeld nodig hebben dan iemand die het sterven als een bevrijding ervaart. Deze laatste mensen voelen zich uit hun lichaam overglijden in een oneindige, grenzeloze ruimte vol liefde en licht. Zij hoeven geen grenzen te stellen; zij gaan op in liefde. Zij ervaren het leven als één. Deze mensen zullen hun bevrijding niet pas zien aan het einde van een tunnel; zij ervaren deze bevrijding altijd, overal. Zij zullen God niet in een bepaalde vorm zien; zij zien God overal.

Soms ziet een stervende al enkele dagen of uren voor zijn overgang een rivier met aan de overzijde iemand die de stervende wenkt. Dit beeld dient als een soort voorbereiding op het sterven. Ook helpt het de stervende zich te oriënteren. Een stervende kan een brug voor zich zien en weten dat hij deze moet oversteken. Als een stervende dan ook zegt: 'Ik moet een brug over; aan de andere kant van de rivier roepen ze mij', zeg dan als begeleider: 'Ga maar naar die andere kant.' We hebben allemaal een zetje nodig. Op die manier bevestigt u de stervende in zijn ervaring, waardoor hij rustiger zal worden. Toch blijft het vaak moeilijk deze stap te zetten; sommige stervenden ervaren die als het betreden van een soort niemandsland. Anderen ervaren het meer als het opgaan in een enorme liefdevolle schittering en ervaren daar verder geen beelden of zelfs maar gedachten bij.

Nog anderen stappen in een bootje om naar de overkant te gaan. Of iemand laat zich door een veerman overzetten. Weer anderen doorwaden een rivier. Dit alles betekent in feite het losmaken van het leven. Hoe meer aardegebonden men is, des te benauwder is het beeld dat men van de overgang heeft. Het doorwaden van een rivier is minder benauwend dan het gaan door de engte van een tunnel. Mensen die door een tunnel gaan, gaan eigenlijk door hun eigen engte heen. Er is moed voor nodig om door deze engte te gaan, om de stappen naar de andere wereld te zetten. Toch moeten we allemaal deze stappen zetten. Mensen die zich op God richten, in welke vorm of naam dan ook, zullen de engte van een tunnel niet ervaren. Iemand die niets ziet bij zijn overstap heeft ook geen verlangen naar houvast. Deze mensen geven zich over aan liefde. Zij beseffen dat alles God is en dat slechts God bestaat.

Als een bewust mens overgaan betekent langzaam uit het lichaam gaan; het is dan een enorm fijne ervaring. De hemel opent zich en een schittering van geluk en liefde straalt zo iemand tegemoet. Het is prachtig om een aards leven op die manier af te sluiten. Iemand ervaart zijn overgang dan als een overstelpend geluk; golven van geluk overspoelen hem.

In het Oude Testament van de Bijbel wordt gesproken over een zilveren koord* dat bij het sterven verbroken wordt. In zekere zin is dit ook zo; we kunnen zeggen dat de levensdraad wordt afgeknipt. Alleen komt dit beeld nogal abrupt en weinig liefdevol over. In onze tijd wordt veel gesproken over een tunnelervaring. Dit beeld ligt intussen aardig in het collectieve onderbewustzijn van de mensheid verankerd. Ook in films, televisieprogramma's en -reclame maakt men soms gebruik van dit beeld, of een afgeleide hiervan, om de kijker mee te nemen naar een andere wereld of een andere dimensie.

Omdat de stervende via een chakra het lichaam verlaat (hier komen we later nog op terug), kan men ook gemakkelijk bij het sterven een tunnel zien waar men doorheen gaat. U kunt misschien denken dat de afmetingen van een chakra nu niet direct doen denken aan een tunnel waar men doorheen kan. Maar we moeten wel bedenken dat men deze tunnel waarneemt met andersoortige zintuigen. Dit betekent dat deze tunnel als oneindig lang of als erg breed ervaren kan worden.

Het door een tunnel gaan kan op een universele manier duidelijk maken dat men naar een andere dimensie overgaat. Men gaat over – via een tunnel – van de 'zieken'-kamer waarin men ligt naar een andersoortige ruimte. Tegenwoordig kan men zich de dingen gemakkelijker wat abstracter voorstellen dan in het verleden. Vroeger hadden mensen meer beelden en rituelen nodig. Tegenwoordig kan men eerder denken in termen van energieën en dimensies.

Wanneer men een rivier moet doorwaden, laat dit zien dat men iets van zich afwast. Het met een bootje oversteken geeft aan dat men zichzelf over emoties (water) heenzet. Een of andere grens oversteken kan het gevoel geven van 'geen weg terug', of 'ik moet iets achterlaten'. Laat het aan de Schepper, aan de inwonende ziel, over wat voor soort beeld we te zien krijgen. Ga in een zo groot mogelijke vrijheid over.

Iemand die levenslang in de bergen heeft geleefd, kan zijn overgang, ook in deze tijd, zien als het oversteken van een Alpenweide. Iemand anders gaat over een heuvel. Weer een ander steekt een weg over. Voor iedereen zal het een herkenbare situatie zijn, een situatie die een verlangen oproept om over te steken. Dit verlangen wordt sterker als men aan de andere kant iemand ziet staan die liefdevol wenkt. Meestal is dit de persoonlijke intelligentie, maar het kan ook een groot heilige zijn.

Mensen die een bijna-doodervaring achter de rug hebben, vertellen soms over engelen die zij aan gene zijde hebben gezien. Toch is dit een misvatting; deze lichtende gestalten zijn de astrale wezens in hun (soms) schitterende gewaden. Het intense licht dat aan het einde van de tunnel daagt, is het astrale licht, het licht in de (betere) astrale sferen.

De begeleider kan in een eerder stadium met de stervende over dit soort beelden praten. Als de stervende dan later een dergelijk beeld krijgt, is het herkenbaar voor hem. Men kan zich hier dan gemakkelijker op richten. Zeg vooraf niet dat men door een tunnel gaat, of een rivier moet oversteken. Sommige stervenden krijgen helemaal geen beelden te zien. Laat dit alles aan de Schepper over. De beelden die iemand te zien krijgt moeten we overlaten aan de stervende en aan zijn persoonlijke astrale begeleider.

U kunt wel zeggen dat u hier eens over gelezen heeft, maar praat de ander niets aan. Wanneer iemand er meer over wil weten, kunt u er dieper op ingaan. Aanpraten, preken en discussiëren heeft geen zin. Als het om een goed mens gaat, kunnen we wel zeggen dat hem of haar een prachtige tijd te wachten staat; maar dit voelt de stervende meestal ook zelf wel aan.

Ieder sterven is individueel. Als er honderdduizend mensen tegelijk bij een natuurramp omkomen, zullen al deze mensen hun heengaan verschillend ervaren.

Ieder mens die op weg is en de goede kant uit gaat, zal uiteindelijk de liefde in alles ervaren en ten slotte de Liefde Zelf worden. We leven nu in een tijd waarin we snel vooruit kunnen gaan. De mensheid is bezig te evolueren van het Vissentijdperk, met zijn droombeelden, zijn symbolen en emoties, naar het Watermantijdperk. In deze Nieuwe Tijd komt steeds meer de nadruk te liggen op de hogere chakra's, waardoor de mens beter in staat is zijn intuïtie te gebruiken en onbevooroordeeld na te denken. Dit betekent meer kennis en zuiver inzicht.

Wij raden de mens van deze tijd aan te sterven zonder vooropgezette beelden. Wij raden iedereen aan te sterven in overgave, in liefde, zonder gebondenheid aan bepaalde beelden, in vrijheid.

U kunt zich bij het sterven zo hoog mogelijk afstemmen. Dat betekent dat we ons moeten richten op de Liefde Zelf, zonder dat daar een astrale creatie, een astrale vorm aan gekoppeld is. In het hogere astrale is men nog maar nauwelijks gebonden aan een beperkende vorm. Daar bestaat alleen de vorm van de liefde. In het oorzakelijke is het Zuiver God.

Probeer zonder verwachtingen, zonder vooroordelen te sterven. Probeer u over te geven aan licht en liefde, aan de gelukzaligheid die altijd aanwezig is. Wanneer u gelukzaligheid voelt, geef u hier dan aan over. Laat het verder aan God over welke beelden u tijdens het sterven te zien krijgt. Dit neemt niet weg dat als iemand behoefte heeft aan een beeltenis van een heilige, een heilige die ook tijdens het leven een leidsman of leidsvrouw is geweest, men dit beeld ook zeker tijdens het sterven voor ogen moet houden. Een beeld van een tunnel waar we doorheen gaan is een astrale creatie die, als we eenmaal door de tunnel heen zijn, ook weer uit elkaar valt. Als we een intelligentie of een grote heilige zien, dan is dit echt! Wel is het zo dat deze intelligentie of heilige zich manifesteert in de vorm die voor ons het gemakkelijkst te begrijpen is.

We kunnen gedurende ons leven Meester Jezus, Moeder Maria of Sai Baba aanroepen en een diepe liefde voor deze heiligen voelen. Als we ons tijdens ons leven bijvoorbeeld op Meester Jezus hebben gericht, wees er dan van overtuigd dat Hij ons zal bijstaan tijdens ons sterven en ons zal komen halen. Voelen we een diepe liefdesband met Meester Jezus, dan zal Hij ons helpen.

Terwijl u dit boek zit te lezen, manifesteert de Meester zich aan duizenden stervenden in Zijn volle heerlijkheid. Hij kan evenals Moeder Maria en de andere grote heiligen op verschillende plaatsen tegelijk zijn. Zij zijn niet aan een plaats gebonden; zij zijn alomtegenwoordig. Wanneer we de Meester op ons sterfbed werkelijk gemeend aanroepen en voor Hem kunnen openstaan, zal Hij zeker verschijnen.

Het is triest dat veel mensen deze grote heiligen op een voetstuk plaatsen, zodat zij onbereikbaar voor ons worden. Zij staan in werkelijkheid naast ons, als vrienden, waar we altijd op terug kunnen vallen. Meester Jezus is niet weg om aan het eind der tijden terug te komen; Hij heeft de volledige eenheid met God bereikt, Hij is net als God alomtegenwoordig; Hij woont in ons hart.

Er zijn orthodoxe christenen die als het ware Meester Jezus voor zichzelf opeisen. De Meesters zijn niet op te eisen; we kunnen wel naar hen verlangen. In dit verlangen kunnen wij hun schoonheid ontvangen. Meester Jezus heeft bij zijn sterven God niet opgeëist; Hij gaf zich over aan de Vader.

We zullen de Heer niet op aarde, niet in het astrale en niet in het oorzakelijke kunnen vinden. Als we denken dat we God op een bepaalde plaats zullen ontmoeten, zitten we ernaast. We kunnen wel een stap naar God toe zetten; dan zal God tien stappen dichter naar ons toe komen. We moeten het wel aan Hem overlaten welke stappen Hij naar ons doet.

God is overal, in iedereen, op elk ogenblik. Hij is getuige van alles, in alles. Hij is de energie die zich openbaart in de oorsprong. Zie God in uzelf, hier en nu.

Het gesproken of geschreven woord kan slechts zeer gebrekkig Gods schoonheid openbaren. Zo is het ook met iemand die een droom of visioen heeft; hij kan duizenden woorden gebruiken om deze te omschrijven en nog het gevoel hebben dat zijn woorden de betekenis niet dekken. De taal van de geest is een taal van beelden. De schepping openbaart zich in water en vuur, in bloemen en sterren en niet in letters en woorden. Een stervensbegeleider zou zich dan ook op een beeldende manier moeten kunnen uiten. Door beelden naar voren te roepen, komt de ander gemakkelijker in contact met het geestelijke.

Visioenen

Languit op mijn bed lag ik wat te dagdromen, toen ik voelde hoe ik met een gedeelte van mijn bewustzijn omhoogging, tussen goudgerande wolken een grote 'leegte' tegemoet. Langzaam kwam het beeld van een woestijn naar voren. Ik stond midden op een grote zandvlakte. Recht voor me stond een reusachtige man met een grote knots in zijn hand. Deze man boezemde me geen enkele angst in en ik liep verder. Ik liep door naar een heuvel, waarop zich een vierkant bouwwerkje bevond, met een vierkant dak, gesteund door vier pilaren. In dit gebouwtje zat de dood; tenminste ik zag een geraamte in een donkere mantel gehuld op de grond zitten. Vóór deze figuur stond een laag tafeltje, met daarop een aantal potjes met verschillende vloeistoffen. De dood was wat aan het goochelen met de potjes en schonk de vloeistoffen van het ene in het andere potje. Al met al vond ik het er maar weinig indrukwekkend uitzien.

Als vanzelf voelde ik dat ik naar beneden ging; het werd ook donkerder om me heen. Vanuit de duistere verten kwam een enorm visachtig monster op me af. Het gedrocht had een enorme bek met vlijmscherpe tanden. Ik werd bang; mijn angst werd groter en groter. Het monster kwam steeds dichter naar me toe. Paniek maakte zich van mij meester. Ik voelde dat ik in zijn muil getrokken werd. Ik zat al bijna volledig in zijn bek, toen me de oplossing duidelijk werd. Ik herhaalde de naam van God en realiseerde me dat dood een illusie is.

De dood is niet veel meer dan het gegoochel met emoties. Ik wist dat ik eeuwig, goddelijk ben. Omdat God schoonheid is, viel het monster uit elkaar. Het viel in zwarte stukken naar de aarde.

Gedurende mijn uitstapje had ik het gevoel dat mijn gids, mijn persoonlijke intelligentie, steeds op de achtergrond aanwezig was. Alleen werd ik zo door het vissenmonster in beslag genomen, dat ik niet meer op zijn aanwezigheid kon letten. Het is mogelijk dat mijn gids voor mij het beeld van de dood met zijn gegoochel heeft gecreëerd. Het is mogelijk dat het monster een astrale creatie is, waar gedurende eeuwen mensen wat van hun energie in hebben gestopt. Misschien heeft mijn gids mij naar dit monster gebracht; misschien heeft mijn gids ook dit beeld voor mij gecreëerd. Het geworstel met het monster heb ik als een soort test ervaren: 'Laat nu maar zien of je groter bent dan de dood'; een soort inwijding.

Een visioen is eigenlijk een soort droom die iemand heeft in waaktoestand. Een visioen betekent dat men astrale beelden ziet, intelligenties, een verschijning van een Meester of heilige; of men ziet een landschap, of een tunnel, terwijl men er volledig bij is. Wanneer iemand een visioen heeft, blijft men zich wel altijd nog vaag bewust van de stoffelijke wereld om zich heen. Men staat als het ware met één been in het astrale en met het andere been op de aarde. Vandaar dat vooral stervenden vaak visioenen hebben. Zij hebben een verscherpte waarneming. Zij nemen hun omgeving met andere ogen en oren waar. Zij nemen waar in de geest. Zij nemen waar tot over de grenzen van het bekende leven.

Sommige stervenden horen mooie, hemelse muziek, of ruiken heerlijke geuren. Wanneer iemand dit op zijn sterfbed helder hoort of ruikt, zal dit bijzonder vredig stemmen. Het komt voor dat een stervende de aura's van mensen kan zien; een stervende kan bijvoorbeeld ook zeggen dat een bepaalde persoon ziek is, of dat iemand gestorven is, zonder dat hij dit normaal gesproken had kunnen weten. Afstand speelt hierbij geen enkele rol. Stervenden kunnen als het ware wat uit uw aura plukken. Zij kunnen soms voorgevoelens hebben en u waarschuwen om het een of ander niet te doen. (In onze aura's ligt in grote lijnen onze toekomst besloten. Maar als we onze vrije wil gebruiken, kunnen deze uitgestippelde lijnen ook een andere wending nemen.)

Ook bij mensen die in coma liggen is het bewustzijn sterk verruimd, hoewel deze mensen hier niets over kunnen vertellen. Veel kinderen hebben ook een soort van helderziendheid, alsof zij dwars door mensen kunnen heen kijken.

Dieren kunnen ook verfijnd waarnemen. Daarom kan een hond schijnbaar zonder aanleiding beginnen te blaffen en een kat opeens een hoge rug opzetten. Ik heb eens een stervende man verzorgd die een grote hond had. De man ging steeds verder achteruit, werd zwakker en zwakker. Op een ochtend was hij dermate verzwakt dat het ernaar uitzag dat hij ieder moment kon overgaan. Ik was net met zijn vrouw in gesprek om met haar te overleggen of we haar man nog wat zouden opfrissen, of dat we hem met rust zouden laten. Hij in bed, vredig, rustig ademend, alsof hij in een diepe slaap was. Plotseling sprong de hond met zijn voorpoten op het bed en begon onrustig aan zijn baasje te snuffelen. Na een halve minuut sprong hij weer van het bed af en ging op de grond naast het bed liggen. Zijn baasje was overleden.

De omgeving kan verbaasd reageren als een stervende zegt dat hij een hond of een poes ziet, terwijl er in geen velden of wegen zo'n dier te bekennen valt. Toch kunnen we dan eens vragen: 'Heeft u misschien een hond of een poes gehad?' Wanneer de eigenaar van een huisdier erg goed voor dit dier is geweest, kan de liefde van het dier zo groot zijn dat het vanuit het astrale door zijn baasje dat nu op sterven ligt, wordt aangetrokken. Als een stervende zegt: 'Ik hoor een hond blaffen', is het dus heel goed mogelijk dat dit de hond is waar hij vroeger een fijne relatie mee heeft gehad. Ook paarden kunnen, al zijn zij jaren geleden gestorven, al die tijd in de buurt van hun eigenaar blijven.

Stervenden worden vrijwel altijd opgewacht door één of meerdere overleden familieleden; dat wil zeggen, familie uit hun laatste leven en soms uit eerdere levens. Deze geliefden kunnen zich op een bepaalde manier aan de stervende manifesteren. Zij manifesteren zich op een manier die voor de stervende herkenbaar is. Meestal gebeurt dit onder begeleiding van een vergevorderde intelligentie.

Stel een stervende gerust als hij zegt een overleden familielid te zien. Zeg de stervende dat deze persoon op hem wacht. De stervende hallucineert niet! Degene die wordt gezien is ook werkelijk daar. Soms manifesteert een bekend familielid zich even aan de stervende om deze te laten weten dat hij er is, ter geruststelling. Soms staat een overleden familielid de stervende liefdevol te wenken; hij wenkt dan de stervende naar omhoog. De omstanders rond het sterfbed kunnen ook wel degelijk de aanwezigheid van een intelligentie voelen, of 'helder weten' dat deze er is.

De prettige of soms ook minder prettige beelden die een stervende te zien krijgt, worden maar al te gemakkelijk afgedaan als hallucinaties. Nu is het ook wel zo dat een stervende beelden kan zien waar we onze vraagtekens bij kunnen zetten. Wat bijvoorbeeld te denken als een stervende tegen u zegt dat hij voortdurend een olifant met een papegaaienkop ziet? De beelden waarbij we onze bedenkingen hebben, kunnen bijvoorbeeld veroorzaakt worden door een tumor, door kankeruitzaaiingen in de hersenen, of door hoge koorts. Ook drugsgebruikers kunnen aan hallucinaties lijden, maar het komt zelden voor dat iemand hallucinaties krijgt door een verantwoord gebruik van een morfinepreparaat.

Hallucinaties worden meestal veroorzaakt door een verzwakt kruin- en/of voorhoofd-chakra. Bij stervenden neemt de kracht in de chakra's af. Dit betekent dat de hersenen niet meer de benodigde energie krijgen om gestructureerd te kunnen werken. Allerlei energieën in het hoofd krijgen dan vrij spel, waardoor soms kortsluiting ontstaat en vreemde hallucinaties de kop kunnen opsteken. We moeten wel bedenken dat uitzaaiingen alleen mogelijk zijn als de aura of het chakra verzwakt is. Het een heeft met het ander te maken. Na het sterven zullen deze hallucinaties weer snel wegebben.

Door deze chakra-gaten kunnen ook diverse astrale beelden ongeremd het bewustzijn binnenstromen. Door een verzwakte aura, of een verzwakt kruin- of voorhoofd-chakra, valt een bepaalde bescherming weg. Mensen kunnen dan gemakkelijk belaagd worden door negatieve krachten. Zij zijn soms een welhaast weerloos slachtoffer voor de beelden en gedachten die negatieve intelligenties uitzenden. Heeft iemand in vorige levens met veel overgave naar demonische afbeeldingen of horrorfilms gekeken, dan kunnen deze beelden vanuit de astrale aura naar binnen stromen. Net zoals het water wegstroomt als men de stop uit een badkuip trekt, zo kunnen diverse beelden door deze chakra-gaten in het stoffelijk bewustzijn stromen. En meestal zijn dit beelden die met sterven te maken hebben; juist deze beelden worden door de situatie waarin iemand nu verkeert geactiveerd. Die negatieve beelden kunnen bovendien nog eens door negatieve intelligenties versterkt worden.

Heeft u de indruk dat iemand hallucineert of door negatieve beelden belaagd wordt, breng de persoon dan zoveel mogelijk in contact met de materie. Meestal zullen deze mensen al uit zichzelf de materie opzoeken, door zich vast te klampen aan de rand van het bed of door naar de dekens te graaien. Ook kunnen we hun bijvoorbeeld een appel of een boek in de handen geven, waardoor zij wat meer vastigheid krijgen. Laat hen zoveel mogelijk de dingen aanraken, zodat zij zich van het stoffelijke bewust worden en zich van het astrale afkeren. Zeg niet tegen iemand dat hij waandenkbeelden ziet, dat het allemaal onzin is, want dit kan gemakkelijk het vertrouwen schaden. Probeer de ander naar het licht te leiden; buig negatieve beelden om naar het licht. Ik moet wel toegeven dat dit lang niet altijd even gemakkelijk is. Sommige mensen kunnen zo enorm verward en angstig zijn, dat we hen niet meer kunnen bereiken. Maar we kunnen het hoofd van de ander met beide handen vasthouden en rustgevende beelden op de hersenen projecteren, bijvoorbeeld een mooi landschap. We kunnen de voeten masseren, zodat de ander wat meer geaard raakt. Vaak moet overwogen worden om een kalmerend middel toe te dienen.

Soms zien we bij stervenden hoe zij hun handen uitstrekken naar een beeld dat zij voor zich zien. Wanneer een stervende zijn handen uitstrekt of zegt dat hij mooie dingen ziet, wees dan alert, want dit is een vrijwel zeker teken dat het einde nabij is. Let dan ook eens op de gelaatsuitdrukking; hieraan kunnen we zien of het om mooie of om minder mooie beelden gaat. Ziet de stervende mooie beelden, dan zal dit als het ware van het gezicht afstralen. Bij negatieve beelden zien we angst en onrust. Wanneer u het gevoel heeft dat het hier om mooie visioenen gaat, zeg dan: 'Ga daar naar toe.'

Bij een stervende kunnen we ook nog wel eens zien dat hij aan het prevelen is, alsof men aan het praten is met iemand die wijzelf niet kunnen zien. Zo iemand ís ook aan het praten, met gebruikmaking van zijn astraal lichaam. Hij communiceert met de intelligenties.

Mensen die een bijna-doodervaring hebben gehad, spreken over schitterend lichtende wezens of engelen. Toch zijn dit de 'gewone' astrale intelligenties. Deze lichtende intelligenties hebben soms zo'n sterke indruk gemaakt, dat iemand hen als engelen of zelfs als God omschrijft. Maar deze prachtige beelden die men te zien kan krijgen bij een bijna-doodervaring en zelfs de beelden die men ziet als men op het sterfbed ligt, hebben eigenlijk nog niet zoveel te maken met de astrale werkelijkheid. De werkelijkheid, en dan hebben we het hier over de hogere astrale gebieden, is vele malen mooier!

Als men als mens op aarde deze astrale beelden ziet, kleeft er altijd nog wat aards aan. Dit komt doordat er nog sprake is van een binding met het aardse lichaam, waardoor het astrale beeld haar verfijndheid verliest. Ook bij een bijna-doodervaring is er nog sprake van een binding met het stoffelijk lichaam, anders zou men ook niet meer in het lichaam terug kunnen keren. Eigenlijk is het juist prima geregeld dat we als mens op aarde deze astrale beelden slechts grofweg kunnen waarnemen. Doordat de echte beelden, de waarheid, zo overweldigend groots is, zijn deze voor ons zo verstaanbaar en herkenbaar. Ditzelfde geldt ook voor mooie dromen: de werkelijkheid is vele malen mooier dan we als mens kunnen dromen.

Wanneer iemand een droom of een visioen heeft gehad, mogen we dit niet negeren. Als we zo'n gebeurtenis doodzwijgen, drukken we de ander naar beneden. Een stervende kan dan aan zichzelf gaan twijfelen en denken dat de mooie beelden die hij gezien heeft waarschijnlijk niet zo belangrijk zijn. Wanneer een goed mens op sterven ligt, kan hij prachtige beelden zien. Vraag voorzichtig: 'Wat hebt u gezien?' Meestal kan iemand het niet omschrijven; het is ook zo enorm groots, de schepping is oneindig groots. Beschouw zo iemand overigens wel als een gewoon mens. Niet iedere stervende echter heeft dergelijke visioenen. Het is absoluut geen minpunt voor een stervende als hij niets te zien krijgt. Deze astrale beelden kunnen soms niet worden waargenomen doordat zij door de intelligenties worden tegengehouden. De intelligenties schermen de stervende voor astrale beelden af, zodat deze zich beter met aardse zaken kan bezighouden. Zo kan de stervende bewuster met het stoffelijk lichaam bezig zijn en rustig afscheid nemen. Wanneer iemand maanden lang voor de daadwerkelijke overgang astrale beelden ziet, kan dit flink afleiden van het hier en nu. Dit neemt niet weg dat als de overgang werkelijk daar is, iemand wel degelijk overeenkomstig het bewustzijn in het astrale zal opgaan. Voor andere mensen is het juist goed als zij al maanden voor het sterven bepaalde beelden zien. Deze mensen moeten misschien wennen aan het feit dat er iets is na dit leven.

Astrale beelden kunnen met gesloten ogen worden waargenomen. Aan het einde van het leven zien we vaak dat de stervende met open ogen in het oneindige ligt te kijken. Soms ziet iemand niets en staat het bewustzijn op een laag pitje. Soms ziet hij het astrale als een film die wordt afgespeeld. Een film die nu eens naar boven komt en dan weer wegzinkt in het niets. Het komt ook voor dat de stervende geen toeschouwer blijft, maar in deze film opgenomen wordt, om even later weer terug te zinken in het fysieke bewustzijn. U begrijpt hoe moeilijk het voor een stervende is om dit soort ervaringen met een aards mens te delen. Meestal zal de stervende daar dan ook van afzien en zijn energie voor andere zaken willen gebruiken.

Ziet de stervende iets dat grote indruk maakt, dan zullen we een versnelde pols bij hem kunnen voelen. Belangrijker is het naar de gelaatsuitdrukking te kijken. Ziet de ander er ongelukkig uit en transpireert hij, dan is het vrijwel zeker dat hij negatieve beelden ziet. Bedenk wel dat ook een goed mens wel eens tegengehouden wordt door negatieve krachten. Het zien van vervelende beelden hoeft nog niet te betekenen dat men negatief ingesteld is. Wanneer u vermoedt dat er negatieve krachten in het spel zijn, bid dan bijvoorbeeld het Onze Vader.

De zintuigen zijn de werktuigen van de ziel, zodat we op aarde bewust kunnen worden. Zo ook hebben we astrale zintuigen, zodat we in de astrale wereld bewust kunnen zijn. Iemand die niet veel op heeft met de astrale wereld, iemand die niet gelooft in een hiernamaals, kan dromen en visioenen gemakkelijk als onbeduidend naast zich neerleggen. Maar doe de dingen die een stervende in de geest ziet nooit te gemakkelijk af als hallucinaties. Dit zou bij hem afbreuk doen aan zijn geloof in een wereld na deze wereld. Zeggen dat het om hallucinaties gaat, dit soort dingen in hokjes stoppen, is te gemakkelijk; we hoeven er dan immers verder niet meer over na te denken. Besteed voldoende aandacht aan dit soort zaken.

Er zijn beelden die geen betekenis hebben. Hallucinaties, zoals bijvoorbeeld een olifant met een papegaaienkop, komen inderdaad voor. Maar wat te denken van een olifant die de stervende een schaar aanreikt? Ieder mens heeft een persoonlijke intelligentie die hem of haar vanuit het astrale begeleidt. Vooral op cruciale momenten in het leven zal deze intelligentie ons helpen. Onze intelligentie is altijd bij ons sterven aanwezig. Zo kan de persoonlijke intelligentie een beeld van een olifant met een schaar op de aura van de stervende projecteren. Misschien kiest deze intelligentie voor het beeld van een olifant omdat de stervende vele levens in India heeft doorgebracht. Een olifant is het symbool voor levenskracht. Het kan gaan om een olifant die laat zien dat de levensdraad wordt doorgeknipt. Het leven zelf reikt het einde aan.

16 Negatieve en positieve krachten

Voor een goed mens is sterven een prachtige gebeurtenis. Een goed mens reikt uit naar licht en liefde en zal deze ook ervaren. Daarentegen zal iemand die niet gewend is uit te reiken naar licht en liefde, iemand die steeds alles naar zich toe heeft gegraaid, iemand die openstaat voor negatieve praktijken, ook op zijn sterfbed overeenkomstig zijn bewustzijn openstaan voor negatieve krachten. Men trekt dan negatieve intelligenties aan. Dit zijn overleden mensen die er tijdens hun laatste leven op aarde een soortgelijke instelling op na hielden en nu in het astrale overeenkomstig ditzelfde bewustzijn leven. Zij zullen de stervende aanzetten tot negatieve gedachten, woorden en daden. Zij willen vanaf gene zijde de stervende overhalen om naar hun gebied te komen teneinde hun gelederen te versterken. En gezien zijn komende overgang en zijn gevoeligheid voor astrale energieën is juist de stervende extra gevoelig voor negatieve en positieve krachten.

Na ons sterven drijven we als het ware naar de astrale sfeer die vibreert overeenkomstig de vibratie van onze eigen aura. Omgekeerd trekken intelligenties op een soortgelijke manier naar de mens op aarde. Haat en kwaadheid trekken negatieve krachten aan. Wanneer iemand op aarde over zijn toeren raakt van woede, is dit meestal een teken dat hij even door negatieve krachten aangezet wordt. Wanneer een stervende zich zeer negatief uitlaat over anderen, is dit een vrijwel zeker teken dat hij door negatieve broeders of zusters vanuit gene zijde gemanipuleerd wordt. In hoeverre iemand deze krachten toelaat is afhankelijk van de gerichtheid van de persoon zelf. Maar dit kan ieder mens overkomen; ook positief ingestelde mensen kunnen zich van tijd tot tijd wel eens negatief voelen.

Mensen die tot diepere inzichten komen, mensen die snel groeien, zijn net als een auto die met grote snelheid over een weg rijdt. Zij zijn extra gevoelig voor kuilen en andere obstakels op hun weg. Door een snelle groei in bewustzijn komt veel negatief karma naar boven, zodat het verwerkt kan worden. Mensen raken dan eerder in onbalans.

Hoe grootser ons bewustzijn wordt, hoe scherper we onze gemaakte fouten gaan zien. In plaats van deze fouten te bekijken en ervan te leren, kunnen we onszelf bestempelen als een slecht, mislukt mens. Maar iemand maakt eigenlijk pas een echte fout als hij zichzelf als slecht en negatief bestempelt. Dit is een foutieve gedachte; we zijn immers goddelijk.

Er is een trefzekere manier om zich te beschermen tegen negatieve krachten, namelijk door het bewustzijn zo hoog mogelijk af te stemmen. Hierdoor kunnen negatieve intelligenties ons niet meer bereiken en staan we alleen nog open voor het positieve. Dat gaat het beste door aandachtig en met liefde de naam van God te reciteren: God... God... God... Dit moet op een heel innige manier en langzaam gebeuren! Zie God als een liefdevol, heilig licht, en zie ook uzelf als zijnde goddelijk: vol schitterend licht en liefde. Ook kunnen we een prentje van een heilige in de hand nemen, of – voor de katholieken – een door een priester gezegend palmtakje. Het gaat erom dat we ons naar boven, naar het Licht kunnen richten.

Heeft u het vermoeden dat er negatieve intelligenties in het spel zijn, reciteer dan de naam van God. God is altijd bij ons, altijd. Ons hart is Zijn huis. Waarom bang zijn, als Hij altijd hier is?

Houd wel voor ogen dat deze negatieve intelligenties medebroeders en -zusters zijn. Zij zijn net als alle anderen goddelijke zielen. Alleen richten zij hun bewustzijn van God af; zij zijn negatief gericht. Zij zijn zich niet bewust dat werkelijke vooruitgang en werkelijk geluk gelijk staan aan het varen op Gods kompas. We kunnen dan ook tegen deze intelligenties zeggen: 'Ga naar het licht.' Stuur ze naar het licht en zie ze in het licht. Maar pak nooit en te nimmer deze negatieve krachten direct aan; ga nooit en te nimmer een dialoog met hen aan, op wat voor manier dan ook; dat kan erg gevaarlijk zijn. Reciteer de naam van God, dan komt het goddelijke naar boven drijven.

Vergeet niet dat we nooit alleen zijn! We worden altijd geholpen door onze persoonlijke intelligentie. We kunnen dan wel denken dat we alles zelf moeten opknappen, maar dat we dit denken is het gevolg van ons onvolgroeide bewustzijn. Ieder mens op aarde heeft een persoonlijke intelligentie, een persoonlijke begeleider. Ook Hitler had dat; alleen sloot hij zich hiervoor af.

Persoonlijke intelligenties zijn volledig klaar met de aardse evolutie en kennen zodoende onze problemen door en door. Zij weten wat er speelt. Zij weten dat de mens soms faalt of opstandig is; zij zijn vertrouwd met alle menselijke eigenschappen. Zij kennen het aardse van binnen en van buiten. Zij kunnen zich ook aan de stervende mens manifesteren in een vorm die voor de stervende begrijpelijk is. Zij kunnen op cruciale momenten in ons leven hun liefdevolle gedachten op onze aura projecteren. Zo kunnen zij ons ook weerhouden van zaken die niet goed voor ons zijn. Een van hun taken is de mens naar God te helpen.

Er zijn ook intelligenties die zich tot taak hebben gesteld de stervende mens te helpen bij zijn overgang. Zo'n intelligentie kan, samen met de persoonlijke intelligentie, een cirkel van licht rond de stervende projecteren, zodat negatieve krachten niet bij de stervende kunnen komen. De stervende moet dan wel zelf ook wat van dit licht in zich hebben; dat wil zeggen: de stervende moet goed geleefd hebben. Deze liefdevolle intelligenties zullen tijdens ons sterven het licht dat we in ons hebben versterken, waardoor negatieve intelligenties ons niet meer kunnen bereiken. Zij nemen op een gegeven moment het werk van de aardse stervensbegeleider over.

Ieder mens heeft negatieve gevoelens en dit blijft zo tot een paar uur voor de dood. Vlak voor het overgaan zullen de intelligenties de stervende beschermen tegen negatieve krachten, en positieve gedachten en gevoelens activeren. Bovendien kan de stervende, zo vlak voor de grote stap, volledig opgaan in al het moois dat hij al kan zien.

Een stervende die positief is ingesteld – en de meeste stervenden zijn dat – straalt zelf licht uit. Als we ons hiervoor kunnen openstellen, kunnen we deze lichtvolle gloed rond de stervende zien. Zij stralen in het astrale, soms wat gemengd met oorzakelijk licht.

De begeleider kan dit licht bij de stervende activeren. Als u als begeleider in liefde met de stervende omgaat, brengt u in feite dit licht mee, bij ieder bezoek aan de stervende.

We kunnen de stervende ook bewust in het licht zetten. Visualiseer de stervende in een prachtige, warme lichtgloed. Visualiseer een schitterend goudgeel of witachtig licht om de stervende heen. Dit visualiseren kunnen we eventueel ook op afstand doen. Wanneer we aanvoelen dat de stervende hiervoor openstaat, kunnen we tegen hem zeggen dat we hem, bijvoorbeeld iedere avond, licht zullen toesturen. (We moeten dan wel onze afspraak nakomen.) Staat de stervende hier niet voor open, of is er maar weinig licht in de stervende zelf aanwezig, dan zal veel van het licht dat we hem toesturen langs hem afglijden.

We kunnen de stervende in dit licht zien, en we kunnen hem veel licht toesturen; dit zal hem zeker helpen. We kunnen de ander met dit licht ondersteunen in het heengaan.

Het zal me altijd bijblijven hoe ik eens samen met de echtgenote aan het bed van haar stervende man heb gestaan. De vrouw begon op een gegeven moment tot Moeder Maria te bidden; een katholiek gebed dat ik verder niet kende, maar waarin Maria gevraagd werd de stervende in Haar genade op te nemen. Terwijl zij aan het bidden was, zag ik hoe opeens de hele kamer gevuld werd met een werkelijk prachtig, goudkleurig licht. Ik wist en ik voelde dat dit licht, waarvan de stervende het middelpunt was, zich veel verder uitstrekte dan de kamer. Op dat moment bestond er geen kamer en geen bed meer; er was alleen licht waar de stervende totaal in opging. Dit was zo overweldigend mooi dat het met geen pen te beschrijven valt. Ik was getuige van pure liefde; ook wij als omstanders werden opgenomen in dit licht. Het is onmogelijk te zeggen hoelang dit alles duurde. Toen ik weer zachtjes op aarde terugkwam en mijn fysieke ogen weer begonnen te functioneren, kon ik zien dat de man overleden was. Op zijn gezicht was een wondermooie glimlach als laatste groet aan ons die achterbleven.

Zo kan ik ook vertellen over minder plezierige ervaringen. Ik heb stervenden meegemaakt die wekenlang een enorme doodsstrijd voerden. Een man die vloekend in bed lag en steeds weer uitriep dat de duivel hem kwam halen. Hij wees daarbij voor zich uit naar de negatieve beelden die hij zag. Een andere stervende ging heen vol bitterheid en gramschap. Ook hij had het bijzonder zwaar. Deze mensen zullen onherroepelijk terug moeten naar de aarde om het een en ander recht te zetten.

Ik heb eens meegemaakt dat er om het bed van iemand zoveel zware en negatieve energie hing, dat als ik de kamer binnenkwam ik de neiging kreeg om flauw te vallen. Dergelijke negatief ingestelde stervenden onttrekken bijzonder veel energie aan hun omgeving. Iedereen die aan een dergelijk sterfbed staat voelt zich moe en neerslachtig. Wanneer u bij zo iemand 's nachts moet waken, kunt u door al dit negatieve ook bijzonder moe en geïrriteerd raken. De begeleider moet zichzelf wapenen tegen dergelijke negatieve invloeden.

Verschillende keren heb ik cirkels van vibhuti (= Indiase heilige as) rond het bed van stervenden gemaakt. Ik bad daarbij tot God en tot de persoonlijke intelligentie van de stervende, om te vragen of de stervende gevrijwaard mocht blijven van deze negatieve krachten. Ik heb stervenden in het licht gezet, en de naam van God gereciteerd. Maar soms zijn de negatieve krachten zo sterk aanwezig dat er weinig tegen te doen is, vooral als we pas in een laat stadium bij de stervende worden geroepen.

Als we ons tijdens het sterven richten op Meester Jezus of Moeder Maria, dan zullen Zij ons zeker komen halen. Het is wel aan Hen hoe zij ons zullen bijstaan. Het ligt er ook maar aan wat voor relatie we tijdens ons leven met Hen hebben opgebouwd.

Ook de intelligenties kunnen ons helpen, en als zij dit kunnen, staan zij ook voor ons klaar. Er zijn mooie en minder mooie intelligenties, die ieder op zijn of haar manier een mens op aarde willen bijstaan: overeenkomstig het bewustzijn van de intelligentie zelf. Bedenk dat negatieve intelligenties, net zo goed als onze medemensen, hier op aarde leven en wonen. Alleen, wanneer zij geïncarneerd zijn liggen hun mogelijkheden wat anders. En ook wijzelf kunnen onze medemens positief en negatief beïnvloeden door onze positieve of negatieve gedachten en emoties op de ander te projecteren. Het is belangrijk ons hiervan bewust te zijn.

Ik heb moeten wikken en wegen of ik over deze negatieve krachten zou schrijven; immers, wat niet weet wat niet deert. Ik ben echter van mening dat, of we het nu willen of niet, deze krachten een realiteit zijn en dat zij ook hun invloed willen doen gelden. Het is daarom beter ons hiervan bewust te zijn, zodat we ons ertegen kunnen wapenen. Met wapenen bedoel ik dan: het zich richten op God, zodat het negatieve langs ons afglijdt.

Denk ook eens aan de grote heiligen. Het leven van Jezus laat zien dat Hij keer op keer werd aangevallen door negatieve krachten. Maar dat gebeurde ook met heiligen als Franciscus van Assisi, Theresa van Avila, Meester Eckehart, en anderen. Zij bleven zich bewust richten op God.

Wanneer iemand te horen krijgt dat hij niet meer beter zal worden en zal gaan sterven, keert zo iemand zich vaak van God af; dit is normaal. Laat zo iemand gaan; hij keert toch weer terug en dan kunnen we helpen. Een enkele keer blijft iemand hangen in het negatieve; hij kan het niet aanvaarden. Er zijn mensen die een ander niet kunnen vergeven, of die met gevoelens van wrok overgaan. Er zijn ook mensen die denken dat zij van het lijden af kunnen komen door er zelf maar een einde aan te maken. Wat zijn deze mensen ver verwijderd van de waarheid!

Gelukkig zullen de meeste mensen de laatste dagen voor het overgaan vrij zijn van negatieve krachten. De positieve intelligenties zullen dan een kring van licht rond de stervende projecteren, zodat de negatieve intelligenties er niet meer bij kunnen. De persoon kan dan volledig gelukzalig overgaan.

Let ook goed op uzelf: als u voelt dat u door het negatieve wordt meegezogen, ga er dan tegenin.

Laten we God vragen onze onbewuste, negatief ingestelde broeders en zusters op weg te helpen naar het licht en de Liefde Zelf. Iedereen heeft de opdracht God te naderen; iedereen heeft de taak God te ervaren.

17 Sterven

Elisabeth Kübler Ross, de in Amerika wonende psychiater die veel bekendheid kreeg doordat zij in de zestiger jaren het sterven uit de taboesfeer haalde, heeft het stervensproces in vijf fasen ingedeeld:

1 Ontkenning: de waarheid die tot de patiënt doordringt, 'U heeft niet lang meer te leven', komt zo hard aan dat iemand de natuurlijke reactie heeft deze waarheid t ontkennen.
2 Woede: 'Waarom ik? Waarom moet mij dit overkomen?'
3 Schipperen: 'Als ik een bepaalde therapie ga volgen, of als ik maar genoeg bid, dan zal ik de dans ontspringen.'
4 Depressie: iemand komt tot het besef dat hij werkelijk moet gaan.
5 Aanvaarding.

Deze fasen kunnen na elkaar maar ook door elkaar verlopen. Daarbij kan worden opgemerkt dat de hoop om beter te worden bij de patiënt tot aan de fase van aanvaarding blijft bestaan. Een enkele keer kan het ook voorkomen dat iemand niet in de fase van aanvaarding terechtkomt.

Kübler-Ross beschrijft hier het stervensproces vanaf het begin, dat wil zeggen vanaf het moment dat iemand tot het besef komt dat zijn leven binnen afzienbare tijd zal ophouden.

Een andersoortige benadering is die welke voortkomt uit het boeddhisme. Ook die kent bepaalde fasen.

Aarde: De lichaamskracht neemt af. Je voelt je krachteloos op bed liggen, je kunt je bijna niet meer verroeren. Misschien vind je het vervelend dat je familie en kennissen je er zo bij zien liggen, zo afgetakeld. Je hebt de kracht en ook de wil niet meer om een gebaar te maken naar je omgeving. Je hebt geen zin meer om nog wat te zeggen. Je voelt dat je lichaam en alle ongemakken die daarbij horen je ontvallen.

Water: Je kunt je urine niet meer ophouden, maar je voelt hier geen schaamte over. Misschien hoor je hoe je ademhaling rochelt. Je neemt datgene wat er gebeurt waar zonder dat je er emotionele etiketten op plakt, zonder dat je er gedachten over hebt; je ervaart het met een ander soort zintuigen. Je wordt overrompeld door een diep oergevoel, een gevoel dat voorbijgaat aan emoties en gedachten, een gevoel dat al die tijd in je onderbewustzijn lag opgeslagen.

Vuur: Je mond is plakkerig droog; je handen en voeten voelen koud aan.

Lucht: Het ademen wordt steeds oppervlakkiger; de nadruk komt steeds meer op de uitademing te liggen. Dan stopt ongemerkt je ademhaling. Je bent nu volledig één met datgene wat is.

Wanneer we deze gang door de elementen in een breder perspectief plaatsen, krijgen we de volgende stadia:

Aarde: Je neemt afscheid van het aardse, van je bezit, van je aardse lichaam.

Water: Je neemt afscheid van de emoties die door het voorgaande afscheid naar boven komen.

Vuur: Het ziele-Vuur trekt zich vanuit het aardse terug.

Lucht: Je gaat over naar de geestelijke wereld, je geeft de geest.

Alles heeft zijn tijd: het breken van een been, het uitbreken van een ziekte en het sterven zelf. Wanneer onze aardse tijdklok afloopt, trekt de ziel zich volledig terug uit de aura van het stoffelijk lichaam, zodat het grofstoffelijk lichaam ten dode is opgeschreven. Bij een plotseling ongeluk lijkt dit heel snel te gaan, maar ook daarna, in het astrale, is er tijd nodig om dit te verwerken, om echt psychisch los te komen. Bij een ziekte kan dit gelijkmatiger gaan. Er is tijd voor nodig om te kunnen sterven.

Zonder ziel is er geen leven mogelijk; de ziel is de motor van ons leven. Of men nu sterft door een ongeluk of door een ziekte, het ongeluk of de ziekte is niet de beslissende factor; het is de ziel die zich moet terugtrekken opdat iemand kan sterven.

Deze intentie van de ziel daalt af via de oorzakelijke aura, door de astrale aura heen, totdat deze uiteindelijk gevoeld wordt in het bewustzijn. Is iemand zich dit bewust, dan treedt het proces van sterven daadwerkelijk in. Voor de omstanders echter is het vaak moeilijk te zien wanneer het proces van sterven zich daadwerkelijk inzet.

Er zijn mensen die soms lang van te voren intuïtief aanvoelen wanneer zij zullen overgaan. Dit komt doordat zij de wil van de ziel in hun aura's gewaar kunnen worden. Omdat in deze gebieden echter een andersoortig tijdsbewustzijn heerst, blijft het moeilijk exact aan te geven op welk tijdstip zij dit begonnen te voelen. Naarmate iemand zijn overgaan nadert wordt de tijdsbeleving anders; het dag-nachtritme raakt dan ook vaak verstoord. In het astrale bestaat een ander soort tijdsbeleving; daar is alles meer in het nu aanwezig.

Voor iemand die bewust is van het feit dat hij niet het aardse lichaam is zal het sterfbed er waarschijnlijk anders uitzien dan voor een aardegebonden mens. Sommige mensen hebben geen lang ziekbed nodig om er door middel van verinnerlijking achter te komen dat zij niet het aardse lichaam zijn; zij weten dit al. Deze mensen kunnen ook gemakkelijk en met plezier in het astrale zijn terwijl hun zieke lichaam op aarde nog in leven is. Vrienden en kennissen zitten rond het sterfbed terwijl iemand in feite al is overgegaan, of heen en weer pendelt. Zolang het fysieke lichaam nog leeft, is er nog wel een band, een communicatiekanaal, met het fysieke lichaam op aarde. Via dit kanaal stromen de verfijnde astrale energieën naar het lichaam, de ziekenkamer in. Deze energieën kunnen de omstanders overspoelen en hen als het ware een stukje mee de hemel in tillen.

Of iemand nu een harttransplantatie ondergaat, of besluit de een of andere therapie te volgen, het is uiteindelijk altijd aan de Schepper, de ziel, om te bepalen wanneer iemand overgaat. Ieder mens gaat op zijn eigen tijd en ieder sterven is individueel.

Soms kan het leven met behulp van een medische techniek verlengd worden. De ziel kan zich dan weer wat beter verankeren, tenminste als Zij die intentie heeft. Een ziek lichaam heeft voor de ziel soms te weinig waarde, maar als het lichaam door een medische ingreep weer tot een bruikbaar instrument voor de ziel wordt gemaakt, kan het leven nog een tijd worden voortgezet. We kunnen dit vergelijken met een lekgeslagen boot die voordat hij zinkt wordt opgelapt, zodat hij nog een tijdje bruikbaar is. Echter, als de ziel zich terugtrekt is hier niets tegen te doen. Het is uiteindelijk de ziel die bepaalt of iemand zich uit het aardse moet terugtrekken en niet de ziekte.

Het is ook mogelijk dat de ziel zich terugtrekt uit een relatief gezond lichaam, waardoor een ziekte op de zwakste plek in de aura ontstaat. In dit geval zal een medische ingreep slechts van zeer betrekkelijke waarde zijn.

Wanneer iemand er vóór zijn incarnatie, in dialoog met zijn hogere Zelf, bewust voor gekozen heeft vijfenzeventig jaar op aarde te blijven, zal hij ook op zijn vijfenzeventigste sterven.

Zo kan iemand met drie andere mensen in een auto zitten, die alledrie omkomen bij een ongeluk; die ene persoon blijft in leven. Ook kan iemand met vijfhonderd mensen in een vliegtuig zitten dat neerstort, waarna iedereen omkomt behalve deze ene persoon: voor hem was de tijd nog niet gekomen. De omgekomen mensen hebben elkaar onbewust opgezocht om te sterven; het is een soort groepskarma.

Vrouwen leven over het algemeen langer dan mannen. Dit komt doordat vrouwen gemakkelijker met hun emoties kunnen omgaan; het uiten van emoties is goed voor de gezondheid. Vrouwen hebben meestal ook een betere neus voor gezonde voeding; zij zorgen vaak beter voor hun lichaam. Bij mannen ligt dit vaak wat anders; zij moeten ook vaak van alles. Mannen of vrouwen die gewend zijn hun energie naar buiten te richten, carrièremakers met een drukke baan, zullen over het algemeen minder lang leven dan mensen die het wat dichter bij zichzelf zoeken.

De aura van het fysieke lichaam kan door een aantal zaken sneller uitgeput raken. Zo kan ook een flinke griepaanval de aura zodanig verzwakken, dat vooral mensen die door ziekte of ouderdom toch al een zwakke aura hebben, de griep niet meer te boven kunnen komen.

Ook temperatuurwisselingen putten de aura uit, waardoor iemand eerder sterft. 's Winters hebben vooral de daklozen het zwaar; het verweer tegen de koude kost veel energie. De winter is voor sommige mensen een zware, harde tijd: voor sommigen een uitputtingsslag.

In de wintermaanden voelen veel alleenstaanden zich vaak eenzaam, vooral wanneer de bekende feestdagen aanbreken. Somberheid en depressiviteit blokkeren de levensenergie. In de zomer is het leven doorgaans wat gemakkelijker; dan is er ook meer aandacht voor de omgeving en de natuur.

De zon is een van de belangrijkste energiebronnen voor de aura van het stoffelijk lichaam. In de winter, wanneer de zon laag staat, is er veel minder prana (= levensenergie van de zon) in onze omgeving aanwezig dan in de zomer. Daardoor sterven er in de winter meer mensen dan in de zomer. Met name in de laatste wintermaanden en het vroege voorjaar, wanneer de hoeveelheid prana in de lucht op een absoluut dieptepunt is, sterven meer mensen dan anders. Wanneer de lente op gang komt, vindt er weer een toevloed van prana plaats; in de maanden augustus en september heeft de prana-energie het hoogste punt bereikt. In deze maanden zullen er dus minder mensen sterven.

Omdat deze prana-levensenergie van de zon afkomstig is, is er ook 's nachts dus minder energie dan overdag. Een paar uur voor zonsopkomst heeft de hoeveelheid prana een dieptepunt bereikt. In de nacht streven meer mensen dan overdag.

De maan is echter in staat prana van de zon naar aarde te weerkaatsen. Vooral bij volle maan is dit het geval; daarom voelt men zich bij volle maan, ook 's nachts, wat energieker. Bij volle maan krijgt de aura van het stoffelijk lichaam wat meer prana toebedeeld, waardoor we soms de slaap niet kunnen vatten. Bij afnemende maan krijgt de aura minder energie. Daarom zullen er meer mensen sterven bij een afnemende of nieuwe maan. Maar, om het wat ingewikkelder te maken, veel mensen voelen zich bij volle maan onrustig en raken daardoor juist energie kwijt. Dit zou betekenen dat er bij volle maan juist meer mensen zullen sterven. Begrijpt u het? De maanstand heeft geen invloed op het aantal sterfgevallen. De maan heeft wel invloed op de emotionele stemming.

Ook wanneer er onweer op komst is, of als het sneeuwt, voelen veel mensen zich emotioneel onrustig worden. Er gaat dan meer energie naar de aura van het astraal lichaam, waardoor sterven gemakkelijker wordt.

Het stervensproces neemt altijd de nodige tijd in beslag. Plotseling sterven is er eigenlijk niet bij. Ook iemand die bij een ongeluk omkomt heeft tijd nodig om volledig met het bewustzijn over te gaan. Iemand die plotseling uit het leven wordt losgescheurd heeft geen afscheid kunnen nemen; hij zit met een onverwerkt verleden. Zo iemand kan dan ook vaak moeilijker op een rustige manier van het astrale genieten; meestal wil hij weer snel terug naar de aarde. Heeft iemand voorafgaande aan het sterven een ziekbed, dan wordt het sterven meestal gemakkelijker; hij is dan voorbereid.

Doe nooit een uitspraak over hoelang het sterven nog zal duren. Als u enige ervaring heeft kunt u wel een vermoeden hebben, maar wees hier heel voorzichtig mee.

Sommige mensen krijgen opeens een opleving. Dit is soms toe schrijven aan het feit dat iemand het astrale begint te zien. Vertwijfeling kan op zo'n moment wegvallen, doordat iemand beseft dat er een hiernamaals is dat hem ook liefdevol tegemoet komt. Dit kan nieuwe energie geven. Iemand kan zich dan plotseling oprichten en bijvoorbeeld zeggen: 'Ik zie mijn moeder.'

Het komt voor dat iemand op zijn sterfbed het lichaam verlaat en voor korte tijd in de prachtigste werelden vertoeft. Zo iemand wordt dan op een gegeven moment weer naar het aardse terugverwezen. Hij zakt als vanzelf weer naar het lichaam terug om nog een paar dagen of uren op aarde te zijn. Zijn tijd is nog niet gekomen. Na een dergelijke opleving volgt er weer een fase van voorbereiding. De stervende gaat zich weer op God richten en kan een prachtige overgang meemaken.

Er zijn stervenden die, als zij zich voelen wegglijden uit het leven, met hun wil alle energie verzamelen om op aarde te blijven. Op die manier proberen zij hun sterven nog een tijdje uit te stellen. Zo'n onderneming kost echter zoveel energie dat het sterven uiteindelijk juist versneld wordt. Zo'n opleving is dus schijn; het gaat de stervende niet beter. Iemand laat alleen zien dat er een sterke wil tot leven is. Daarna zakt hij weer terug, maar nu wel een stuk dieper dan daarvoor.

Het kan ook zijn dat iemand de mooie gebieden al ziet en wil gaan oversteken, maar door een ingreep van een arts wordt teruggehaald. Zo iemand kan dan bijzonder kwaad op de arts worden. U kunt zich waarschijnlijk ook wel voorstellen hoe vervelend het is als men bij iemand die zich al volledig richt op het hiernamaals, met een lampje in de ogen gaat schijnen om te kijken of er nog een pupilreactie is.

Wanneer er geen ademhaling en geen hartslag meer is, is dit een teken dat het lichaam dood is. Wil men absolute zekerheid dat de overledene niet meer tot leven zal komen, dan kan men door middel van een EEG nagaan of er nog hersenactiviteit is. Dit kan van belang zijn voor een eventuele orgaandonatie.

Het sterven van de aura van het stoffelijk lichaam en de chakra's

Gedurende het stervensproces wordt de aura van het stoffelijk lichaam zwakker en zal uiteindelijk oplossen, zoals een wolk zich in de lucht oplost. Je ziet de wolk niet meer, maar de delen waaruit de wolk bestond bestaan nog steeds. De aura zal oplossen en deze energie zal terugvloeien naar het reservoir van energieën. De aura sterft, waarbij het stoffelijk lichaam overgaat tot ontbinding.

Dit zwakker worden en oplossen van de aura heeft een aantal gevolgen, zowel voor het stoffelijk lichaam als voor het bewustzijn. De stervende voelt zich moe, heeft het eerder koud.

Wanneer de aura het stoffelijk lichaam niet meer in haar greep heeft, moet ook het stoffelijk lichaam alles wat het tot dan toe heeft vastgehouden, loslaten.

Vaak zien we dat de stervende transpireert. Er ontstaat het zogenoemde doodszweet, met een typische geur, die mede veroorzaakt kan worden door medicijnen. Iemand laat ontlasting en urine nu gemakkelijk lopen; er is incontinentie doordat de sluitspieren verslappen.

Ook kan nu vocht buiten de bloedbaan treden en in de longblaasjes terechtkomen (terminaal longoedeem). Dit kan resulteren in een rochelende ademhaling, waarbij het vocht diep in de longen zit.

Mede door de verminderde bloedcirculatie kan het bloed in de laaggelegen lichaamsdelen buiten de bloedbaan blijven stilstaan. Daardoor ontstaan paarse, soms bruinachtige lijkvlekken op bijvoorbeeld armen of benen, de billen of de rug.

Soms zien we een sterke haaruitval.

Pijn wordt gedurende dit proces steeds minder gevoeld. De aura van het stoffelijk lichaam trekt zich terug uit het zenuwstelsel. Eigenlijk is het zenuwstelsel het medium tussen de aura en het stoffelijk lichaam. Wanneer de aura schoksgewijs het zenuwstelsel loslaat, zien we dat de stervende schokachtige bewegingen maakt, een soort stuiptrekken.

De chakra's, de lichtcentra in de aura doven, waardoor ook de zintuigen minder werkzaam kunnen zijn. Omdat de aura ook een beschermende functie heeft, zal de stervende steeds moeilijker harde geluiden kunnen verdragen. Harde geluiden doen dan als het ware pijn aan de aura.

Doordat de aura niet voldoende energie meer uitzendt, wordt de huid vaal en levenloos. Vaak zien we een wasachtige verkleuring van het gezicht. Het gezicht ziet er ingevallen uit, met ingevallen wangen, waardoor de neus en de jukbeenderen puntig naar voren steken.

De aura trekt zich het eerst terug van de extremiteiten, de voeten en de handen. Het wandelen en het handelen op aarde stoppen. De stervende betreedt nu de andere wereld, met andere voeten, en werkt met een andersoortige materie. 'Heer, neem mijn beide handen en leid mij voort.'

Als het levensvuur zich terugtrekt en het bloed minder stroomt, koelt het lichaam af. De voeten, handen en oren (de extremiteiten) worden koud. De neus wordt koud en voelt klam aan. Ook de adem die men uitademt wordt kouder. Het mechanisme dat ervoor zorgt dat het lichaam op temperatuur blijft zal er alles aan doen om het weer warm te krijgen. Daardoor kan de stervende het soms afwisselend warm en koud hebben.

Wanneer de aura van het stoffelijk lichaam zo goed als opgelost is en het bewustzijn overgaat naar het astrale, kan men soms een koude windvlaag voelen die van de overledene afkomt; de uitstraling van het lichaam valt weg. Zelf heb ik dit verschijnsel een keer waargenomen; deze kille windvlaag is ook weer vrij snel voorbij.

De aura van het stoffelijk lichaam wordt naar het moment van heengaan toe steeds zwakker. Hierdoor zullen de chakra's, die in feite een onderdeel vormen van de aura, uiteindelijk oplossen.

Het hart-chakra verliest haar vorm en lost op. Het hart wordt zwakker, en om toch nog zo goed mogelijk het bloed rond te pompen gaat het sneller kloppen. Dit geeft een waterige, vluchtige pols.

De kleine chakra's achter de ogen en het voorhoofd-chakra worden zwakker; de ogen gaan er levenloos uitzien: men spreekt dan ook wel 'gebroken ogen'. Dit is een teken dat de stervende in het hiernamaals blikt. De ogen kenmerken zich dan door energieloosheid; er is een matte, doodse blik. Pas wel op, want het voorhoofd-chakra kan te allen tijde opnieuw geactiveerd worden. De stervende ziet dan in het astrale iets dermate indrukwekkends, dat dit het voorhoofd-chakra activeert, waardoor de ogen plotseling weer opvlammen. Wanneer de stervende er rustig en vredig bij ligt, kunnen we er wel van uitgaan dat hij iets moois ziet.

Wanneer de ogen naar boven gedraaid zijn – iets wat ook bij diepe meditatie kan voorkomen – wil dat zeggen dat de chakra's achter de ogen hun greep op de oogbollen kwijt zijn en dat de ogen richting voorhoofd-chakra worden getrokken. De blik is dan op God gericht.

De stervende kan ook afwisselend donker en licht ervaren. Donker betekent dat men de fysieke ogen gebruikt, die nu nagenoeg niet meer zullen werken. Licht betekent dat iemand in het astrale kijkt; hij kijkt dan met het niet-stoffelijke oog en kijkt in een stralende ruimte.

De chakra's die de ademhaling reguleren nemen in kracht af. De ademhaling wordt geregeld vanuit verschillende chakra's: het keel- en het hart-chakra en ook twee kleine chakra's die boven de tepels liggen. Deze chakra's tezamen reguleren en stuwen de ademhaling. Iemand die zichzelf heeft onderdrukt, iemand die zijn ademhaling als het ware tijdens zijn leven heeft ingehouden, heeft de energie in deze chakra's onderdrukt. Deze energie zal nu niet meer vastgehouden kunnen worden. Terwijl iemand normaal gesproken al zo ongeveer met ademhalen gestopt zou zijn, blijft er onderdrukte energie vrijkomen, waardoor de ademhaling weer geactiveerd wordt. Men spreekt dan van een Cheyne-Stokes-ademhaling. De ademhaling valt soms een minuut lang weg; dan komt er weer onderdrukte energie vrij die de stervende over het dode punt heen trekt. Dit kan soms dagenlang aanhouden. Steeds denkt men dat het om de laatste ademtocht gaat, om vervolgens, soms met verbazing, vast te stellen dat de ademhaling weer verdergaat. (Ook doordat de ademhalingsspieren verslappen kan men moeilijk doorgaan met ademhalen.) In de regel kunnen we stellen dat deze manier van ademen aangeeft dat de stervende tijdens zijn leven zijn vrije ademhaling onderdrukt heeft en dat hij ook tijdens het overgaan zichzelf niet toestaat vrijelijk uit het leven te vloeien. Als u als begeleider naast zo iemand aan het bed zit, kunt u geen gesprek beginnen over de oorzaak hiervan. U kunt wel zeggen: 'Ga nu maar rustig.' Op de momenten dat iemand weer begint met ademhalen kunt u hem beter bereiken dan op de momenten dat de ademhaling is weggevallen.

Iemand kan heel zijn wil en al zijn krachten aanwenden om toch vooral maar door te gaan met ademhalen. Dit is te zien als de stervende snel, zwaar en diep ademhaalt. Dit wordt in medische kringen wel Kussmaul-ademhaling genoemd. Deze ademhaling kan echter ook veroorzaakt worden door zelfvergiftiging van het lichaam, wanneer de nieren niet goed meer werken of de lever het heeft opgegeven; het gif moet er dan via de adem uit.

Hoewel enige voorzichtigheid geboden is, valt er vaak het een en ander op te maken uit de manier van ademen. Iemand die vecht tegen het gevoel van wegglijden uit het leven ligt vaak met horten en stoten te ademen. Vaak zien we daarbij dat de nadruk ligt op de inademing, een teken dat men naar lucht, naar leven hapt. Een ander ademt rustig en vredig, soms met een kleine tussenpoos, meestal met de nadruk op de uitademing.

Het verloop van het stervensproces is altijd individueel; het ligt in de verschillende aura's, in het karma besloten.

Bij een 'normaal' sterfbed begint het bewustzijn los te komen van de stoffelijke aura. De stervende zal zich daardoor vrijer gaan voelen; hij kan zich daardoor gemakkelijker uiten. Hij voelt zich loskomen van het lichaam en het aardse leven wordt steeds relatiever. Iemand wordt steeds meer één met de astrale beelden die hij voor zich ziet opkomen; hij ervaart deze nieuwe wereld als werkelijkheid. Hij voelt zich uitdijen; er is een gevoel van grenzeloosheid. Het astrale licht begint te dagen en iemand voelt zich, overeenkomstig het bewustzijn, steeds meer opgenomen worden in dit licht.

De stervende kan voelen hoe het lichaam zich ontspant, zwaarder wordt en wegzakt in de matras. De kracht om te bewegen neemt af. De ledematen voelen zwaar en ontspannen aan, hij heeft ze niet meer in zijn macht. Alles kost veel kracht, zelfs het openen van de ogen. De mond kan niet meer worden dichtgehouden. Het inademen kost steeds meer moeite, waardoor de inademing korter wordt in vergelijking met de ontspannende uitademing.

Iemand kan er nu wel slap en versuft bij liggen, toch gaat er van alles in de stervende om. Hij ziet nu de nieuwe wereld en richt zich hierop. Hij maakt van alles mee, maar heeft de kracht niet meer om dit aan de omgeving duidelijk te maken.

Terwijl de kracht van de stoffelijke aura begint af te nemen en het bewustzijn begint los te komen van het lichaam, begint de stervende te beseffen dat er nu geen weg terug meer is. Dit zal ieder mens in mindere of meerdere mate angstig maken. Er vindt een scheiding plaats en dit maakt ons angstig.

Zoals een blad in de herfst door de boom wordt losgelaten en wordt meegenomen door de wind, zo ontvalt het stoffelijk lichaam de stervende: het keert terug naar datgene waaruit het is opgebouwd, de aarde.

Ieder mens zal in zijn of haar leven van tijd tot tijd bepaalde zaken willen wegstoppen. Dit is niet zo erg, mits we alert blijven, zodat deze zaken zich niet kunnen gaan opstapelen tot een enorme hoeveelheid opgekropte energie; want om deze energie te onderdrukken is ook weer heel wat energie nodig.

Iedereen kent het wel: we zitten met iets en we durven er niet over te praten. Opeens barst de bom. We kunnen dan de energie die voor het wegstoppen van het een of ander nodig was, niet meer opbrengen. Een ander zal dan verbaasd staan te kijken: zo heeft men u nog nooit meegemaakt.

Iedere ervaring op een bepaald gebied wordt opgeslagen in een overeenkomstig chakra. Wanneer we ervaringen gaan vastzetten, onderdrukken, worden deze als het ware ingekapseld in het chakra. Tijdens het sterven vervaagt de omtrek van de chakra's. De energie van de chakra's neemt af, blokkades vallen uiteen, onderdrukte zaken krijgen vrij spel. Nu hoeft dit alles niet zo dramatisch te zijn; er kan zo af en toe wat onderdrukte energie naar boven komen. Dit is meestal niet van lange duur. Het kan soms een paar uur, soms een uurtje duren.

Mensen die bepaalde zaken verdrongen hebben, kunnen daar op hun sterfbed mee in contact komen. Zo kan iemand beginnen te vertellen over iets dat vroeger gebeurd is en waarvan de familie absoluut geen weet heeft. Hij kan ook opeens iets gaan opbiechten. Mensen die we nooit hebben horen vloeken, kunnen nu beginnen te razen, doordat zij in hun leven een hoop kwaadheid hebben onderdrukt. Laat deze mensen zich uiten. Maar krijgt u het gevoel dat de ander nu wel erg lang aanhoudt, probeer dan een of ander onderwerp aan te snijden. We kunnen dan zeggen: 'Ik heb nu een hele tijd naar u zitten luisteren, maar wat denkt u nu daar of daar van?' Begin nu niet direct over God te praten, maar bijvoorbeeld over iets dat buiten te zien is, over de natuur, of iets waarvan u denkt dat het de ander zal aanspreken. Wanneer iemand zich grof uit, kunnen we misschien zeggen: 'U gebruikt nu deze taal, maar u kunt ook een andere taal gebruiken.'

Mensen die bepaalde zaken verdrongen hebben komen er nu mee in contact doordat er geen energie meer is om deze onderdrukking in stand te houden. Zowel mannen als vrouwen kunnen in hun laatste levensdagen seksueel opgewonden raken. Dit klinkt misschien vreemd, maar toch komt dit voor. Het is een teken dat seksuele gevoelens tijdens het leven te veel zijn onderdrukt. Een enkele keer uit zich dit in seksueel getinte, soms vulgaire taal, maar het is ook mogelijk dat iemand regelmatig, soms nare, seksuele dromen heeft, of dat de stervende in bed gaat masturberen. Een stervende die altijd heel vroom geleefd heeft, kan nu van zijn eigen gedachten of handelen schrikken. Bedenk wel: ook in het astrale gaat het seksuele gewoon door, zij het wel op een wat andere, meer verfijnde manier dan hier bij ons op aarde.

Alle chakra's zijn met elkaar verbonden. Gebeurt er iets in het ene chakra, dan kan een ander chakra daarop reageren. Valt er in het buik-chakra een blokkade weg, dan is het goed mogelijk dat er meer energie naar het hart-chakra begint te stromen. Men voelt dan dat een golf van liefde komt opzetten. Stroomt er plotseling meer energie in het voorhoofd-chakra, doordat een onderliggend chakra meer energie kan doorgeven, dan zal dit het astrale gezichtsvermogen activeren. Soms kan de stervende ook helder gaan horen of helder gaan ruiken.

Zoals we in Hoofdstuk 1 gezien hebben, ligt het bewustzijn in de verschillende aura's. Er zijn zeven werelden of bewustzijnsniveaus; als ziel hebben wij de beschikking over zeven lichamen om in de overeenkomstige werelden werkzaam te kunnen zijn. Ieder lichaam heeft een krachtveld, een aura, waardoor we met de betreffende wereld kunnen communiceren en waarin ook ons bewustzijn ligt.

Het bewustzijn aangaande aardse aangelegenheden ligt in de aura en de chakra's van het stoffelijk lichaam. Deze aura wordt, onder leiding van de ziel, in stand gehouden door de kundalini-kracht. Deze kracht ontspruit aan de wortel van de ruggengraat en bij een ontwaakt mens komt deze kracht in zijn volledigheid tot in de kruin.

Bij het sterven trekt de ziel zich uit de aura van het stoffelijk lichaam terug. De aura zal uiteindelijk volledig oplossen, maar eerst ontstaan er tijdens dit proces zwakke plekken. Met name daar waar zich een zwak, slecht ontwikkeld chakra bevindt, zal er een gat in de aura van het stoffelijk lichaam ontstaan. (Chakra's vormen immers een onderdeel van de aura.) De kundalini-kracht, die weliswaar ook aan het afsterven is, zal in dit gat een opening vinden om te ontsnappen. Deze kracht zal alle energie die nog in de aura van het stoffelijk lichaam aanwezig is, mee op sleeptouw nemen. Het bewustzijn wordt meegetrokken in de stroom door het gat in de stoffelijke aura. Het is alsof men door een tunnel gaat. Aan het einde van de tunnel is het licht, dat wil zeggen de astrale wereld. Het bewustzijn vloeit over van de stoffelijke naar de astrale aura. Het bewustzijn wordt ook nog extra door de astrale aura aangetrokken doordat deze aura nu in vergelijking met de aura van het stoffelijk lichaam een sterker magnetisch krachtveld is.

Tijdens het sterven stroomt de energie uit de stoffelijke aura weg door het chakra dat, van het stuit-chakra af gezien, het zwakst ontwikkeld is. Een enkele keer is het ook helderziend waar te nemen, of helder te weten, door welk chakra iemand vertrekt. Maar wanneer u ziet, weet of voelt dat de stervende door bijvoorbeeld het hart-chakra heengaat, kunt u dit beter niet tegen de aanwezigen zeggen. Als de nabestaanden het een en ander van deze zaken afweten, kan het namelijk niet prettig voor hen zijn te weten dat de gestorvene nog een keer naar de aarde terug moet.

Iemand die zijn status ontleent aan zijn redeneertalent, of zijn omgeving intellectueel wil beheersen, kan door het keel-chakra overgaan. Iemand die zich letterlijk heeft uitgeleefd, iemand die achter zijn dierlijke impulsen heeft aangerend, kan door een lager chakra overgaan.

Iemand kan op zijn sterfbed diep gemeend berouw over zijn negatieve daden hebben. De Godheid in ons kan dan deze negatieve daden wegwassen, waardoor het chakra eigenlijk in ere hersteld wordt. Op zijn sterfbed heeft deze persoon dan een flinke stap verder in de evolutie gezet.

Veel mensen zullen door het hart-chakra overgaan. We moeten hier wel meteen aan toevoegen dat, als iemand aan een plotselinge hartstilstand is overleden, dit nog niet hoeft te betekenen dat deze persoon door het hart-chakra is overgegaan. Als de ziel zich, zoals in dit geval, plotseling terugtrekt, kan het bewustzijn wel degelijk via een ander chakra zijn overgegaan terwijl het hart pas daarna is gestopt. Iemand kan sterven aan een hartinfarct en toch door het kruin-chakra zijn overgegaan. Door het hartinfarct kan men dan een laatste restje karma opruimen, zodat men het aardse voorgoed achter zich kan laten. Zo wil darmkanker ook niet zeggen dat men door het buik-chakra overgaat. Ook in dit geval is het zeer wel mogelijk om bijvoorbeeld door de kruin over te gaan.

Het gebeurt een enkele keer – misschien zult u er van schrikken – dat iemand sterft tijdens de geslachtsgemeenschap. 'Sterven in de armen van de liefde' wordt dit wel in de volksmond genoemd. Dit betekent niet dat deze persoon door het geslachts-chakra is overgegaan. Als het een fijne gemeenschap is geweest, gaat zo iemand over door een van de hogere chakra's. Ook een dement iemand, die in stilte het voorbije leven verwerkt, kan wel degelijk door het kruin-chakra overgaan, mits dit zijn laatste aardse leven is geweest.

Het zwakst ontwikkelde chakra geeft de mogelijkheid om over te gaan. Het blijft echter moeilijk te zeggen door welk chakra iemand is overgegaan. De meest betrouwbare manier om erachter te komen door welk chakra iemand overgaat, is te kijken naar het achterliggende leven.

Tijdens het sterven kan iemand zich ook afgesneden voelen van datgene waar het kleine ikje altijd zo goed in was. Zo kan iemand op het sterfbed eronder lijden dat hij de dingen niet meer goed kan beredeneren. Dit komt doordat het overeenkomstige (keel-)chakra, het meest verzwakte chakra, nu als eerste wegvalt.

Iemand die sterft met een glimlach, gaat meestal door het hart-, voorhoofd-, of kruin-chakra. Zo iemand ziet onvoorstelbaar mooie dingen en is ook gelukkig met zijn sterven.

Gaat iemand door het voorhoofd-chakra over, dan wil dit meestal zeggen dat dit het een na laatste leven is. Een goed mens die voorgoed de aarde verlaat, zal via het kruin-chakra gaan. Deze persoon hoeft niet meer terug. Dit chakra opent zich dan als een lotusbloem. Men heeft een gevoel van: 'Eindelijk thuiskomen.'

Het is niet goed als begeleider met deze energieën te gaan manipuleren. Men zou op de gedachte kunnen komen tijdens het overgaan een bepaald chakra te activeren, of zodanig met energieën te manipuleren dat de stervende via het hoogst mogelijke chakra uittreedt. Buiten de vraag of dit mogelijk is, is het beter de stervende rustig overeenkomstig het eigen bewustzijn, het karma, aan gene zijde verder te laten gaan. God laat zich niet beetnemen met allerlei trucjes. Ieder mens heeft zijn eigen weg te gaan. Ook de persoonlijke astrale begeleider zal de stervende zijn eigen sterven niet ontnemen.

Ik heb wel eens gelezen dat de stervende tijdens het heengaan het rechter- (of was het linker- ?) neusgat zou moeten dichthouden, om zo in de hoogste gebieden terecht te komen. In een ander boek las ik dat men de 'laatste zenuwreflex' moet gebruiken om zo hoog mogelijk te kunnen opstijgen. Hoe we dit zouden moeten doen stond er helaas niet bij vermeld.

Iedere vorm van gehechtheid brengt lijden met zich mee. Waarschijnlijk is het dan ook beter ons niet vast te klampen aan rituelen, trucs of bepaalde beelden die we tijdens ons laatste uur willen gaan zien. Daarom wil ik iedereen aanraden ongehecht te sterven in liefde. Liefde is gelijk aan God. Laat het aan God over wat we te zien krijgen. God laat ons niet alleen. Hoe kan hij ons alleen laten als we het zelf zijn?!

Het sterven zelf is een proces waarbij veel verschillende energieën een rol spelen. Een stervende kan gemakkelijk energie naar een medemens sturen. Wanneer een stervende aan iemand denkt, kunnen daar automatisch de nodige energieën naar toe gaan. Als iemand plotseling aan een ander moet denken en later hoort dat die ander op hetzelfde moment is gestorven, is dit dan ook vrijwel zeker teken dat de stervende tijdens zijn sterven aan deze persoon heeft gedacht.

Zo herinner ik mij dat ik het eens plotseling koortsig en broeierig warm kreeg. Later bleek dat dit precies gebeurde op het moment van overgaan van een stervende die ik vaak had bezocht. Deze energieën kunnen zo sterk zijn dat zij soms op het materiële vlak ingrijpen. Zo kan op het moment van sterven bij iemand van de familie of bij een vriend de deurbel gaan, of hoort men voetstappen door het huis. Een collega heeft meegemaakt dat, op het moment dat haar patiënt overging, bij haar thuis de telefoon op een vreemde manier begon te rinkelen. Sommige stervenden willen zich graag op het moment van overgaan aan een ander manifesteren; zij willen zich doen gelden. Waarschijnlijk hebben we hier met meer aardegebonden personen te maken. Beter is het echter de blik naar omhoog te richten.

Bij het sterven – en ook bij een geboorte – kunnen er zeer veel energieën vrijkomen. U kunt eens nalezen wat er niet allemaal gebeurde toen Meester Jezus geboren werd. En ook toen Hij stierf gebeurde er van alles. Toen Sai Baba geboren werd kon men prachtige, goddelijke muziek horen.

Wanneer een stervende aan iemand denkt, of als er een sterke binding met die ander bestaat, kan er veel energie naar deze persoon overgaan. Energie zal altijd de gedachte volgen. De stervende kan bijvoorbeeld aan een geliefde denken, waardoor deze als het ware op de hoogte wordt gesteld. Een dergelijke groet kost de stervende maar weinig tijd en het zal hem niet afhouden van wat er met hem gebeurt. Dit komt vrij vaak voor tussen twee mensen met een sterke familieband, een karmische band. Zo kan iemand op onverklaarbare wijze plotseling heel moe worden. Of men voelt de onrust van de stervende. Of men voelt zich plotseling, zonder aanwijsbare reden, bedroefd worden. Ook de tweelingziel van de stervende zal vrijwel zeker op het moment van heengaan het een en ander van de stervende meekrijgen.

Tweelingzielen hebben meestal, tijdens eerdere fysieke levens, elkaar geholpen bij het sterven; men kent elkaar wat dat betreft en heeft daardoor een sterke band met elkaar. Bijstand van een tweelingziel wordt soms door de stervende gevoeld ongeacht de afstand, en ongeacht het feit of deze tweelingziel nu in incarnatie is of niet.

Bedenk dat sterven helemaal niet zo verschrikkelijk is. In het astrale aangekomen viert men vaak de aardse sterfdag als een geboortefeest.

We zijn datgene wat we zijn. Iedereen moet er achterkomen wie men is. Laat me hier een stukje uit de *Bhagavad Gita* citeren: 'Lichamen worden geboren en wat wordt geboren moet ook sterven, maar de eeuwige, onsterfelijke ziel wordt nooit geboren en zal nooit sterven. Wapens kunnen de ziel niet deren, vuur kan haar niet vernietigen, water kan haar niet natmaken en de wind kan haar niet verdrogen. De ziel is niet het vergankelijke lichaam. Zij is het onvergankelijke Zelf in elk mens. Als je dat eenmaal weet, waarom zou je dan bezorgd zijn? Wijze mensen treuren nooit. (...) Schud de wankelmoedigheid van je af. Deze is je niet waardig. Geef je niet over aan zwakheid. Je wanhoop leidt tot niets, hij is niet gebaseerd op de werkelijkheid.'

Liefde is de allerhoogste Heer, zetelend in het hart van elk levend wezen. Zij is de Vader en ook de Moeder van deze wereld en Zij houdt haar in stand. Liefde is het begin, het midden en het einde. Alles komt uit liefde voort, alles is doordrongen van liefde. Geen schepsel kan zonder liefde bestaan. Welk pad mensen ook hebben te gaan, het is het pad van liefde. Waar zij ook heen gaan, zij bereiken liefde.

De levensfilm

Alles wat we in ons voorbije leven hebben gezegd, gedacht of gedaan, ligt opgeborgen in de chakra's, de geheugentempels in de aura van het stoffelijk lichaam. Nu de chakra's gedurende het stervensproces de macht over deze informatie verliezen en deze informatie overgaat in de astrale chakra's, komt alles weer boven water. Men ziet het voorbije leven als een film aan zich voorbijtrekken. Soms gebeurt dit, met tussenpozen, gedurende de weken, dagen of uren voor het overgaan. Wanneer dit het geval is, zal de stervende meestal ook beginnen te praten over zijn leven, over vroeger. Het komt echter ook voor dat iemand deze beelden pas na de overgang te zien krijgt. In dat geval is de overledene tijdens het overgaan nog erg gericht op het voorbije leven en kan hij dit soort beelden niet waarnemen omdat hij deze buiten het bewustzijn sluit.

Meestal krijgt iemand deze levensfilm echter te zien op het moment van overgaan zelf. Men ziet de levensfilm als in een flits. Dit klinkt misschien tegenstrijdig, maar we moeten bedenken dat het hier om geestelijke, astrale beelden gaat. Dit soort beelden is nu eenmaal niet aan een aards tijdsbegrip gebonden. Daarom is het voor iemand die het meemaakt ook moeilijk te zeggen hoelang de film geduurd heeft.

Meestal ziet iemand deze levensfilm op het moment van het overgaan van de ene naar de andere wereld. De stoffelijke aura c.q. de chakra's laten de persoonlijkheid los, zodat iemand kan overglijden in de astrale aura. Samen met onze persoonlijkheid gaan onze lusten en onze lasten, gaat ons karma mee. Ons bewustzijn en de geschiedenis van ons afgelopen aardse leven worden op dat moment één. Op dat moment komen we in contact met onze geschiedenis. We zien ons leven als in een film, en omdat dit astrale beelden zijn voelen we ook de emotionele lading die achter deze beelden zit. Onze persoonlijkheid is dan voor een moment bewust één met vooral de belangrijke zaken van ons voorbije leven, totdat deze zaken gerangschikt worden in de astrale chakra's. Op die momenten zien en voelen we vooral ook zaken die we niet goed hebben gedaan. Met name deze negatieve zaken springen in het oog, omdat ze in schril contrast staan met de wezenlijke bedoeling van de afgelopen incarnatie, namelijk: liefde.

Zo kunnen we op het moment van sterven een beter zicht krijgen op bepaalde zaken. Iemand die iets verkeerds gedaan heeft, kan hier bijvoorbeeld enorme spijt van krijgen. Hij kan tijdens het overgaan tot bewustzijn komen en dan 'zeggen': 'Wat heb ik gedaan?!!'

Doordat iemand het voorbije leven tijdens het sterven kan overzien en daar in het astrale over kan nadenken, kan hij er alles aan doen om dezelfde fouten in een volgend leven niet meer te maken. Dan worden in zekere zin al de lijnen voor de toekomst uitgezet, overeenkomstig het bewustzijn. Op het moment dat men de levensfilm te zien krijgt, wordt het karma overgeheveld naar het astrale. Op dit moment wordt dus ook de trilling van de astrale aura bepaald door het voorbije aardse leven. Op dat moment wordt bepaald in welke astrale sfeer men terechtkomt.

Bij een bijna-fataal ongeluk, een ongeluk waarbij men bijna het leven laat, krijgt men soms ook de levensfilm 'als in een flits' te zien. Dit is dan een teken dat de stoffelijke chakra's, door een schok of een heftige schrikreactie, even zijn losgeraakt van de astrale chakra's. Omdat in dit geval de ziel het contact met het stoffelijk lichaam wil herstellen en karmisch gezien ook kán herstellen, zullen de chakra's weer snel in elkaar grijpen. Dit neemt overigens niet weg dat iemand die iets dergelijks heeft meegemaakt, wel degelijk kan veranderen. Men is bewuster geworden van het leven.

Is de stoffelijke aura door een ongeluk, door een schok, uit elkaar gevallen, of is de aura sterk verzwakt doordat de ziel zich heeft teruggetrokken, dan is er geen magnetisch veld meer om het bewustzijn aan het stoffelijk lichaam vast te houden. Dit betekent dat iemand niet meer terug kan gaan in het lichaam. Iemand die plotseling bij een ongeluk omkomt, zal zijn overgang dan overeenkomstig het bewustzijn meemaken. Hij zal de levensfilm te zien krijgen en zal meestal door een tunnel naar het astrale licht gaan. Daarna staat zo iemand in grote verwarring naast het lichaam; hij heeft zich niet kunnen voorbereiden. Hij is in diepe droefenis, omdat hij geen afscheid heeft kunnen nemen. Toch is ook een dergelijk ongeluk overeenkomstig het karma; iemand kan door zo'n ongeluk vaak veel karma oplossen.

Ook iemand die door zelfdoding of door middel van euthanasie een einde aan het leven heeft gemaakt, krijgt tijdens het overgaan de levensfilm te zien. Zo iemand kan nu overvallen worden door wroeging. Hoe moet hij nu aan gene zijde verder? Deze duistere daad levert duisternis op. Daarom moeten we mensen die met dit soort plannen rondlopen waarschuwen. Het probleem is echter soms dat als we het een en ander vertellen over het doel van het leven of over het hiernamaals, zij dan een soort hoogtevrees krijgen. Zij zijn soms moeilijk uit hun onbewustheid te tillen.

Vrijwel alle stervenden zullen een licht voor zich zien: ofwel alleen maar licht, ofwel het licht aan het einde van een tunnel, ofwel een lichtend landschap aan de overkant van een rivier. Dit is het licht van de astrale wereld, het astrale licht. Daarom kunnen we als begeleider altijd zeggen: 'Ga naar het licht.' We kunnen tegen de stervenden zeggen dat zij naar een prachtig gebied gaan. Zeg dat u bij hen bent, houd hun hand vast zodat zij zich niet alleen voelen.

De meeste mensen hebben bepaalde vormen nodig, zoals een tunnel waar men doorheen gaat, waardoor de overgang herkenbaar wordt. Dergelijke beelden zullen na het oversteken van de grens oplossen. Bovendien wordt ook ieder mens vanuit gene zijde geholpen om de grens over te steken. Iedereen wordt geholpen, maar niet iedereen kan zich voor deze hulp openstellen. Soms is iemand zo ingenomen met zichzelf, dat hij niet open kan staan voor deze liefde.

Het zien van liefdevolle intelligenties die de stervende wenken is een enorme steun. Sommige stervenden zien Meester Jezus, Moeder Maria of een andere grote persoonlijkheid die hen wenkt. Of deze Groten manifesteren zich op een andere manier, waardoor de stervende weet dat zij hen nabij zijn. De stervende kan hun aanwezigheid zien of voelen. Soms praten zij tegen de stervende. Ook aan iemand die zich tijdens zijn leven nooit met de Meester of de Moeder heeft beziggehouden kunnen zij verschijnen. Het ligt er maar aan hoe iemand geleefd heeft. Uiteindelijk blijft het aan deze Grootheden voorbehouden om zich te manifesteren.

Het is aan de stervende zelf om de stap naar de andere wereld te zetten. Ieder mens heeft zelf zijn stappen te zetten. Soms is de aarzeling vrij groot. Hoe langer men aarzelt, hoe moeilijker het wordt. De stervende kan in verwarring raken. Hij kan zich afkeren van dat wat hij ziet, hij kan zich isoleren en verloren voelen. Iemand kan het hiernamaals uitsluiten. Hij ziet dan geen hulp van gene zijde, geen familie die hem opwacht. Er is een soort niemandsland. Het bewustzijn is niet in staat de Grootsheid te ervaren. Het astrale is oneindig groot, en kent verschillende bewustzijnstoestanden.

Ieder mens vindt het erg om heen te gaan; ieder mens is min of meer bang voor het onbekende. We weten van te voren ook niet hoe het een en ander zal gaan. Toch is sterven gemakkelijker dan geboren worden. De meeste mensen komen dan ook huilend op de aarde en stappen er met een glimlach uit. Voor de meer bewuste mensen blijkt het sterven uiteindelijk veel gemakkelijker te zijn dan het incarneren. Zij hebben ook tijdens hun aardse leven relatief weinig angst voor de dood. Voor hen is sterven eerder een stap dichter naar God.

De dood is geen ellendig einde van een aards leven, het is een zinvolle afsluiting. Helaas beseft niet iedereen dat het lichaam een tijdelijk voertuig voor de ziel is, een voertuig dat ons verder brengt in de evolutie. Kijk eens naar de VIP's met hun rijkdom, hun plastische chirurgie, hun eenzaamheid. Soms zeggen zij: 'Ik heb een mooi gevuld leven', maar vaak is dit slechts een opvulling van hun leegte.

We zijn datgene wat ons bezielt bij onze geboorte en we zijn datgene wat we meenemen bij ons sterven. Verder is alles vergankelijk.

18 Aan de stervende

Er is eigenlijk geen dood, de dood bestaat niet. Er is alleen een nieuw leven dat komt. We raden u aan het met uw familie en uw verwanten zoveel mogelijk in orde te maken. Maak in orde wat u nog dwarszit, anders blijft u met deze erfenis aan de andere kant van het leven zitten.

Niemand sterft alleen, niemand gaat alleen over. U wordt door velen opgevangen. Wanneer u daar aankomt, in de astrale wereld, gaan de meeste mensen naar een soort rusthuis, om uit te rusten van de emoties van het afgelopen leven. Ik kan u wel zeggen dat de opvang en de verzorging daar buitengewoon mooi is. Buitengewoon mooi. Iemand die goed geleefd heeft, zal ook in een fijn gebied komen.

Wees niet bang voor de overgang. Het is begrijpelijk dat iemand hier huiverig voor is, maar er wordt vanuit het astrale heel goed en liefdevol voor u gezorgd.

U komt eerst tot rust. De eerste tijd zult u nog erg met uw familie begaan zijn, maar dit zwakt af; ieder mens heeft zijn of haar eigen weg te gaan.

U wordt als u aan gene zijde aankomt met alle liefde omringd, overeenkomstig de liefde die u zelf gegeven hebt. Zelfs de huisdieren waar u van gehouden hebt en die eerder zijn overgegaan, zullen u opwachten.

U hoeft absoluut niet bang te zijn dat u daar belaagd wordt door negatieve krachten; dat kan daar niet meer, zeker niet als u goed geleefd hebt. Let erop dat gedurende de laatste uren van uw leven negatieve krachten kunnen proberen invloed op u uit te oefenen. Maar tijdens het laatste stervensuur hebben zij geen kans meer. Dit komt doordat u op dat moment zoveel liefde ervaart, dat u dan gemakkelijker nee kunt zeggen tegen deze krachten. U bent dan volledig ingekapseld door liefde.

Wanneer u familieleden, dierbare vrienden en kennissen moet achterlaten, weet dan: hun tijd zal ook komen, u zult hen aan gene zijde weer ontmoeten; er is altijd weer een ontmoeting. Soms gaan mensen terug naar de aarde voordat hun familie is overgegaan, maar er komt altijd een periode waarin men elkaar voorgoed mag ontmoeten.

De astrale wereld is zo immens groot en zo mooi. Aarzel dan ook niet als er een astraal wezen voor u staat om u de hand te geven; neem deze hand aan. Aarzel niet om over te steken. Iedereen wil u helpen, iedereen. Er is daar ook geen wedijver tussen de mensen zoals op aarde. Wedijver kent men daar niet, alleen liefde. Maak u niet te veel zorgen over uw familie; u kunt er verder toch niets aan doen.

Daar ervaart u de overweldigende liefde. De planten, de bomen, de hele astrale schepping en de hemel stralen liefde uit. U ontmoet daar fantastische mensen. Ook daar gaan de godsdiensten nog een tijd door, totdat u het universele beleeft. U kunt daar ook naar diverse gebedsdiensten gaan, om de liefde van God te ervaren. Er is heel veel liefde. Als u daar een moment zou kunnen kijken, dan zou u niet meer terug willen, zo 'n geluk heerst daar.

Bent u voorgoed klaar met de aarde, dan kunt u zich daar ook opsplitsen: een bepaald deel van u kan kunstschilderwerk doen, een ander deel andere mensen begeleiden, weer een ander deel huishoudelijke werkzaamheden verrichten. Hoe langer u daar bent, hoe meer facetten u kunt ontwikkelen, waardoor u ook sneller kunt groeien. Ieder facet van het leven daar is liefde. En ook daar kent men zijn rustperiodes, zij het iets anders dan op aarde.

Er zijn wel eens mensen die zeggen: 'We hebben zo weinig gedaan, we hebben zo weinig betekend op aarde.' Maar u weet niet wat u in vroegere levens hebt gedaan!

In de astrale wereld kunt u heel veel liefde uitdragen. Wees niet bang voor de overgang; er zijn maar weinig mensen die op het laatste ogenblik nog bang zijn. De weinige mensen die dan nog bang zijn, zijn over het algemeen mensen die erg gebonden zijn aan de aarde. Maakt u zich niet ongerust.

U zult in de astrale wereld de schepping als iets grandioos ervaren. De schepping daar is vele malen grootser dan hier op aarde. Die schepping is ook veel intensiever. Daar kan men aan een boom vragen: 'Mag ik een appel of een vrucht van je plukken?' Zo'n boom is in staat uw vragen te beantwoorden. Ook kunt u daar op een heel fijne manier met de dieren communiceren. U zult leeuwen en tijgers ontmoeten, maar zij zijn zeer goedmoedig en zullen u nooit aanvallen, integendeel. Wanneer u liefde hebt gegeven op aarde, zult u daar liefde ontvangen. Zelfs zeer veel liefde, ook van uw medemensen. 'Mensen' is een beetje vreemd gezegd, want u heeft daar een ander lichaam. U blijft wel herkenbaar; zo zult u ook mensen herkennen uit vroegere levens. Maar iemand die op aarde negentig jaar is geworden, zal daar meestal in een verjongd lichaam leven, overeenkomstig zijn wensen. De mogelijkheden zijn in het astrale weliswaar beperkt, maar toch veel groter dan hier op aarde. Ook de kleren die men daar draagt zijn meer symbolisch bedoeld.

Wanneer u op het moment van sterven, of daarvóór, iemand in het licht ziet, denk er dan wel aan dat dit een goed iemand is. Wanneer u een akelig iemand ziet, zeg dit dan tegen uw verzorgers, zodat zij hierover met u kunnen praten. Ziet u iemand met een akelig gezicht, zend hem dan direct naar het licht: 'Ga naar God toe.' Bent u toch ongerust, spreek hier dan zoveel mogelijk over met iemand die hier iets van weet, iemand die wat van de hemelen afweet.

Wees niet bang voor de overgang. U doet slechts een jas uit en u loopt verder. Een jas, uw aardse lichaam, heeft u daar niet meer nodig. Op aarde dankt u ook vaak uw oude kleren af om in nieuwe kleren te kunnen rondlopen. Zo is het ook nu; het lichaam is uw voertuig dat u verder heeft gebracht. Een dood bestaat er niet. Er is alleen een overgang. Vooral als u goed geleefd hebt, zult u merken dat het heerlijk is om te sterven. Sterven is veel en veel prettiger dan geboren worden.

Probeer op het laatst van uw leven zoveel mogelijk zaken recht te trekken. Vraag eventueel aan de mensen in uw omgeving om vergeving. Wanneer zij uw handreiking niet willen aannemen, is dit verder hun zaak. U moet dan verdergaan en niet bij de pakken neer gaan zitten. Vroeg of laat krijgen deze mensen er toch spijt van. Wanneer u iets goed wilt maken – doe dit nog zoveel mogelijk hier op aarde – en de ander staat daar niet voor open, dan is de zaak voor u afgedaan.

Ook vanuit het astrale kunt u aan de mensen op aarde blijven denken en positieve gedachten naar hen uitzenden.

Bid rustig voor de mensen die u op aarde achterlaat, opdat zij de kracht hebben om verder te leven. Zeg tegen hen: 'Ik heb mijn leven op aarde volbracht, ik ga nu naar een ander huis.'

Nogmaals, iedereen die daar aankomt wordt zeer liefdevol opgevangen en zal daarna verdergaan met zijn leven. Er zijn mensen die daar kort blijven, anderen blijven wat langer. Dit hangt helemaal af van de persoon zelf. Daar zult u ook zien hoeveel kinderen en echtgenotes of echtgenoten u hebt gehad in uw voorafgaande levens. U zult daar verbaasd over staan. Maar het mooiste is dat je daar de schepping in haar pracht en praal ziet. Die is onvoorstelbaar mooi; u kunt zich daar nog geen voorstelling van maken. Het gaat al ons begrip te boven. De liefde die u daar ervaart – mits u ook op aarde liefde hebt gegeven – is enorm groots.

Iedereen is wat bang voor de overgang; dat is heel normaal. Maar op een gegeven moment zult u blij zijn dat u kunt gaan. Ieder mens heeft verdriet over degenen die achterblijven, maar ook vanuit het astrale kunt u deze achterblijvers liefdevolle gedachten toesturen. U blijft met uw verwanten verbonden. Afstand bestaat alleen in gedachten; in werkelijkheid bent u met de hele schepping verbonden. Zo is iemand in Amerika verbonden met iemand in China; ieder mens is verbonden via de aardbol. Zo is het daar ook: u blijft verbonden met uw familie. Van daaruit kunt u voor de familie veel goeds doen.

Spreek nooit iets met uw familie af, zoals: 'Ik zal je een teken geven als ik in de hemel ben aangekomen.' Doe dit niet, laat u hiertoe niet verleiden. De achterblijvers zullen op een gegeven moment zelf de hemel gaan ervaren.

Maak van te voren wel bekend hoe u gecremeerd of begraven wilt worden. Houd de stof niet vast, laat alles los. Van de aarde kunt u alleen de liefde meenemen. De rijkdom en de schatten die u verzameld hebt zijn uw goede werken.

Pieker er niet over wat u allemaal verkeerd hebt gedaan. We zijn allemaal op weg. Ieder mens heeft het recht, het geboorterecht, om fouten te maken.

19 Astrale werelden

Bewust overgaan betekent bewust verder leven in het hiernamaals. Wanneer geestelijke alertheid ontbreekt, komt men in een soort sluimersfeer of een soort niemandsland terecht. Een onbewust mens komt na het sterven in een schemergebied terecht; men suddert daar wat door en als de tijd is afgelopen, zakt men op een onbewuste manier terug naar de aarde, in een nieuw lichaam.

Er zijn heel wat mensen tot wie het niet doordringt dat zij gestorven zijn; hun bewustzijn is nog op aarde. Een frontsoldaat die in een gevecht sterft, kan nog een tijdlang in zijn astrale lichaam blijven doorvechten. Hij beseft niet dat hij is omgekomen; hij is zich alleen bewust van het gevecht. Is men met het bewustzijn sterk betrokken bij bepaalde bezigheden, dan is het moeilijk hiervan los te komen, met een open geest om zich heen te kijken wat nu eigenlijk de waarheid is. Dit geldt bijvoorbeeld ook voor autocoureurs of voetballers die volledig opgaan in hun bezigheden en op zo'n moment sterven. Zo iemand neemt uiteraard het bewustzijn wel mee naar de andere wereld, maar hij blijft zich vanuit dit bewustzijn richten op de die zaken die men aan het doen was en wordt hierdoor volledig in beslag genomen. Hij is zich op dat moment van niets anders bewust en schept zijn astrale omgeving overeenkomstig dit bewustzijn. Totdat het langzaam tot hem doordringt dat er toch iets veranderd is. Iemand merkt dan dat hij geen vat meer heeft op stoffelijke zaken.

Iemand die plotseling overlijdt, blijft meestal de eerste tijd in de buurt van het lichaam. Dit komt doordat hij eenvoudigweg niet volledig beseft wat er gebeurd is. Zo iemand wordt dan ook niet opgevangen door astrale begeleiders of astrale familieleden. Deze intelligenties zullen wel aanwezig zijn, maar de plotseling overledene kan zijn bewustzijn hier nog niet voor openstellen. Men komt in een soort sluimersfeer. Pas later, als de waarheid tot hem begint door te dringen, kan hij om zich heen gaan kijken.

Iemand die na een ziekbed overgaat, is erop voorbereid en kan gemakkelijker de astrale intelligenties die hem opwachten waarnemen. Zo iemand zal worden opgewacht door de persoonlijke intelligentie, door reeds eerder overgegane familieleden of vrienden of door een van de Groten: Meester Jezus, Moeder Maria, of iemand anders op wie de stervende zich tijdens het sterven gericht heeft en met wie hij ook tijdens zijn leven een band heeft ontwikkeld.

Toch is het goed mogelijk dat iemand die zich wel degelijk heeft kunnen voorbereiden op het heengaan, niet veel van de astrale wereld meekrijgt. De overledene kan zich aangetrokken voelen door zijn achtergelaten lichaam, soms zelfs zozeer dat hij er weer bezit van wil nemen. Iemand komt dan tot de verschrikkelijke ontdekking dat hij geen vat meer op het fysieke lichaam heeft.

Iemand kan zich na het overgaan sterk aangetrokken voelen door diverse zaken die hij heeft moeten achterlaten. Dit kunnen allemaal redenen zijn waarom iemand na zijn overgaan niet kan openstaan voor de astrale wereld: hij ziet geen helpers, geen overleden familie, hij is geobsedeerd door datgene waar men een sterke binding en gehechtheid mee heeft.

Stevig drinkende alcoholisten of andere drugsverslaafden willen vaak weer zo snel mogelijk terug naar aarde om hun behoefte te bevredigen. Ook mensen die zelf een einde aan hun leven hebben gemaakt kennen een grote binding met hun achtergelaten lichaam op aarde.

Wanneer u vermoedt dat een overledene een sterk aards gericht persoon is, kunt u hem helpen door hem in gedachten naar het licht te sturen. Praat tegen hem; praat niet mét hem, ga geen dialoog aan. Stel u op de overledene in door u deze voor de geest te halen en zeg dat hij is overleden, vertel wat er gebeurd is en zeg dat hij naar boven moet kijken, naar het licht. Zeg dat waar hij nu is ook helpers zijn om hem verder te helpen.

Sommige mensen kunnen in de buurt van een aardse aangelegenheid verwijlen totdat zij weer incarneren, anderen hebben totaal geen belangstelling meer voor aardse zaken als zij eenmaal aan gene zijde zijn gearriveerd; zij kunnen zo volledig opgaan in astrale gelukzaligheid dat zij zelfs hun begrafenis vergeten. Het is echter wel raadzaam de eigen begrafenis vanuit gene zijde mee te maken, omdat het nuttig is voor de eigen verdieping en groei om nog eens bewust afscheid te nemen van het lichaam en van familie en vrienden.

Eenmaal aan gene zijde heeft het geen zin rond de aarde te blijven hangen, ook al heeft men een geliefde op aarde, ook al is deze geliefde onze tweelingziel. Ieder mens heeft zijn eigen leven te leiden. Men kan niet altijd bij elkaar zijn. Kijk maar eens naar uzelf: als u getrouwd bent kunt u ook niet altijd bij uw vrouw zijn; anders zou men ook niet kunnen groeien.

De meeste overledenen komen na hun overgaan in een soort rusthuis, een opvanghuis. Dergelijke rusthuizen worden door de intelligenties vanuit het oorzakelijke gebied in stand gehouden. Zo'n rusthuis is een soort tussensfeer. Eigenlijk is het voor iedereen even wennen aan gene zijde. Er is daar zoveel geluk, dat men daaraan moet wennen. Vooral mensen die een lang ziekbed hebben gehad, hebben tijd nodig om bij te komen. Zij hebben tijd nodig om aan het idee te wennen dat zij nu niet meer ziek zijn. Bij mensen die langdurig ziek zijn geweest is de astrale aura ook uitgeput; zij moeten eerst een tijdje uitrusten en opladen. Mensen die nooit hebben geloofd in een hiernamaals hebben tijd nodig om te beseffen wat er gebeurd is, waar zij zijn.

Als een kind sterft, komt het meestal aan in een bepaalde kindersfeer, om het overgaan gemakkelijker te maken. Een kind op aarde heeft een overeenkomstig kinder-aura van het fysieke lichaam en een daaraan aangepaste astrale aura. Het duurt even voordat deze astrale aura volgroeid, volwassen is. Soms kan een kind, van bijvoorbeeld twee jaar, snel overgaan naar de volwassenensfeer als het in het voorlaatste leven een hoge leeftijd heeft bereikt.

Het kind komt in aanraking met leeftijdgenootjes, en het wordt hier net zoals in een crèche op aarde liefdevol opgevangen en begeleid. Kinderen zullen hier maar een betrekkelijk korte tijd blijven; zij zullen vrij snel doorgaan naar de sfeer die qua bewustzijn bij hen past. Sommige kinderen hebben tijd nodig om zich los te maken van de ziekte waaraan zij op aarde zijn overleden. Zij hebben tijd nodig om op adem te komen. Kinderen hebben tijd nodig om zich volwassen te kunnen voelen.

Een baby die overlijdt of een kind dat omkomt in de baarmoeder heeft niet de tijd gehad om zich als kind te identificeren en zal daarom vrijwel onmiddellijk, ook via een soort opvang- of rusthuis, naar de volwassenensfeer gaan. Een kind dat in het eerste levensjaar overgaat, zal slechts een betrekkelijk korte tijd in de kinderopvangsfeer verblijven.

Laten we als voorbeeld iemand nemen die lid is geweest van de maffia. Deze persoon heeft gemoord, mensen afgeperst en de dingen gedaan die in dergelijke kringen gebruikelijk zijn. Zo iemand gaat bijvoorbeeld op vijfenzeventigjarige leeftijd over naar een niet al te rooskleurig gebied. Hij komt in de eigen kilheid terecht. Daarop volgt een nieuw aards leven, waarin hij na een slepende ziekte drie jaar oud wordt. In dit korte leven wordt hij bijzonder liefdevol door de ouders ondersteund. Door middel van dit korte leven kan deze persoon in contact komen met liefde. Het is mogelijk dat hij nu niet, of slechts voor zeer korte tijd, in een kinder-opvangsfeer terechtkomt. Misschien kan hij nu direct door naar de bestemmingssfeer, een sfeer die verfijnder zal zijn dan de sfeer waarin hij na het voorlaatste leven terechtkwam. Hij heeft veel geleerd, al was het leven nog zo kort.

Voor een overleden kind zullen de herinneringen aan de ouders op aarde betrekkelijk snel vervagen. Soms staan de kinderen de ouders op te wachten als de ouders zelf in het astrale aankomen. De ouders moeten hier echter niet te veel op rekenen; er bestaat een grote kans dat het kind al weer geïncarneerd is. Men kan het kind dan dus niet in het astrale ontmoeten.

Men moet ook beseffen dat de mogelijkheid groot is dat men aan gene zijde verschillende ouders, broertjes, zusjes, familie en vrienden uit de verschillende eerdere levens tegenkomt. Hoe verder men is in de evolutie, hoe grootser het bewustzijn, hoe minder men zich blijft hechten aan het laatste gezinsleven op aarde. Iemand ervaart dan dat alle mensen broeders en zusters van elkaar zijn.

In zekere zin is eigenlijk ieder mens die in het astrale aankomt als een kind. Vooral als iemand zich totaal niet heeft voorbereid op het leven hierna, kan hij als een kind verbaasd staan te kijken. Ook al is iemand misschien professor geweest, in de astrale wereld komt men erachter dat men zo goed als niets weet. Men begrijpt niets van al die scheppingen; men heeft hier ook nooit over nagedacht, men is er niet op voorbereid. Zo iemand kan zich gemakkelijk als een kind voelen.

De persoonlijke intelligentie van de stervende – dit is een intelligentie-begeleider die iemand is toevertrouwd – komt vanuit de hoogste astrale sferen de stervende halen. Deze helper heeft geen aards leven meer nodig. De stervende kan deze begeleider zien als een liefdevol lichtwezen dat aan de overkant van een rivier staat te wenken. Of iemand ziet zijn astrale begeleider in een landschap, of aan het einde van een tunnel. Het belangrijkste doel van deze intelligenties is de overledene liefdevol op te vangen en gerust te stellen. Zij stellen de overledene gerust: deze is in goede handen.

Ieder mens heeft een dergelijke persoonlijke intelligentie, een persoonlijke Gids. Sommige mensen hebben meerdere gidsen of, als de situatie hierom vraagt, een tijdelijke gids.

Normaal gesproken wordt men naast de persoonlijke intelligentie ook opgewacht door eerder overgegane familie en/of vrienden uit het laatste of voorlaatste leven, mits deze niet zelf in incarnatie zijn.

We kunnen ook worden opgewacht door iemand die we liever niet willen zien, iemand waarmee we op aarde een slechte relatie hebben gehad. Bedenk dan dat aan gene zijde alle persoonlijkheden veel grootser zijn. We zien onszelf en onze bekenden op een grootse manier, waarbij we voorbijgaan aan persoonlijke vetes of persoonlijke moeilijkheden.

Iemand die op aarde afstandelijk is geweest jegens zijn medemensen, zal meestal ook afstandelijk zijn jegens deze intelligenties.

Sommige overledenen hebben schuldgevoelens naar bepaalde bekenden die men daar in het astrale weer tegenkomt. Soms zien we dan dat een eerder overledene die op aarde altijd haatdragend is geweest, ons nu liefdevol tegemoet komt. Veel menselijke verhoudingen worden nu duidelijker dan op aarde. In het astrale kunnen veel relaties en verhoudingen inzichtelijker worden, maar het is te veel om te zeggen dat als men op aarde weinig inzicht had, men in het astrale tot enorm diepe inzichten komt. Op aarde wordt de basis voor het bewustzijn gelegd.

Alle betrokken intelligenties weten dat u aankomt. Omdat emoties rond het sterven zo'n grote rol spelen is het ook van groot belang dat we worden opgewacht door onze oude bekenden.

In de astrale wereld leeft men in het astrale lichaam en maakt men contact met de astrale wereld door middel van de aura van het astrale lichaam. De astrale wereld kan (theoretisch) worden onderverdeeld in een aantal sferen:

- De laagste sferen, waar een overeenkomstige negatieve duisternis heerst. Hier is echter wel degelijk hulp aanwezig, mits men maar naar boven kan kijken, zich op het licht kan richten. Dit licht dient niet alleen ter verlichting, zodat men de omgeving kan zien; dit licht is gelukzaligheid.
- De sferen die soms nog wat wazig zijn, of sluimersferen, overeenkomstig het bewustzijn. Deze sferen kunnen ook prachtig en liefdevol zijn, maar iemand die hier aankomt zal toch terug naar aarde moeten. Dit zijn de halfbewuste sferen.
- De sferen waar men bewust verder groeit, waar men bewust met de intelligenties van gedachten wisselt en waar men scholing krijgt, maar van waaruit men wel weer terug naar aarde gaat. Dit zijn de bewuste sferen.
- De sfeer waar men niet meer terug naar de aarde gaat.
  Ieder sfeer heeft ontelbare mogelijkheden. In iedere sfeer zijn er opvangen kindersferen. Maar we zouden ook kunnen zeggen dat iemand die plotseling overlijdt in een verbijsteringssfeer komt, en dat iemand die sterft in het bewustzijn dat het leven een tranendal is in een tranendalsfeer terechtkomt. In de hogere sferen kan men op verschillende plaatsen tegelijk zijn. Men kan vanuit een hogere sfeer, onder begeleiding, wel een bezoek brengen aan een lagere sfeer, maar andersom, van onder naar boven, dat gaat niet.

Voor veel mensen zal er een herkenning zijn. Niet alleen omdat we al eerder vele malen in de astrale wereld zijn geweest, maar ook omdat ons bewustzijn naadloos aansluit bij onze onbewuste astrale ervaringen.

Het kan nuttig zijn te luisteren naar mensen die een kijkje in het hierna-maals hebben genomen. Er zijn mensen die hun bijna-doodervaring hebben beschreven. Deze ervaringen geven een indruk van hoe het er aan gene zijde toegaat. Men heeft mensen van licht (astrale intelligenties) gezien, mensen die straalden en glansden met een intense gloed, waardoor iemand volledig van liefde vervuld raakte. Anderen werden overspoeld door een regen van licht. Dit licht is helderder dan op aarde en ondanks de intensiteit doet het geen pijn aan de ogen. Dit licht is beschreven als warm en levendig (het astrale licht). Sommige mensen zagen landschappen of steden. Soms zag iemand overleden vrienden of familie. De communicatie verliep niet met woorden, maar door middel van begrip en telepathie. Sommigen zagen God of Jezus, anderen Boeddha of Allah. (Omdat de schepping zelf God is, of Allah, is het niet mogelijk God of Allah in een persoonlijke vorm te zien. Men heeft hier waarschijnlijk een schitterende intelligentie gezien en gedacht dat dat God was. God echter is de schepping Zelf.)

Of zij nu atheïst waren of streng gelovig, mensen met een bijna-dooderva-ring zagen vrijwel altijd lichtende wezens. Zelfs mensen die vanaf hun geboor-te blind zijn geweest zagen deze gestalten. Iemand met een bijna-doodervaring na een auto-ongeluk zag zichzelf door een tunnel gaan en in de astrale wereld gezond van lijf en leden rondlopen. Later, toen hij weer terugkwam, drong het tot hem door dat hij zijn beide benen had verloren. Dit doet sterk denken aan de bijbelse uitspraak 'Blinden kunnen weer zien en lammen kunnen lo-pen.'

Er zijn ook mensen geweest die in plaats van een tunnelervaring een zweef-ervaring hebben beschreven. Zij voelden zich uit het lichaam zweven en zagen de aarde onder zich verdwijnen.

Ik kan u aanraden hier eens wat over te lezen, bijvoorbeeld: *De Tunnel en het Licht* van Raymond A. Moody. Bedenk wel dat de mensen die deze waar-nemingen hebben gehad, slechts zeer beperkt de astrale waarheid weergeven. Zij waren bijna-dood, wat betekent dat er nog een band bestond tussen de as-trale aura en de stoffelijke aura. Daardoor zijn deze astrale waarnemingen gro-ver; er kleeft nog wat stoffelijke vibratie aan. Bovendien is het erg moeilijk dit soort ervaringen onder woorden te brengen. Het geluk dat de mensen met een bijna-doodervaring hebben beschreven is daarom slechts een speldenprik van het geluk dat ons in de hogere astrale werelden werkelijk te wachten staat.

Met name in de christelijke traditie zag men het sterven als een hereniging met God. Door invloeden uit andere religies en doordat het voor de kerk tegenwoordig onmogelijk is de oude waarheden te verzwijgen, weten we nu meer dan vroeger. Maar ook ik kan niet veel over het hiernamaals zeggen. Ik heb dan wel een paar keer een blik in het astrale mogen werpen, maar het is en blijft moeilijk deze ervaringen te beschrijven; ze zijn van een andere orde, een andere dimensie.

In de Bijbel wordt niet gesproken over de hemel, maar over hemelen. Dit duidt al enigszins op de aanwezigheid van verschillende locaties, sferen. Meester Jezus: 'In het huis van mijn Vader zijn vele woningen.' Dat ieder mens naar zijn eigen bestemmingssfeer gaat vinden we terug in de uitspraak: 'Daar waar uw schat is, daar zal ook uw hart zijn.'

Het Koninkrijk der Hemelen is immens groot. Het bevat de laagste gebieden, waar men zichzelf en elkaar soms veel verdriet aandoet, tot en met de hoogste gebieden, waarin men terechtkomt als men voorgoed met het aardse klaar is. Daarna komen er nog hogere en verfijndere werelden, tot dat we volledig opgaan in God.

De astrale werelden zijn oceanen van geluk. Al het geluk op aarde is slechts een speldenknopje vergeleken met de hoogste astrale gebieden. Zo ook is het geluk in de hoogste astrale gebieden slechts een speldenknopje vergeleken met het geluk in de oorzakelijke werelden.

In het astrale kunnen we wat 'astrale grond' in onze handen nemen en aan God de Schepper vragen: 'Laat dit 'steen' worden'. Zo kan men als men dit wil prachtige tempels, moskeeën of kerken bouwen. Vele Groten spreken daar de mensen toe, ieder in zijn of haar eigen taal. Vele andere Groten helpen waar Zij kunnen. Zij allen willen helpen en liefde geven. Hoe verder men komt, des te grootser is de ruimte die men ervaart: gevuld met liefde.

Als we verder komen kunnen we ook ons bewustzijn splitsen; we kunnen dan op verschillende plaatsen tegelijk aanwezig zijn om sneller de liefde te leren kennen. Eén facet kan luisteren naar een toespraak, een ander facet kan aan het werk zijn met het een of ander, weer een ander facet kan studeren, en nog een ander deel kan rusten. Hoe dichter men de volmaaktheid nadert, des te meer alomtegenwoordig is men.

Het gaat er niet om een stoel of een tafel te kunnen maken; het is van betrekkelijke waarde als we een prachtig paleis kunnen bouwen of een knappe theorie kunnen ontwikkelen. Het gaat om de liefde. Ook in het astrale blijft ieder mens dit diep gewortelde gevoel houden, ook hier kent men het verlangen, het heimwee naar de totale eenheid.

In het astrale is het mogelijk een aantal zaken die we op aarde verkeerd hebt gedaan recht te zetten. We scheppen dan samen met onze begeleider of begeleidster een creatie die hetzelfde is als op aarde, alleen veel intenser. Als iemand op aarde bijvoorbeeld nogal wat heeft gestolen, zich dingen van andere mensen heeft toegeëigend, maar verder een goed mens is geweest, dan kan zo iemand in overleg met zijn begeleider een creatie scheppen net als een droom. Deze creatie kan zeer heftig en fel zijn. In deze creatie wordt dan ook iets van de betrokkene gestolen, iets wat hem zeer dierbaar is. Hij vindt het heel erg dat er iets van hem gestolen wordt en wil dit nooit meer een ander aandoen. Als hij dit oprecht meent, wordt de creatie opgeheven. Het kan ook gebeuren dat dezelfde creatie zich blijft herhalen, totdat de les geleerd is. We kunnen ook niet zomaar uit zo'n creatie stappen, zoals we op aarde ook niet zomaar uit ons leven kunnen stappen.

Ook in het astrale kent men gevoelens van desolaatheid, verdriet en eenzaamheid. Dit hebben we nodig om verder te kunnen groeien. We moeten vroeg of laat verder groeien, ook in de hoogste astrale gebieden; zelfs in het oorzakelijke kan men niet eeuwig stil blijven staan.

De omstandigheden voor groei zijn ruimschoots aanwezig. We kunnen het bestaan op aarde onderzoeken; we kunnen ook ons eigen laatste leven leren begrijpen. We kunnen gaan inzien hoe ons bewustzijn onze handel en wandel bepaald heeft.

Iedereen deelt in het astrale alles: voedsel en bezit. Eigenlijk bezitten we nooit iets, niet op aarde en niet in het astrale; alles is geleend van de Schepper. Het is niet nodig bang te zijn om het een en ander te moeten achterlaten. Het is niet nodig bang te zijn voor de dood. Wanneer we ons op God kunnen richten, wanneer we liefde gegeven hebben, is er geen reden om bang te zijn.

Bedenk dat in het astrale afstand niet zo ervaren wordt als hier op aarde. Men kan zich in het bewustzijn als het ware zonder tijdverlies over een grote afstand naar een andere omgeving projecteren. Men wenst, men denkt zichzelf ergens naar toe. De astrale ruimte neemt geen ruimte in beslag zoals wij die kennen. De astrale wereld loopt gewoon door uw huiskamer heen en zo bevinden zich soms ook allerlei astrale vormen, zonder dat u zich daar bewust van bent, gewoon in uw eigen huis. Het astrale is immens groots. Er leven daar ontelbare intelligenties en toch kent iedereen daar zijn of haar privacy. Iedereen kan zich, als men dit wil, in stilte terugtrekken. Er is genoeg ruimte voor iedereen.

Hier op aarde is tijd in onze beleving relatief, dat wil zeggen: als we ons vervelen kruipen de minuten voorbij en als we druk bezig zijn vliegt de tijd. Hier op aarde is de tijd gerelateerd aan de opkomst en ondergang van de zon, maar in het astrale is het tijdsbewustzijn nog rekbaarder dan hier. In het astrale kan een seconde bijna als een eeuwigheid ervaren worden. Men leeft daar meer in het heden.

Als u op aarde door het bos of door de velden loopt, geniet er dan van, wees aanwezig. Als u er de grootsheid van God in ziet, dan is dat ook aanbidding van God.

Wanneer men iets moois ziet is het prachtig om erin op te gaan: een mooi landschap, mooie muziek, een mooi schilderij of een mooie boeket bloemen – geniet hiervan. Op aarde zijn we meer gewend om vooruit te kijken, om te plannen, wat in zekere zin ook nodig is. Daar echter leeft men meer in het nu. Daar kan men gemakkelijker opgaan in dat wat is.

Het eigen astraal lichaam kan een bepaalde vorm aannemen overeenkomstig de gedachten. Iemand die op tachtigjarige leeftijd sterft en het beeld van zijn jeugd voor ogen heeft, kan uiterlijk veranderen in een jeugdige, overeenstemmend met het innerlijk beeld. Iemand die tijdens het laatste leven op aarde een man is geweest kan ervoor kiezen als vrouw in het astrale verder te gaan. In het astrale neemt men de prettigste of de beste verschijningsvorm aan.

Omdat we een goddelijke ziel zijn is alle kennis van heden, verleden en toekomst in ons aanwezig. Deze kennis bevindt zich in de diverse bewustzijnslagen: de aura's. Alleen als we tot de allerhoogste bewustzijnslagen kunnen reiken, wordt deze totale kennis ons geopenbaard. Op het allerhoogste bewustzijnsniveau zijn we als een bewuste, volledige persoonlijkheid één met God. Nu op aarde zijn wij ook één met Hem, alleen kan God zich slechts overeenkomstig het bereikte bewustzijnsniveau in de mens openbaren.

Er is een veelheid van bewustzijnslagen in de schepping en in de mens. God heeft de schepping overeenkomstig Zijn bewustzijn geschapen. God heeft de mens naar Zijn beeld geschapen.

Er bestaat niet één werkelijkheid na het sterven; iedere ervaring is weer anders. Men loopt door de astrale wereld die gekleurd is door het eigen bewustzijn. En men betreedt deze wereld met andersoortige voeten. Probeer het u voor te stellen: u bent daar als een prachtige toverfee, een geestelijk persoon. Men ziet de eigen gedachten. Met uw gedachtekracht schept u uw omgeving.

Indianen, islamieten, christenen, mensen uit oost of west, noord en zuid, allen nemen hun cultuur mee, inclusief de geuren en geluiden die hierbij horen. Angstige, fundamenteel ingestelde christenen kunnen misschien wel denken dat alleen de brave christenen in de hemel komen – ik kan u verzekeren dat als dit zo zou zijn, het aan gene zijde bijzonder dun bevolkt zou zijn. Iemand die lang in een boeddhistisch klooster heeft geleefd, ziet aan gene zijde misschien iedereen in boeddhistische kleding rondlopen; zo iemand komt terecht in een sfeer met mensen in de bekende geeloranje gewaden. Maar als men in de hogere astrale gebieden is, ziet men meer 'de kleur van de liefde'.

Ook als men van het astrale naar het oorzakelijke gaat maakt men een soort stervensproces door, zij het dat hier veel minder angst bij betrokken is; men weet nu iets meer.

Integratie van de persoonlijkheden

Het kan bij een stervende heel wat angst teweegbrengen als hij denkt dat er na het sterven niets meer van zijn persoonlijkheid overblijft. Maar wat wil dit zeggen: onze persoonlijkheid?

Zoveel mensen zijn op zoek naar hun eigen persoonlijkheid, maar vergeet het maar: u kunt uw eigen persoonlijkheid hier op aarde niet vinden. In zoveel eerdere levens heeft u andere beroepen gehad, in totaal andere situaties geleefd en andere namen gedragen, en van elk van deze levens staat alles opgetekend in de verschillende aura's. Al deze persoonlijkheden kunnen, als u een tijdje in het astrale bent, in uw huidige persoonlijkheid opgenomen worden. Alle eerdere levens worden in deze persoonlijkheid geïntegreerd. Uiteindelijk komen we er vroeg of laat achter dat we een goddelijke persoonlijkheid zijn. Uiteindelijk zullen we de Godheid in onszelf ervaren, door in alle rust en stilte naar binnen te kijken.

Daarom is het ook zo belangrijk voor een stervende om van tijd tot tijd in alle rust te kunnen zijn, om tot zichzelf, zijn Zelf te kunnen komen. De stervende zal moeten proberen met zichzelf in het reine te komen. We moeten het voorbije leven overzien, gemaakte fouten onder ogen zien en vergeving vragen, zodat we met een opgeruimd geweten kunnen heengaan.

Meestal zien we onze fouten het beste in het licht van ons heengaan. In de laatste paar weken of dagen kan men nog tot enorme inzichten komen; daarom is het ook niet zo verstandig er zelf vroegtijdig een einde aan te maken.

Pas wanneer we volledig in het astrale zijn aangekomen, kunnen we alle eerdere levens op aarde overzien. Alle aardse levens liggen besloten in de astrale aura en we kunnen nu ook, overeenkomstig het bewustzijn, bepaalde patronen gaan ontdekken die we levenslang herhaald hebben. We kunnen in al deze vorige levens bepaalde lijnen zien en inzien waarom we het laatste leven op een bepaalde manier hebben moeten doormaken. We kunnen bepaalde delen van een eerder leven bewust gaan herbeleven, om ervan te leren. Iemand die ook aan gene zijde niet kan openstaan voor eerdere levens, zal eerder geneigd zijn het voorgaande aardse leven bij een nieuwe incarnatie te herhalen. Zo maakt iedereen zich op voor een nieuw aards leven, tenzij een terugkeer naar de aarde niet zinvol meer is.

Overeenkomstig het bewustzijn kan iemand ook vrije keuzen voor de toekomst maken. Een onbewust mens heeft eigenlijk nauwelijks een vrije wil; een onbewust mens kabbelt voort.

Wanneer we een tijdje in het astrale zijn, zullen we waarschijnlijk verbaasd staan over welke bekenden we daar allemaal ontmoeten. Aan deze ontmoetingen zijn als het ware de herinneringen uit vorige levens gekoppeld. Zo worden we ons steeds bewuster van deze eerdere levens; we zien steeds scherper wat we vroeger hebben meegemaakt.

Maar mensen die bijvoorbeeld ooit een moord gepleegd hebben, worden hier niet op aangekeken, althans niet in de hogere sferen; in de lagere sferen wordt iemand hier wel op aangekeken. We zullen er waarschijnlijk versteld van staan hoeveel liefdevolle mensen in eerdere levens ooit afschuwelijke misdaden hebben gepleegd. Maar zo iemand hoeft daar niet altijd schuldgevoelens over te hebben, omdat hij na dergelijke misdaden ook weer zoveel goeden dingen gedaan heeft.

Het kan voor iemand moeilijk zijn in te zien dat hij in een eerder leven op aarde een moordenaar is geweest. Maar stel dat u in een eerder leven koppensneller bent geweest. U krijgt dit dan niet direct na de overgang te zien; deze informatie ligt als het ware dieper verborgen. Ook loopt men in het astrale niet open en bloot te koop met dit soort negatieve daden. Alles is gericht op liefde. U zult er versteld van staan: vrijwel ieder mens heeft wel eens een ander mens gedood.

We zullen er waarschijnlijk ook versteld van staan hoeveel levens we achter de rug hebben en hoeveel persoonlijkheden we hebben aangenomen. Iedere persoonlijkheid komt voort uit het karma van eerdere levens. Het laatst geleefde leven is dan ook min of meer het product van voorgaande levens. De persoonlijkheid die we nu in dit leven zijn, zullen we mee naar het astrale nemen. Onze eerdere persoonlijkheden adopteren we in deze laatste persoonlijkheid. In het astrale zullen al deze persoonlijkheden in elkaar schuiven, zodat een nieuwe persoonlijkheid ontstaat. Onze eigen naam, die we in ons laatste leven hebben gehad, zal ons nu niet veel meer zeggen. We komen erachter dat we al bij vele namen genoemd zijn. Met deze nieuwe, verrijkte persoonlijkheid gaan we verder.

Mensen die volledig met het aardse klaar zijn, kunnen zo opgaan in de astrale schoonheid, dat zij niet meer verder willen groeien naar de hogere gebieden. Zij willen alleen genieten, totdat zij – soms na lange tijd – in de gaten krijgen dat er meer is. Pas dan willen zij verdergaan, en zij worden hiermee ook geholpen.

Anderen beginnen aan grootse plannen die men later op aarde, in een volgende incarnatie, ook daadwerkelijk gaat uitvoeren.

Ieder mens heeft ook in het astrale zoveel mogelijk zijn of haar lessen te leren, de eigen zaken af te handelen, met het karma aan de gang te gaan. Dit kan ook, maar op een gegeven moment kan men het gevoel krijgen dat men in het astrale niet verder komt. Men krijgt een steeds groter wordende behoefte om opnieuw te incarneren. Sommige zielen krijgen het nu erg moeilijk; men heeft er eigenlijk geen zin in en wil liever daar blijven omdat de astrale wereld zo mooi is. Toch zullen zij worden aangezet en door hun intelligentie worden geholpen om terug naar de aarde te gaan. Ook al wil men niet terug en verzet men zich hiertegen, de aardse aantrekkingskracht zal steeds groter worden, tot er op een gegeven moment niet aan valt te ontkomen.

Terug naar de aarde

Mensen die hun leven lang in een besloten dorpsgemeenschap hebben geleefd, kunnen snel geneigd zijn weer in hetzelfde dorp te gaan leven. Mensen kunnen ook enorm gehecht zijn aan een bepaald beroep en willen dit beroep dan leven na leven blijven uitoefenen. Zo iemand wordt in zijn vak op den duur dan wel een uitblinker, maar dit neemt niet weg dat het ook eens goed is bepaalde patronen te doorbreken. Sommigen reïncarneren al binnen een paar aardse dagen, soms blindelings, zonder overleg met de intelligenties. Sommigen kiezen bewust voor een bepaalde omgeving. Anderen willen niet terug naar de aarde omdat het astrale zo mooi is, of omdat zij opzien tegen de nog te doorlopen zware levenslessen. Deze mensen moeten soms door de intelligenties worden aangespoord om weer naar aarde terug te gaan.

In de nabije toekomst zal de bevolking op aarde nog toenemen, maar daarna komt er een afname omdat men langer in de astrale wereld wil blijven, om zich beter op een nieuw aards leven te kunnen voorbereiden, om meer te vergeestelijken.

Doordat we tegenwoordig meer kennis hebben van andere culturen, wordt het ook gemakkelijker in een andere cultuur te reïncarneren.

Bij een nieuwe incarnatie blijft onze persoonlijke achtergrond in de astrale aura aanwezig. Deze informatie is zodanig verfijnd dat zij tijdens het nieuwe leven op aarde niet meer gevoeld kan worden. Tijdens het aardse leven verkeerd het bewustzijn grotendeels op het stoffelijke niveau; het is daardoor te grof om dergelijke verfijnde astrale informatie te kunnen waarnemen. In ons onbewuste blijft onze persoonlijke geschiedenis wel altijd op de achtergrond aanwezig, en met bijvoorbeeld reïncarnatietherapie is die geschiedenis ook weer naar boven te halen.

Praat met de stervende over de astrale werelden, dat stelt hem gerust.

In het hiernamaals kennen we geen eeuwige rust. Alles is erop gericht langzaam naar totale, bewuste eenheid met God te groeien. Men krijgt ook nieuwe kansen als men het een of ander op aarde niet goed heeft gedaan. Men kan opnieuw incarneren.

20 Begeleiding na het sterven

Een enkele keer kan het zijn dat mensen bij het overgaan niets van het astrale zien. Men ziet geen tunnel, of men is zich er nauwelijks bewust van. Men ziet geen overleden familieleden, niemand die op hen wacht. Deze mensen blijven na hun overgang in de buurt van hun lichaam, in de kamer waar men gestorven is of in de buurt waar men verongelukt is. Pas later, meestal na de begrafenis of crematie, zal men goed om zich heen gaan kijken en zal de astrale wereld beginnen te dagen; eerst vaag, dan steeds duidelijker. Geleidelijk begint men te beseffen wat er aan de hand is.

Iedereen zal weer anders reageren op het feit dat men na het sterven geen stoffelijk lichaam meer heeft. Iemand kan vol wanhoop in de buurt van zijn stoffelijk lichaam blijven. Hij begrijpt niet wat er gebeurd is, waarom hij het lichaam daar ziet liggen en waarom hij niets aan deze situatie kan doen. Tot zijn grote ontzetting zal zo iemand moeten ervaren dat hij niet meer in het vertrouwde lichaam terug kan en moet hij aanzien dat het lichaam in een kist gelegd en begraven of verbrand wordt. Voor sommige mensen kan er veel tijd overheen gaan voordat zij tot het besef komen wat er nu eigenlijk aan de hand is.

Er zijn mensen die na het overgaan in de buurt van hun lichaam blijven. Daarom is het zo belangrijk dat het lichaam met respect behandeld wordt, want de overledene kan op afstand alles zien wat er met zijn of haar lichaam gebeurt. De meeste mensen gaan via de tunnel naar het astrale, waarna zij weer gedachten krijgen over hun achtergelaten lichaam. Gedachten trekken de persoon naar het object van de gedachten. Mensen die in de buurt van hun lichaam willen blijven, zweven als het ware achter hun lichaam aan als dit naar het mortuarium wordt gebracht. Wanneer zij zich in het mortuarium instellen op hun achtergebleven familie, flitst men zichzelf daarmee terug naar huis. Het lijkt op een nare droom. Zo kan men van het een naar het ander gaan; men flitst zichzelf door de eigen gedachten heen en weer, zonder dat men beseft dat het de eigen gedachten en emoties zijn die hem zo voortjagen. Het astrale lichaam wordt door onze gehechtheid, de compassie die we voor iets voelen, in beweging gebracht. En het astrale lichaam kan zich door onze wil verplaatsen. Het kan vliegen en door muren heen gaan. Maar men heeft geen vat op de materie, net zoals dat in dromen het geval is.

Men zal merken dat men geen contact meer heeft met de achtergebleven familie. In zeer uitzonderlijke gevallen is iemand zo sterk aan het stoffelijk lichaam gehecht dat men er weer in wil kruipen om het tot leven te wekken. In grote verwarring moet zo iemand vaststellen dat dit niet gaat en in grote paniek beziet hij de toestand waarin het lichaam verkeert.

Het kan gebeuren dat iemand op de operatietafel sterft. De arts zal dan het lichaam met respect moeten sluiten. Bovendien zal de arts tegen de patiënt moeten zeggen wat er gebeurd is, dat hij is overleden. Hiermee is men een grote hulp voor de overledene en deze zal de arts hiervoor dankbaar zijn.

Wanneer iemand plotseling is komen te overlijden en u wordt erbij geroepen, vraag dan aan de nabestaanden of u met de overledene alleen gelaten kunt worden. Ga naar de kamer waar de persoon is overleden, of naar het mortuarium waar het lichaam is. Praat dan tegen de overledene en noem deze bij de voor- en achternaam. Zeg wat er gebeurd is, zeg dat u weet hoe moeilijk het is om zomaar eventjes uit het aardse leven gehaald te worden. Ook de echtgenoot of echtgenote of de kinderen kunnen op deze manier tegen de overledene praten. Zij kunnen misschien zeggen: 'Ik hou van je!' Daarna kan men gedurende twee weken twee keer per dag op hetzelfde tijdstip gedachten van liefde en vergeving naar de overledene zenden. Na deze twee weken kan men dit terugbrengen naar één keer per dag. Na zes weken kan men hiermee stoppen. Na die periode zal de overledene zich geheroriënteerd hebben en zijn aangekomen in zijn bestemmingssfeer.

Is iemand bij een verkeersongeluk omgekomen, houd dan op die plek in besloten kring een eredienst. Leg bloemen neer op die plek.

De begeleider mag nooit meteen na het overlijden weggaan. Vooral na het overlijden van een wat meer aardegebonden iemand is het goed naast het lichaam te gaan zitten om voor de overledene te bidden. Ook kunnen we de overledene in gedachten naar het licht sturen.

Wanneer een goed en liefdevol mens is overgegaan, is begeleiding door een achterblijver veel minder noodzakelijk. Iemand die gewend is geweest zijn bewustzijn op God te richten, zal al tijdens zijn sterven de schitterende astrale wereld zien opdoemen en hierin wegglijden. Voor zo iemand bestaat er op dat moment geen familie of begeleider meer; hij wordt dan volledig in beslag genomen door de nieuwe, liefdevolle wereld. Maar ook nu moet de begeleider niet te snel weggaan; hij kan dan beter met de familie blijven nagenieten. Meestal zijn de momenten vlak na het heengaan van een liefdevol persoon erg teer. Laat de familie naast de overledene gaan zitten. Als er gepraat wordt, praat dan zachtjes.

Iedere overledene wordt aan gene zijde opgevangen en verder geholpen, maar ook wij, achterblijvers op aarde, kunnen gedachten naar de overledene zenden: 'Ga naar het licht, kijk om je heen en zie je astrale gids; je bent overleden en bent nu in die andere wereld. Je leven gaat gewoon door, ook al is het in een andere wereld.'

Overledenen kunnen gedachten lezen, mits wij ons op de overledene afstemmen en mits we onze gedachten met enige kracht uitzenden.

Het is belangrijk dat de mensen op aarde tegen de overledene praten. Aan gene zijde wordt iedereen, zonder uitzondering, opgevangen en ook verder geholpen. Toch duurt het vaak nog zes tot negen weken voordat de overledene zijn heengaan grotendeels verwerkt heeft. Dit is de diepere achtergrond van de orthodoxe zeswekendienst.

Een aardegebonden ziel zal na het overlijden in beslag worden genomen door verschillende zaken die zich rond zijn lichaam afspelen. Zo iemand krijgt zo af en toe wel flitsen van het astrale te zien, maar heeft hier nog geen oog voor. Hij is het ook niet gewend zich te openen voor deze meer verfijnde zaken, net zoals hij in het voorbije leven ook niet gewend was zich open te stellen voor de meer verfijnde, geestelijke zaken.

De vroegere eigenaar van het lichaam zal het goed doen te zien dat zijn lichaam met eerbied wordt behandeld. Dit lichaam is hem jarenlang van dienst geweest en iemand wil hier dan ook met dankbaarheid naar kunnen kijken. Het lichaam moet zo liggen dat het voor de overledene prettig is om naar te kijken.

Iedere overledene komt nog eens naar zijn lichaam kijken, al is het alleen maar om de eigen begrafenis of crematie bij te wonen. Het zien van het achtergelaten lichaam kan de overledene diep ontroeren.

Verplaats u in de overledene: in welke kleren zal de overledene het liefst naar zichzelf willen kijken? We kunnen ook vooraf, tijdig, aan de stervende vragen welke kleren hij bij zijn begrafenis of crematie wil dragen. Trek iemand die het liefst in een spijkerbroek heeft rondgelopen niet een net pak aan. Ook al heeft men een langdurig ziekbed achter de rug, het is toch beter het lichaam nu geen pyjama aan te doen. Men heeft immers langer geleefd dan dit ziekbed. Geef een kind kinderkleren mee, geef het de kleren waarin het het liefst heeft rondgelopen.

De resterende kleding kan men beter niet onder de familie verdelen; het is beter deze aan een instelling te geven, zodat ze verspreid raken onder onbekende mensen.

Bij het opbaren kan men de handen van de overledene in elkaar vouwen, eventueel met daarin een fotootje van een eerder overgegane levenspartner, of een prentje van een Heilige die in het leven van de overledene een rol heeft gespeeld.

U kunt het lichaam wassen en aankleden samen met een ervaren persoon of, als u dit zelf al een paar keer eerder heeft gedaan, samen met iemand van de familie. Praat terwijl u bezig bent zachtjes of in gedachten tegen de overledene. Wanneer de overledene katholiek is, kunt u een rozenkrans in de gevouwen handen leggen. We moeten eigenlijk al lang van te voren weten wat er moet gebeuren met de sieraden. De overledene vindt het erg naar als hij ziet dat bepaalde sieraden of de trouwring waaraan men gehecht is geweest aan de verkeerde mensen wordt gegeven.

Bij een kind kunnen we wat speelgoedjes of de lievelingsknuffel in het kistje leggen. Een kind kan een knuffel ervaren als een soort deelgenoot, een stille bondgenoot, en dit geeft steun.

Behandel het lichaam met eerbied en met het grootst mogelijke respect. De overledene zal het verschrikkelijk vinden als hij ziet dat er met zijn of haar lichaam gesold wordt. Het is af te raden een foto van de overledene te maken. Het is beter de mooie herinneringen te bewaren.

Wanneer u met het afleggen klaar bent, ruimt u de kamer op en laat u het lichaam verder zoveel mogelijk met rust.

In warme landen is het uit hygiënische overwegingen noodzakelijk het lichaam binnen vierentwintig uur te begraven of te cremeren. Daardoor heeft de overledene maar weinig tijd om afscheid te nemen van zijn lichaam. Bij ons in het Westen hebben we het geluk dat we hiervoor drie dagen de tijd krijgen, zodat iemand meer tijd heeft om zich bewust te worden van de nieuwe wereld, voordat hij het zicht op zijn lichaam definitief kwijtraakt.

Wanneer daartoe de gelegenheid bestaat kunnen we het lichaam opbaren in de kamer waarin iemand is overgegaan. De overledene kan dan in rust afscheid nemen van zijn lichaam. Wel moet er in dat geval vooraf overleg zijn geweest met de begrafenisondernemer, omdat een aantal zaken voor dit thuis opbaren geregeld moet zijn. We kunnen ons waarschijnlijk wel indenken hoe het voor iemand is om in een onpersoonlijk mortuarium opgebaard te liggen, tussen allemaal onbekende lichamen. Zowel de overledene als de familie zal zich in een mortuarium niet erg thuis voelen. Het is ook niet plezierig voor de overledene als de begrafenisondernemer het lichaam meteen na het overlijden komt weghalen en men dan weer zo snel mogelijk de kamer inricht zoals deze was vóór het ziekbed van de overledene, alsof er niets gebeurd is.

Het is voor niemand goed om nu overdreven plechtig te gaan doen. Wanneer het lichaam thuis wordt opgebaard, maak de sfeer dan zo plezierig mogelijk, in ieder geval met bloemen. Wees terughoudend met het branden van kaarsen. Het is niet nodig de gordijnen voortdurend gesloten te houden.

Vooral iemand die zich op het ziekbed niet vrijelijk heeft kunnen uitspreken, of iemand die vrij plotseling uit het leven is weggerukt, kan wroeging hebben over bepaalde zaken of over bepaalde delen van het leven. Zo iemand heeft bepaalde zaken niet kunnen oplossen. Dit kan voor de overledene bijzonder zwaar zijn, alsof men een zware steen op de schouders meetorst. Men zou graag bepaalde dingen uitspreken, maar dit gaat nu niet meer. De familie kan het de overledene dan gemakkelijker maken door naast het lichaam te gaan zitten en hardop of in gedachten te zeggen: 'Als je het vervelend vindt dat je dit of dat niet meer hebt kunnen uitspreken, of als je met dit of dat zit: ik vergeef het je.' We kunnen nu beter positieve gedachten naar de overledene zenden en op een positieve manier tegen hem of haar praten dan dat we klakkeloos onze gebedjes afraffelen of onze mantra's afjakkeren.

Het is prachtig als men met de familie een meditatie of een nachtwake bij de overledene houdt. Wees erop bedacht dat men – tot zijn grote schrik – kan zien dat de overledene weer gaat ademhalen. Dit komt doordat men het beeld van de nog levende zieke bij zich draagt en dit beeld gemakkelijk op het dode lichaam projecteert. Maar het kan ook komen doordat de omstanders niet willen geloven dat de dood is ingetreden. Iets dergelijks kan iemand ook gemakkelijk overkomen als men de overledene lange tijd gekend heeft. Men kan dan opeens, terwijl men op straat loopt of in een druk warenhuis is, de overledene zien, terwijl dit in feite een projectie is.

Er zijn overledenen die meteen na hun overlijden naar hun bestemmingssfeer gaan en alleen nog terugkomen om hun uitvaart mee te maken, om definitief afscheid van hun aardse leven te nemen, om hun vrienden te groeten.

We kunnen stellen dat eigenlijk iedereen zijn of haar uitvaart meemaakt. Men is erbij! Voor de één kan dit een droevige gebeurtenis zijn, een afscheid van het aardse bestaan. Voor de ander is het als een bevrijding; iemand kan deze bevrijding eigenlijk al op het moment van sterven ervaren.

Ook een kind kan het moeilijk vinden het lichaam los te laten, hoewel bij een kind de herinnering aan de astrale wereld meer aan de oppervlakte ligt dan bij een volwassene en het daarom in het algemeen wat gemakkelijker afstand van het aardse zal kunnen doen. Kinderen zullen zich ook wat sneller thuis voelen in het astrale dan een volwassene. Zij zullen over het algemeen minder behoefte hebben om in de buurt van hun lichaam te blijven.

Er blijft eigenlijk altijd gedurende een paar dagen nog een binding met het lichaam bestaan. Dit heeft te maken met het feit dat er nog wat rest-energie van de stoffelijke aura aan het lichaam gekleefd zit. Het schijnt zelfs zo te zijn dat de huid van het lichaam nog een paar dagen na het overlijden levend blijft. Pas als er helemaal geen energie meer in het lichaam aanwezig is begint het proces van ontbinding. Dan valt het lichaam in moleculen uiteen. Bij iemand die veel binding heeft met het aardse, zal het lichaam langzamer tot ontbinding overgaan dan bij iemand die het aardse gemakkelijker los kan laten. Bij iemand die positief geleefd heeft, zal het lichaam zich eerder ontbinden.

Sommigen gaan door de tunnel, worden overspoeld door liefde en licht en voelen alleen de behoefte om nog één keer terug te blikken om de eigen begrafenis of crematie op aarde te zien.

Anderen voelen een sterke band met het achtergelaten lichaam of met het aardse. Zij zullen zich dan ook vrijwel meteen na een eventuele tunnelervaring op het achtergelaten lichaam richten. Soms blijft de overledene wekenlang in de buurt van het graf om over het voorbije leven te wenen.

Hoe persoonlijker de uitvaart verloopt, hoe beter de overledene afscheid kan nemen van zijn laatste incarnatie en des te beter de achterblijvers afscheid kunnen nemen van de overledene. Iemand vindt het heel erg als zijn lichaam zomaar eventjes gedumpt wordt. Hij vindt het ook erg als er vrijwel niemand op zijn begrafenis aanwezig is. Een soldaat die wordt begraven in een anoniem graf vindt dit verschrikkelijk.

Als iemand sterft tijdens een vakantie, kan men beter het lichaam laten overbrengen naar het moederland. Anders zou de overledene te gemakkelijk in een vakantiesfeer kunnen blijven en niet in de sfeer komen die aansluit op het leven waarvoor hij in de afgelopen incarnatie gekozen had.

Men moet oppassen niet al te veel van de gangbare rituelen af te wijken, tenzij dit eerder met de overledene is afgesproken. Vooral begrafenissen worden in onze cultuur al sinds lange tijd op dezelfde manier uitgevoerd. Ook de overledene is hieraan gewend, vooral als deze meerdere levens in onze cultuur heeft doorgebracht. Als men zo maar gaat afwijken van de gebruikelijke rituelen, kan de overledene in verwarring raken. Zo zal iemand die afkomstig is uit Azië het ook niet prettig vinden als hij merkt dat hij begraven wordt, vooral als hij gedurende vele levens in Azië gewoond heeft en daardoor uitermate vertrouwd is met crematie. Wanneer we willen afwijken van de gangbare traditie, moeten we dit vooraf met de stervende bespreken.

In sommige landen is het gebruikelijk dat de kist door familie of vrienden wordt gedragen. Bij ons laat men de kist soms pas in de grond zakken als de familie er niet meer bij is. Het echte begraven maakt men dan eigenlijk niet mee; er wordt verondersteld dat dit te confronterend is. In de joodse traditie is het gebruikelijk dat men de geliefde daadwerkelijk begraaft; de familie verlaat het kerkhof pas als het graf gesloten is. Ik kan me voorstellen dat dit veel emoties oproept, maar het wegdrukken van emoties zal het rouwproces niet ten goede komen. Joodse mensen besteden het begraven van hun geliefden ook niet uit aan ingehuurde mensen; zij doen dit zoveel mogelijk zelf.

In andere culturen zijn er klaagzangers. De oorspronkelijke bedoeling hiervan is dat deze met hun zang de negatieve krachten wegzenden en positieve energie oproepen. Klaagzangers, meestal zangeressen, bezigden hiervoor bepaalde mantra's en heilige gezangen.

Het is een goed gebruik om na de uitvaart bij elkaar te komen, om wat te eten of te drinken. Vooral voor degenen die van ver komen is dit prettig, maar ook om elkaar te steunen is dit goed. Bespreek de uitvaartrituelen vooraf met de stervende en kijk of deze uitvoerbaar zijn.

Er is niets op tegen kleine kinderen mee naar een begrafenis te nemen. Het is eigenlijk goed voor een kind om dit eens mee te maken; dan wordt het ook met het eindige van het aardse leven geconfronteerd. De dood hoort bij het leven. Zeg tegen het kind: 'Dit is alleen het lichaam van opa (of oma). Opa (of oma) zelf is nu in de hemel.' We kunnen een kind vooraf in grote lijnen vertellen wat er zoal gaat gebeuren bij de uitvaart, zodat het zich wat kan voorbereiden. Laat het uiteindelijk wel aan het kind zelf over of het mee wil gaan of niet.

Laat bij de begrafenis of crematie de muziek horen die de overledene mooi vindt. Het is voor de overledene erg vervelend als deze vanuit gene zijde muziek hoort die hem of haar niet ligt. Wanneer iemand bijvoorbeeld van Bach houdt, en deze muziek ook vaak op het sterfbed gehoord heeft, is het welhaast de plicht van de familie om deze muziek ook bij de uitvaart te laten horen, juist omdat de overledene nu behoefte heeft aan zijn vertrouwde, geliefde muziek. Muziek kan een grote steun zijn voor de overledene, dus kies de muziek met grote zorg.

Wanneer de overledene klaar is met het aardse en dus niet meer hoeft te reïncarneren, hoort hij de hemelse muziek en zal daarom minder belang hechten aan de muziekkeuze van familie of vrienden. Deze overledene wil het liefst de muziek horen waarbij de achterblijvers zich gesteund voelen. Als de stervende zijn of haar muziekkeuze niet kenbaar heeft kunnen maken, kan men het beste verheffende of religieuze muziek laten horen. Maar mensen die slecht geleefd hebben kunnen het moeilijk krijgen als zij nu mooie muziek horen: het confronteert hen met hun voorbije leven.

Leg de lievelingsbloemen van de overledene op de kist. Men kan ook zelf een bloemstukje maken en dit op de kist leggen.

Vaak worden bloemen na de crematie weggegooid. Probeer te regelen dat deze bijvoorbeeld naar een verzorgingstehuis gaan, of neem zelf een paar bloemen mee naar huis als aandenken.

Bloemenkransen op de kist en het graf zijn een oud gebruik. Men kan dit vergelijken met een lauwerkrans; men heeft het doel bereikt.

We kunnen ook een foto van de overledene op de kist leggen, maar dat moet dan wel een foto zijn die laat zien hoe de overledene tijdens zijn of haar leven was.

Meestal is de overledene blij als de plechtigheden zijn afgelopen; dan kan iemand ook verdergaan in de andere wereld, dan is het aardse leven voor hem of haar afgesloten.

Sommige mensen hebben het liefst veel mensen op hun begrafenis, veel bloemen en veel toespraken. Anderen willen hun uitvaart het liefst zo eenvoudig mogelijk hebben, in een liefdevolle, fijne sfeer.

Ook bij iemand die zelf een einde aan het leven heeft gemaakt zullen we de sfeer rond de uitvaart niet te somber moeten maken. Vooral deze overledenen hebben behoefte aan een opgewekte sfeer, omdat zij hun daad in een sombere bui hebben gepleegd. Zij hebben nu behoefte om wat op te knappen. Vergeet ook de familie niet.

Beter is het de uitvaart niet als een formele plechtigheid uit te voeren; dit komt op de overledene vaak over als een dooddoener, tenzij deze altijd veel waarde aan dit soort zaken heeft gehecht.

Vaak regelt men wel het testament, maar niet de uitvaart. Probeer zoveel mogelijk het een en ander met de stervende door te spreken: de muziek, de teksten, de gebeden, wie er bij de uitvaart moet voorgaan. Begin hier niet te laat mee, want dan is de stervende waarschijnlijk met andere zaken bezig, dan ziet iemand die nieuwe wereld al naar voren komen en heeft hij geen interesse meer in het regelen van zijn uitvaart.

Als een onbekende pastoor of dominee de uitvaart verzorgt, wordt dit niet als prettig ervaren. Dit is zo onpersoonlijk; vaak is het dan niet veel meer dan het oplezen van een lesje en daarna snel weg. Beter kan de begeleider een korte toespraak houden; men kent elkaar, het is persoonlijker.

Probeer vanuit het hart praten, zeg iets zinnigs. Praat niet vol lof over de overledene. Noem de positieve kanten, maar probeer niet alles goed te praten, noem ook eens wat tekortkomingen. Bijvoorbeeld: 'Hij was soms wat opvliegend', of: 'Zij was soms wat stil'. Als de toespraak alleen maar uitdraait op mooipraterij, is dit gehuichel ook voor de overledene niet prettig om aan te horen. Bovendien heeft een dergelijk praatje maar weinig waarde. Benader de overledene wel altijd op een positieve manier. Gedenk ook de nabestaanden in uw toespraak. Raffel uw praatje niet af.

Bij de begrafenis van een kind zal het er emotioneler aan toe gaan dan bij de begrafenis van een hoogbejaarde. Bij iemand die zelf een einde aan zijn leven heeft gemaakt, zal de sfeer waarschijnlijk niet al te opgewekt zijn. Nu kan men misschien zeggen: '... (naam van de overledene) is onverwacht van ons heengegaan.' Benoem de positieve kanten van de persoon; vraag hiernaar bij de familie. Zeg dat de overledene, net zoals ieder ander mens, wordt opgevangen en geholpen. Iedereen vindt het heel erg dat deze persoon zo aan het einde is gekomen, inclusief de persoon zelf.

Zo mogelijk kunnen we vermelden dat de overledene tot het laatste ogenblik helder bij bewustzijn is geweest. Vertel hoe deze is overgegaan; dit kunnen we meestal aan het gelaat zien. Als het om een kind gaat kunt u zeggen: 'Helaas is... (naam van het kind) maar kort in ons midden geweest. Het had anders gewild, maar de Schepper heeft het naar het rijk der hemelen geroepen. Dit korte leven was zinvol voor het kind en ook voor de omgeving.'

Houd het zoveel mogelijk opgewekt. Maak een toespraak niet langer dan tien minuten; meer weten we meestal ook niet te vertellen.

Na de uitvaart is het goed u om te kleden en te douchen. Dit bevordert ook het loslaten.

Men kan het beste minimaal drie of vier dagen wachten voordat men daadwerkelijk de spullen van de overledene gaat verdelen.

Begrafenis of crematie

Een enkele keer komt het voor dat de overledene na de begrafenis in de buurt van het graf blijft. Hij spookt rond over de begraafplaats. Ook al blijft iemand zich vastklampen aan de aardse sfeer, op een gegeven moment raakt zijn energie op. Hij raakt in een soort sluimertoestand en zal op een gegeven moment op een onbewuste manier opnieuw incarneren, overeenkomstig het bewust-zijn.

Vroeger begroef men iedereen rond de kerk; dit had als voordeel dat deze dwaalzielen zo af en toe eens wat verheffende energie konden opdoen als er in de kerk een dienst werd gehouden. Het is vooral voor gevoelige mensen, mensen met een zwakke aura ofwel een zwakke bescherming, niet goed als bezoeker langdurig over een kerkhof te lopen. Deze dwaalzielen zullen onbewust energie van alles en iedereen willen aftappen om hun situatie maar zolang mogelijk in stand te kunnen houden.

Crematie is een veel sneller en definitief einde van het lichaam dan een begrafenis. De ziel heeft nu geen geschikt oriëntatiepunt meer en iemand komt daardoor eerder, noodgedwongen, tot bezinning. Crematie is dan ook vooral voor aardegebonden mensen veel beter. Maar voor henzelf is het verschrikkelijk te moeten aanzien dat hun lichaam verbrand wordt. Dit ervaren zij bijna als levend verbrand worden. Daarom zullen deze mensen bij voorkeur begraven willen worden.

Iemand heeft meestal al aangegeven of hij later begraven of gecremeerd wil worden. We moeten deze wens altijd respecteren.

In verband met de volksgezondheid bestaat er een aantal regels wat betreft het begraven. Dit is zeer zeker niet voor niets, vooral als we bedenken hoe enorm veel mensenlichamen er dagelijks de grond in gaan. Bij ontbinding komen er bepaalde stoffen vrij die we zonder meer ongezond kunnen noemen. Deze stoffen worden verspreid door de diverse beestjes die in en uit de kist kruipen. Als we 's avonds na een warme dag over een kerkhof lopen, kunnen we ook de kwalijke dampen ruiken. Het is in Nederland overigens bij de wet geregeld dat men zonder aanzien van de persoon, gelijkwaardig, begraven wordt. Arm en rijk liggen op een kerkhof naast elkaar. Vroeger kochten de rijken zich nog wel eens een graf onder de vloer van een kerk. Deze mensen werden dan ook door het volk 'rijke stinkerds' genoemd, omdat bij warm weer hun geuren door de kerk verspreid raakten.

Cremeren is beter voor het milieu en helpt de sterk aardegebonden zielen om het aardse los te laten. Na de crematie kan men de as het beste uitstrooien.

De uitspraak in de Bijbel dat bij het laatste oordeel de doden uiteindelijk zullen verrijzen, heeft heel wat mensen op het verkeerde been gezet. In de bijbel wordt het woord 'dood' meermalen gebruikt om onbewustheid aan te geven, bijvoorbeeld in 'Wie de liefde niet kent is als een dode.' Bovendien zal ieder weldenkend mens niet willen meemaken dat al die vergane lichamen uit de grond zullen oprijzen. Met het laatste oordeel wordt eerder bedoeld het volledig opgaan in het Absolute. De apostel Paulus heeft de uitspraak gedaan: 'Het lichaam wordt in vergankelijkheid gezaaid.' Mijns inziens betekent dit alleen dat de grond en de voedingsbodem van het lichaam het vergankelijke aardse leven is. Het lichaam is stoffelijk en zal tot stof wederkeren. Dit betekent echter niet per se dat het lichaam begraven moet worden.

Bij het cremeren wordt het lichaam door middel van hete lucht, van ongeveer duizend graden, verbrand. Het lichaam komt niet in aanraking met vuur, maar ontbrandt bij deze temperatuur uit zichzelf, zodat de omgeving er niets van ruikt.

Ook de oude Grieken en de Germanen lieten zich verbranden. Pas later, bij de opkomst van het christendom, ging men over tot begraven. Halverwege de 19e eeuw kwam de belangstelling voor crematie weer opzetten. Met name de vrijmetselarij in Italië heeft hierbij veel baanbrekend werk verricht. De protestanten hebben er nooit echt een geloofskwestie van gemaakt. De katholieken bleven lange tijd huiverig ten opzichte van crematie, maar tegenwoordig zijn er ook bij hen geen bezwaren meer.

In onze cultuur is een crematie wat onpersoonlijker dan een begrafenis. Bij een crematie kan de familie minder goed afscheid nemen. Men maakt over het algemeen niets van de verbranding zelf mee, hoewel ik heb begrepen dat de familie op verzoek wel mee kan gaan naar de kelder van het crematorium om er getuige van te zijn.

Met name in Amerika komt het een enkele keer voor dat men zich laat invriezen. Vlak voordat men overgaat laat men zich invriezen in de hoop dat er later een medicijn zal worden gevonden is dat genezing kan brengen. Men wil dan weer ontdooid worden, om vervolgens met dit nieuwe medicijn verder te kunnen leven. Iemand kan misschien wel weer bezit nemen van het lichaam als dit na niet al te lange tijd weer ontdooid wordt, maar na hooguit twee of drie maanden is de binding tussen de aura van het stoffelijk lichaam en die van het astraal lichaam opgelost en is terugkeer niet meer mogelijk. Wat nog akeliger is, het kan een enorme kwelling worden als iemand de astrale wereld in al haar schittering en liefde ziet, maar niet naar deze wereld kan gaan doordat de binding met het lichaam door deze techniek in stand wordt gehouden. Het kan ook zijn dat men na het ontdooien niet meer terug wil in hetzelfde lichaam. Iemand wordt gedwongen het lichaam weer in bezit te nemen terwijl hij, zoals dat ook voorkomt bij mensen die een bijna-doodervaring hebben meegemaakt, veel liever in die andere wereld verder had willen gaan.

Ik hoop dat u inziet dat deze geld en energie verspillende toestand u veel ellende kan berokkenen. Ook al zou de wetenschap iemand na bijvoorbeeld
vijftig jaar kunnen ontdooien en weer tot leven kunnen wekken, dan nog is
het maar de vraag of dit lichaam door dezelfde ziel bezield wordt. Het is evengoed mogelijk dat dit lichaam na het ontdooien in bezit wordt genomen door
een andere (onbewuste) ziel die zo snel mogelijk wil incarneren, of door een
ziel die wel van een grapje houdt.

De Egyptische farao's hielden er ook uitgekiende conserveringsmethoden op
na. Hun liefde voor materiële zaken was zo groot dan men zelfs dacht allerlei
werktuigen en gebruiksvoorwerpen mee te kunnen nemen. De farao's hadden
zoveel kennis van dit soort zaken dat hun ziel uiteindelijk eeuwenlang aan een
piramide gebonden bleef. De bekende spookverhalen die de ronde doen kan
men niet te snel als onzin afdoen. Het is wel degelijk mogelijk dergelijke ko-
ningsgraven te verstoren en daarmee de gramschap van de farao over zich af te
roepen. Men kan dan bloot komen te staan aan bepaalde impulsen die de farao op de aura van de grafschenner projecteert.

In Tibet heeft men er weer een andere gewoonte op na gehouden. De overledene werd, door een daartoe aangewezen persoon, op een afgelegen plek in
stukken gehakt en de ledematen werden verspreid om te dienen als voedsel
voor de vogels. Dit gebruik schijnt hier en daar in Tibet nog steeds voor te komen. Het gebruik heeft ook te maken met een gebrek aan brandhout. Het is
duidelijk dat de overledene zich op deze manier moeilijk op het achtergelaten
lichaam kan richten. Vooral als de resten door de vogels worden verspreid is
het ondoenlijk in de buurt van het lichaam te blijven.

Het doneren van organen en obductie

Ten aanzien van orgaantransplantatie zou men zich wat terughoudend moeten
opstellen. Iemand die een ziekte heeft, heeft deze immers niet voor niets; hij
heeft ervan te leren. Zou iemand verschillende levens harteloos zijn geweest
jegens zijn medemens en daardoor een hartlijden krijgen, dan is het niet goed
zomaar een ruilhart te implanteren. Ik weet het, als je gezond bent is het gemakkelijk praten en als je wat langer kunt leven met het hart van een ander, is
de keuze waarschijnlijk snel gemaakt. Maar we moeten ons wel realiseren dat
het implanteren van een orgaan uiteindelijk geen nut heeft als men niet tot
diepere inzichten komt.

Wat nog niet is doorgedrongen tot de medische wetenschap, is dat als men het hart van een liefdevol mens bij een negatief ingesteld mens implanteert, de kans groot is dat dit hart, om ogenschijnlijk onverklaarbare redenen, op den duur toch wordt afgestoten. De aura's verschillen dan te veel van elkaar. Ook de donor moet zich terdege afvragen of hij zijn organen wel wil afstaan, vooral als het om belangrijke organen gaat. Wilt u uw goede, positieve hart wel afstaan aan een negatief mens?

In sommige arme landen bestaat een handel in organen. Sommige mensen laten tegen betaling een nier bij zichzelf wegnemen omdat men ook met één nier verder kan leven. In de toekomst kan men misschien ook hele ledematen transplanteren. Iemand die vindt dat hij lelijke benen heeft kan er dan met de benen van een ander vandoor gaan. Dan krijgen we te maken met uitwassen, zoals nu ook het geval is met plastische chirurgie. Wanneer iemand door een ongeluk ernstig verbrand of verminkt is geraakt, is er niets op tegen plastische chirurgie toe te passen. Maar dat er, zoals nu, miljoenen aan facelifts en borstvergrotingen worden uitgegeven terwijl er zoveel mensen op de wereld omkomen van de honger, dat lijkt me toch wel onbeschaafd.

Ieder mens wil na zijn heengaan in rust en dankbaarheid naar zijn achtergelaten lichaam kunnen kijken. We moeten hier dus met respect mee omgaan en niet zomaar een orgaan wegnemen.

Men zou ook terughoudend moeten zijn ten aanzien van obductie, het opensnijden van het lichaam om te kijken waaraan de patiënt overleden is. Men moet zich terdege afvragen of dit echt wel noodzakelijk is. Er moet in ieder geval eerst toestemming gevraagd worden aan de familie. Ook de familie zelf kan vragen om een lijkschouwing, bijvoorbeeld als er een ernstig vermoeden bestaat dat de verkeerde diagnose is gesteld. Als dan besluit het lichaam te openen dient dit met eerbied en groot respect te gebeuren.

De nabestaanden

Zoals al eerder gezegd, dient de begeleider zich ook om de achterblijvers te bekommeren. Dit geldt des te meer als de levenspartner weinig familie of vrienden heeft om eens mee te praten. Vlak na het overlijden hebben de rouwenden het zo druk met het regelen van allerlei zaken dat ze niet aan het eigen verdriet toekomen. Na de begrafenis ziet men vaak dat de aandacht voor de achtergebleven steeds minder wordt. De familie krijgt steeds minder bezoek. Voor een partner die een lang huwelijk achter de rug heeft kan het leven nu erg zwaar worden. Soms duurt het een hele tijd voordat iemand beseft dat hij er nu alleen voorstaat. Soms begint zo iemand pas na een aantal maanden aan de rouwverwerking. Het verlies dringt dan pas goed tot de achtergeblevene door. De omgeving denkt dat men na een paar maanden wel over het ergste heen is, terwijl de echte verwerking eigenlijk dan pas begint.

De omgeving is meestal van mening dat iemand de eerste tijd wel verdrietig mag zijn, maar dat dit niet te lang mag duren, anders wordt de rouwende als lastig ervaren. De omgeving bepaalt maar al te vaak hoe iemand met zijn of haar verdriet moet omgaan. Als een rouwproces van een achtergebleven partner anders verloopt dan vrienden en familie graag willen, raakt de rouwende gemakkelijk in een isolement. Gedachten aan suïcide kunnen naar boven komen: 'Zal ik er nu maar een einde aan maken, dan ben ik tenminste weer samen met mijn geliefde?' Anderen voelen zich bevrijd als hun partner is overleden. Nu kunnen zij eindelijk hun leven inkleden zoals zij eigenlijk altijd al hadden gewild.

We kunnen als begeleider ook goede vrienden opzoeken van mensen die niet getrouwd zijn geweest. De zogenaamde alleenstaanden laten dan wel geen huwelijkspartner achter, zij hebben wel vaak bijzonder hechte vriendschappen opgebouwd.

Vooral als het gaat om het sterven van een kind, bezoek de familie dan regelmatig. Soms wordt het verdriet door de ouders weggedrukt, terwijl het jaren later weer bovenkomt. De begeleider kan in zijn agenda een aantekening maken van de verjaardag en de sterfdag van het kind. We kunnen dan, met een bloemetje, op bezoek gaan. Ook iemand die in dronken toestand een kind heeft doodgereden kunnen we regelmatig bezoeken.

Houd ook de kinderen of de kleinkinderen van de overledene goed in de gaten. Het is goed mogelijk dat een kleinkind een bijzondere band met opa of oma heeft, een karmische band. In zo'n geval kan het heengaan van een grootouder het kind bijzonder hard raken, ook al laat het hier niet veel van blijken. Ook kinderen moeten soms eerst het een en ander op een rijtje zetten voordat zij aan hun verdriet toekomen. Zeg met eenvoudige woorden dat de ouder of grootouder is overgegaan, dat deze nu in een andere wereld is. Laat het kind de emoties vrijelijk uitten. Zeg niet tegen het kind dat het groot of flink moet zijn. Wees zo eerlijk mogelijk en stuur het kind niet met een kluitje in het riet. Als een kind na het overlijden van een ouder of grootouder, of van een broertje of zusje lastig begint te doen, is dit een teken dat het positieve aandacht wil. Geef het aandacht, kinderen zijn geen tweederangs burgers. Ouders kunnen volledig opgaan in hun eigen verdriet en daarbij voorbijgaan aan het verdriet van hun kinderen. Zeg tegen deze ouders dat men ook samen verdriet kan hebben, dat men samen kan huilen, dat men elkaar kan troosten. Een kind is in staat op een prachtige, ontroerende kindermanier een volwassene te troosten. Een kind kan wel degelijk begrip tonen voor het verdriet van een ander.

Een begeleider kan het contact met de familie geleidelijk afbouwen. Dit betekent dat we de eerste paar maanden zo af en toe eens op bezoek gaan, of anders eens opbellen. Na zo ongeveer een jaar, als alle feest- en verjaardagen gepasseerd zijn, is men meestal wel over het ergste heen.

We kunnen de eerste tijd de vinger aan de pols houden, om te kijken hoe het een en ander verloopt. Soms blijft iemand met schuldgevoelens of wanhoop achter, soms krijgt men last van lichamelijke kwaaltjes: spijsverteringsklachten, moeheid, of men moet steeds zuchten. Iemand kan zich ook depressief voelen, zich in eenzaamheid terugtrekken. Onverwerkt verdriet kan zich op den duur uiten in ademhalingsklachten, of maagdarmstoornissen. Deze kunnen op de lange duur ook ernstige vormen aannemen.

Zo iemand zou moeten proberen de aandacht eens wat te verzetten. Rustig aan! Ervaart de achtergebleven partner het leven als een zwart gat, dan wil deze dit gat soms zo snel mogelijk opvullen door een, uiteindelijk ongewenste, relatie met een nieuwe partner aan te gaan. Het komt ook voor dat een dochter bij haar moeder intrekt om dat zij haar moeder nu zo zielig en alleen vindt. Iemand kan ook het verdriet proberen te verdrinken in alcohol. De achtergeblevene moet ook niet te snel gaan verhuizen; verhuizen zou pas overwogen moeten worden nadat het verdriet verwerkt is.

In het algemeen moet men voorzichtig zijn met kalmerings- of slaapmiddelen. Maar in sommige gevallen kunnen dergelijke medicamenten wel nuttig zijn om iemand weer tot zichzelf te laten komen. Wanneer zo iemand alles weer kan overzien en niet meer constant aan het heengaan van de geliefde persoon hoeft te denken, kan de medicatie weer worden afgebouwd.

Soms wordt de begeleider als een lid van de familie opgenomen, soms wil men helemaal niets meer met u van doen hebben. Soms wil men graag dat u nog eens langskomt zodat men u nog eens kan bedanken, maar het is ook mogelijk dat men nu liever bij de vrienden en familie wil zijn om met hen de emoties te delen.

Als het tot een dialoog komt, stimuleer de ander dan om vrijelijk over de overledene te vertellen. Laat ook het sterfbed nog eens de revue passeren. Wanneer iemand de zin van het leven en van het sterven inziet, wordt het verdriet gemakkelijker te verwerken. Maar ga niet aan het verdriet voorbij door allerlei theologische of esoterische bespiegelingen op te hangen.

We kunnen wel zeggen dat de overledene aan de andere kant goed wordt opgevangen. We kunnen zeggen dat de ander nu een andersoortig leven heeft, dat het leven gewoon doorgaat: voor iedereen gaat het leven door. We kunnen ook zeggen dat de overledene nu gelukkig is, hoewel, we moeten dit maar afwachten, het ligt er maar aan hoe hij geleefd heeft.

Het is mooi als we iemand kunnen troosten, maar we moeten wel oppassen dat we de ander niet smoren in onze troostende en opbeurende woorden. Soms doen we dit omdat we bang zijn voor de emoties van de ander. Toch is het zo dat als iemand zijn verdriet op emotionele wijze uit, hij dit ook eerder kwijt is. Een hevige emotionele uitbarsting kan veel goed doen. Ook mannen zouden zich moeten uiten. Het zou goed zijn als iemand hardop kan zeggen dat hij de ander mist en hierover verdriet heeft.

Het moet ook gezegd worden: sommige mensen blijven hangen in hun verdriet. Zij willen eigenlijk niet van hun verdriet af omdat zij zo meer aandacht krijgen. Mensen kunnen hun verdriet ook opblazen omdat zij denken dat hun omgeving dit van hen verwacht. Vraag hun eens waarom zij nu eigenlijk zoveel verdriet hebben. Zeg hun dat zij het ook eens op een andere manier zouden kunnen bekijken.

Wanneer de overledene zelf een einde aan het leven heeft gemaakt, is dit voor de nabestaanden erg zwaar. Zij kunnen worden achtervolgd door schuldgevoelens: 'Hebben we het wel goed gedaan?' Sommigen kunnen dan helemaal in hun schulp kruipen. Mensen kunnen het iemand die er zelf een einde aan heeft gemaakt ook bijzonder kwalijk nemen dat deze hen niet in vertrouwen heeft genomen. Toch is en blijft ieder mens zelf verantwoordelijk voor zijn daden.

Iemand kan zich ook schuldig voelen omdat hij zich na een overlijden opgelucht voelt. Maar vooral als iemand goed voor de stervende heeft gezorgd, hoeft hij zich over dit gevoel geen zorgen te maken; hij heeft het immers tot een goed einde gebracht.

Ieder mens zal anders reageren op een overlijden. Soms heeft iemand al eerder min of meer afscheid genomen, bijvoorbeeld als de overledene langdurig dement is geweest.

Een kind dat door de vader seksueel misbruikt is, zal anders reageren dan een kind dat het lievelingetje van vader was. Kinderen die altijd onderdrukt zijn en werden aangezet tot prestaties zullen zich opgelucht en bevrijd voelen. Ook deze kinderen kunnen zich dan schamen over hun gevoelens.

Er wordt wel eens gezegd: 'Over de doden niets dan goeds.' Deze uitspraak is een ontkenning van de realiteit; ieder mens heeft zijn zwakke kanten en zijn fouten.

Een paar keer heb ik meegemaakt dat de achtergebleven partner iedere avond, of soms ook wel de hele dag door, in gesprek was met de overledene. Er zijn inderdaad mensen die na hun sterven nog een tijdje in de buurt van hun geliefde blijven, vooral als de overledene ziet dat de ander groot verdriet heeft, of als hij zich ernstig zorgen maakt of de achtergebleven partner het verder wel alleen kan redden. Voelt iemand dat de overledene nog in de buurt is, dan kan men er vrijwel altijd wel van uitgaan dat dit ook daadwerkelijk zo is. Men voelt dit, men weet dit, soms hoort men dit. Soms kan iemand de stem van de overledene helderhorend waarnemen. Zegt de partner na twee of drie weken dat de overledene nog in huis is, dan is het mogelijk dat de partner in dialoog is met zichzelf. Na een paar dagen, hooguit een paar weken, is de overledene toch wel in de eigen bestemmingssfeer aangekomen.

Als de achtergelaten partner een nieuwe geliefde krijgt, kan een negatief ingestelde overledene negatieve beelden op de aura van deze mensen projecteren, zodat de relatie verstoord raakt. Een positief ingestelde ziel zal echter niet snel jaloers worden – ook niet als de achtergeblevene seksueel contact heeft met een ander –, die vindt het eerder fijn om te weten dat de geliefde op aarde niet alleen blijft. Vanuit het astrale ziet men alles in een veel groter perspectief. De overledene is gelukkig als hij weet dat de ander op aarde ook gelukkig is.

Wanneer de partner op aarde nog een tijd voor de boeg heeft, is het voor de overledene moeilijk aan te moeten zien dat deze tijd in eenzaamheid wordt doorgebracht. Er zal veel verdriet bij de overledene wegvallen als deze ziet dat de achtergeblevene hertrouwt of een nieuwe relatie aangaat. De overledene heeft hier echt geen bezwaar tegen, temeer omdat iemand in het astrale ziet dat men al vele malen met andere partners heeft samengeleefd. Iedereen ontmoet aan gene zijde verscheidene partners waar men al eens eerder mee getrouwd is geweest. Wanneer het echte liefde is geweest tussen de achtergebleven partner en de overledene, is er bij de overledene geen gevoel van jaloezie; hij kijkt dan naar het belang van de ander.

De overledene vindt het wel erg om te zien hoe iemand waar hij veel van gehouden heeft, verdriet heeft en langzaam aftakelt. Dit is puur menselijk en deze eigenschap blijft bij ons, ook in het astrale. Mensen in het astrale vinden het erg als hun dierbaren verdriet hebben, maar zij kunnen de mens op aarde niet helpen. Wel kunnen zij, in overleg met de intelligentie van de persoon op aarde, vanuit het astrale een gedachte op de aura van een dierbare projecteren.

Het komt wel eens voor dat een stervende met de achterblijvers afspreekt vanuit het hiernamaals een bepaald teken te geven. De stervende kan bijvoorbeeld beloven dat hij, als hij aan gene zijde is, de lamp die aan het plafond hangt heen en weer zal laten zwaaien. Dit soort afspraken is echter zonder meer af te raden. Niet alleen doet men er beter aan de achterblijvers met rust te laten en hun eigen weg te laten gaan, het is normaal gesproken ook uitgesloten dat men deze afspraak kan nakomen. We kunnen beter aan de stervende vragen of hij voor ons wil bidden als hij in het astrale is. Een stervende kan wel toezeggen een achterblijvende partner of vriend op te wachten, als het voor deze tijd is om te gaan. Dit gebeurt ook vrijwel altijd, tenzij men na het sterven weer zo snel mogelijk naar de aarde terug wil.

21 Gebeden en meditaties

DE BERGREDE
(Matth. 5:1-10)

Zalig de armen van geest, want hunner is het Koninkrijk der hemelen. – Het gaat hier om de werkende, werkzame eenvoudige moeder of vader, eenvoudige mensen die niet gestudeerd hebben maar die veel over hebben voor hun medemensen. Het gaat niet om mensen die de hemel wetenschappelijk benaderen, want zij vervallen in theorieën. Ook niet om mensen die plichtmatig goed willen doen, maar om mensen die vanuit hun hart leven. Niet om mensen die eisen God te zien, want dat kunnen zij op die manier wel vergeten. Doe goed, leef goed, jakker en jaag niet door het leven, maak gebruik van het korte leven.

Zalig die treuren, want zij zullen vertroost worden. – We zijn een ziel op weg naar totale eenheid met God. Waar je ook bent op die weg, je zult treuren: treuren over het verlies van een dierbare, treuren over iemand die ziek is. Treuren is iets moois als het uit het hart komt. Mededogen, helpen vanuit het hart is iets heel moois. In de New Age zal men zich meer bewust worden van zijn eigen goddelijkheid, ondanks de ellende in de wereld.

Zalig de zachtmoedigen, want zij zullen de aarde beërven. – Wees zachtmoedig, liefdevol. Wat heb je eraan om liefdeloos te zijn, dit komt je niet ten goede. Heeft iemand je verdriet gedaan, zeg dit dan tegen de ander, zodat deze ervan kan leren. Benader je naaste zoals je zelf benaderd wilt worden. Wees vriendelijk. Ga naar iemand toe die pijn heeft, die in de put zit, ga er liefdevol naar toe. Neem er alle tijd voor en zeg nooit: 'Ik heb maar tien minuten voor je.' Wees dienstbaar, zoals de Vader dienstbaar is aan jou. Wees dienstbaar vanuit het hart, vanuit zachtmoedigheid. Leg jezelf geen dienstbaarheid op, maar laat het vanuit je hart komen. Als je een medemens zonder bijbedoelingen aanraakt, activeert dit de liefde. Dienstbaarheid jegens de medemensen is dienstbaarheid aan God. Help elkaar vanuit het hart; hierdoor word je ook zelf gelukkig, dit is het doel op aarde.

Zalig die hongeren en dorsten naar de gerechtigheid, want zij zullen verzadigd worden. – Er is een enorme behoefte aan gerechtigheid, aan samenwerking tussen de mensheid en de hemelen. Oorlog is Gods zaak. Binnen vijfentwintig jaar zal er grote vrede zijn op de wereld. Je kunt niet volgens regels leven, je moet volgens de liefde vanuit het hart leven. Zelf werkzaam zijn, zelf groeien.

Zalig de barmhartigen, want hun zal barmhartigheid geschieden. – Oordeel niet over iemand die ziek is geworden, dit kun je niet. Wees barmhartig, wat de medemens je ook aandoet. Je weet nooit wat je zelf een ander aandoet. Wees ook jegens een liefdeloos iemand barmhartig. Leer te vergeven, wees barmhartig. Verguis een ander niet, zend liefdevolle gedachten uit. Als iemand zich bij het loslaten van het aardse leven op God richt en ook gewend is geweest dit in het leven te doen, wees er dan van overtuigd dat deze persoon prachtig zal overgaan.

Zalig de reinen van hart, want zij zullen God zien. – In de New Age zal er een verfijnder vorm van seksualiteit zijn, zodat deze liefde jegens God uitdrukt. Geboorten zullen afnemen. Het gaat om liefde jegens elkaar, zuiver en oprecht; verfijnde seksualiteit en meer openheid, zodat je elkaar op een hoger plan ontmoet. Seksualiteit gaat in het begin in de astrale wereld gewoon door, in een verfijndere vorm, om je te openen voor de liefde van God. Het is een subtiel elkaar aanraken, het aanraken van chakra's.

Zalig de vredestichters, want zij zullen kinderen Gods genoemd worden. – Hier is sprake van vrede brengen bij conflicten, met elkaar erover praten; bied je aan om te bemiddelen, bemoei je ermee want conflicten zijn verknoeide tijd. Maar laat niet over je heen lopen en loop niet over een bemiddelaar heen. Leg er als bemiddelaar de nadruk op dat je over het conflict tegenover anderen gesloten bent. En als je zelf ruzie hebt: kijk eens naar de nachtelijke hemel, wat leeft er niet allemaal. Als je naar de sterren kijkt zie je je moeilijkheden in een breder perspectief.

Zalig de vervolgden om der gerechtigheid wil, want hunner is het Koninkrijk der hemelen. – In de Romeinse tijd kwamen joden die het goed meenden op voor hun land en werden vervolgd door de Romeinen. Hoeveel zijn er in de eerste eeuwen niet omgekomen omdat zij de liefde van God door Jezus zagen? Maar ook zij zijn vroeger een vervolger geweest. Denk niet aan jezelf; denk aan God. Niets krijg je voor niets op je weg. Heb eerbied voor elkaar.

Zalig zijn zij die om mijnentwil worden vervolgd en beschimpt. – Jezus werd ervan beticht seksuele relaties te hebben gehad met kinderen; en er waren meer van dergelijke aantijgingen. Maar Jezus is gekomen om liefde te geven; Hij had geen verhoudingen, Hij was de Liefde Zelf. Doe het goede en ga hiermee door. Doe iedereen goed, ook al vind je iemand een vervelend persoon: je kent de oorzaak niet. Trek je niets aan van wat anderen hiervan zeggen. Ga door met liefde geven aan iedereen, ongeacht wie. Wanneer je goed doet, word je vaak verguisd in de gedachten van een ander. Trek je hier niets van aan, want God weet beter.

DE HERE IS MIJN HERDER
(Een psalm van David)

De Here is mijn herder, mij ontbreekt niets;
Hij doet mij nederliggen in grazige weiden;
Hij voert mij aan rustige wateren;
Hij verkwikt mijn ziel.
Hij leidt mij in de rechte sporen
om zijn naams wil.
Zelfs al ga ik door een dal van diepe duisternis,
ik vrees geen kwaad,
want Gij zijt bij mij.

Onze Vader

Vader, waar U ook bent, U bent overal.
Uw naam is Liefde,
Uw naam is Kracht,
Uw naam is Thuis-zijn.
Vader, ons huis is bij U.
Uw naam is heilig, eeuwig.
Uw Rijk is overal, Uw rijk is in ons.

Geef ons inzichten in Uw Liefde.
Help ons om anderen te vergeven,
opdat wij ook onze eigen tekortkomingen zullen zien.
Vader geef ons inzichten,
help ons op weg naar U
en verlos ons van het negatieve.

Vader geef ons de kracht
om naar Huis te gaan.
Amen.

GEBED VOOR EEN STERVENDE
(Br. Andreas)

Vader,
ik ben op weg naar u toe,
op weg naar uw liefde.
Help me en geef me de kracht om het vol te houden!
Maar ik vraag U ook om kracht en liefde voor onze familie en
vrienden (ons gezin).

Ik moet nu veel doorstaan zoals u ziet,
geef me de kracht om het eindpunt ook mooi te halen,
zodat ik mooi naar u toe zal gaan.

Ik dank u vader voor al het mooie wat U mij in mijn leven
hebt gegeven.
Ik heb het niet altijd kunnen zien, maar nu ik naar de hemel
mag gaan, wil ik U ook hartelijk danken.

Help mij en geef mij en mijn omgeving kracht.
Ik groet U Vader.

GEBED
(Anoniem)

God, ik dank U voor mijn leven.
Ik dank U voor Uw eeuwige oceaan van liefde,
die altijd en alom aanwezig is.
De golven van geluk
en de golven van verdriet
brengen ons naar de schoot van de eeuwige Liefde Zelf.
God, ik geef mij aan U over.
Doet U maar!

GEBED VOOR DE BEGELEIDER
(Anoniem)

God, geef mij de kracht mijn lamp niet onder tafel,
maar op tafel te zetten.
Zodat ik mijn medemens help uw brood en wijn te vinden.
Zodat mijn medemens hongert naar en gesterkt wordt door Uw voedsel,
het bewustzijn kan laten uitdijen in Liefde, naar Eenheid.

SCHULDBELIJDENIS
(Br. Andreas)

Goddelijke Liefde,
altijd bent U bij ons.
Wij zijn nooit alleen.
Ik vraag U om degenen die mij wat hebben aangedaan te vergeven.
En ook dat zij mij zullen vergeven.
Vader, goddelijke Liefde Zelf, help ons.
Help ons op ons pad naar het einddoel van dit leven.
Ik dank U, Vader.

GEBED UIT HET SANSKRIET

Van onwaarheid leid ons naar waarheid.
Van duisternis leid ons naar licht.
Van dood leid ons naar onsterfelijkheid.

Verklarende woordenlijst

De woorden in deze lijst zijn in het boek met * aangeduid.

Bewustzijn Het woord bewustzijn komt in de bijbel slechts één keer voor, namelijk in Hebreeën 9:14. In de oosterse religies wordt het begrip bewustzijn echter veelvuldig gebruikt; daar spreekt men ook over verlichting als zijnde een volledig bewuste staat van goddelijk Zijn.

In het Nieuwe Testament van de Bijbel spreken Meester Jezus en Zijn leerlingen voortdurend over liefde. Een mooi voorbeeld hiervan is te vinden in de eerste brief van Johannes 4:16: '... God is liefde, en wie in de liefde blijft, blijft in God en God blijft in Hem.'

Groeien in bewustzijn betekent groeien in liefde. Bewustwording van God is hetzelfde als opgaan in de Liefde Zelf. In de eerste brief van Johannes 4:7-8 staat: '... een ieder, die liefheeft... kent God... want God is liefde.'

Esoterisch betekent letterlijk: geheim, alleen aan ingewijden bekend. Het betekent niet dat esoterische zaken door een of ander genootschap verborgen worden gehouden; het wil alleen zeggen dat iedereen hier persoonlijk in moet groeien. Zo kunnen we wel de nodige boeken lezen over karma en reïncarnatie, maar als we niet zelf deze zaken gaan overdenken, kunnen we ze nooit als waarheid aannemen.

De esotericus is gewend in termen van energie te denken; energie die nooit verdwijnt, maar die wel door de wet van oorzaak en gevolg een andere vorm kan aannemen. De gehele schepping bestaat uit een hiërarchie van energieën; deze energieën zijn er altijd geweest en zullen er altijd zijn. Deze hiërarchie verloopt van grof tot onvoorstelbaar verfijnd. Deze hiërarchie kunnen we ook God noemen. Hij is de Schepping zelf.

Evolutie wordt hier in geestelijke zin gebruikt, dat wil zeggen de groei van het persoonlijke bewustzijn: van het materiële, aardse niveau naar het zuiver geestelijke of zieleniveau. We kunnen verder komen in onze evolutie door te luisteren naar ons geweten, de stem van het hart. En door gebruik te maken van onze vrije wil, zodat we in plaats van slaaf, meester worden over onze daden, emoties en gedachten. Dit meester worden leren we in de aardse, astrale en oorzakelijke werelden, en daar ver voorbij.

Bij het horen van het woord evolutie denken we doorgaans aan de mogelijkheid dat wij mensen van de apen afstammen. In zekere zin is dit ook het geval. Dat wil zeggen: op een gegeven moment heeft een bepaalde diersoort zich zodanig ontwikkeld dat mensen-zielen deze lichamen als voertuig konden gaan gebruiken. Alleen ons stoffelijk lichaam stamt van de apen af. De term evolutie zoals Darwin die gebruikte, heeft dus alleen betrekking op het stoffelijk lichaam. Als mens stammen we, net zoals alle andere vormen van leven, van God af. Mensen, dieren en planten hebben hun eigen evolutionaire weg te gaan en het komt (eigenlijk) nooit voor, dat een mens in een volgend leven als dier of plant incarneert, net zoals het nooit voorkomt dat een dier een mens wordt. Ieder levend wezen heeft wel het goddelijke in zich.

Geestelijk wil zeggen astraal en oorzakelijk, met andere woorden: het niet-stoffelijke. Als we zeggen dat iemand de geest heeft gegeven, bedoelen we daarmee dat bij deze persoon het astrale en oorzakelijke lichaam los is van het fysieke. We nemen onze emoties en gedachten mee en laten het fysieke lichaam achter.

God is Liefde, Liefde is God. God is volledig bewust Zíjn. De mens minus ego is God. We kunnen God niet zien; God is datgene wat maakt dat we kunnen zien. God is de Schepping Zelf. God is één; de wijzen kennen Hem bij vele namen en zien Hem in alle vormen.
In werkelijkheid bestaat er geen hemel in de zin van een eeuwigdurende zijnstoestand. Er bestaat alleen Leven; we kunnen alleen vooruit of achteruit. Er bestaat geen stilstand, er bestaat alleen Leven; stilstand is dood. Het woord dood is een aards woord, uitgevonden door iemand met een aards bewustzijn.

Intelligenties Met intelligenties bedoelen we mensen die net als u en ik op aarde geleefd hebben en nu uit incarnatie, in het astrale zijn. Ieder mens op aarde heeft zijn of haar eigen intelligentie, ook wel persoonlijke gids genoemd. Een persoonlijke intelligentie is zelf volledig klaar met het aardse leven. Naast deze persoonlijke intelligentie hebben we soms ook van doen met intelligenties die ons op cruciale perioden in ons leven bijstaan. Zo kan een intelligentie ons tijdens een bepaalde periode aanzetten tot het doen van de juiste keuze.
We spreken liever over intelligenties en niet over geesten, omdat het woord geest door de jaren heen een wat negatieve bijklank heeft gekregen.

Intuïtie is kennis die men heeft zonder dat men weet hoe men aan deze kennis gekomen is. Het is kennis die in de aura's besloten ligt.

Jezus Meester Jezus incarneerde direct vanuit de hoogste oorzakelijke gebieden. Hij had al vóór zijn laatste incarnatie, tweeduizend jaar geleden, de aardse leerschool volledig doorlopen. Daarom kent Hij het aardse leven met al zijn moeilijkheden door en door. Omdat Hij Meester is over het aardse, het astrale en het oorzakelijke, zijn Zijn mogelijkheden onbeperkt. Ook op dit moment, nu u in dit boek leest, helpt Hij ontelbare mensen en staat Hij honderden stervenden bij die zich op Hem richten.

Zie Hem als een goede vriend en leidsman en plaats Hem niet op een voetstuk, want daardoor wordt de afstand tot Hem alleen maar groter. Jezus is niet de eniggeboren zoon van God. Jezus is wel enig in zijn 'soort', dat wil zeggen uniek, net zoals bijvoorbeeld Boeddha, Krishna en Mohammed uniek zijn. Eigenlijk zijn wij allemaal unieke kinderen van God. De verschillende stichters van godsdiensten waren en zijn allen bewuste kinderen van God.

De verschillende religies zijn de verschillende wegen die naar dezelfde bergtop leiden. Aan de voet van de berg ziet de ene religie er anders uit dan de andere. Maar hoe dichter we bij de top van de berg komen, hoe dichter de verschillende religies één worden, hoe meer we gaan inzien dat alle religies naar hetzelfde doel leiden.

Iedere religie is gebaseerd op liefde; een andere religie afwijzen is hetzelfde als de liefde afwijzen. Religie komt uit het Latijn en betekent her-verbinding met God.

Meester Jezus, Moeder Maria, Vader Jozef en vele anderen: zij zijn er altijd, zij staan altijd voor ons klaar. Zij kunnen zich op vele plaatsen tegelijk in uiteenlopende gedaanten manifesteren, op het tijdstip en in een vorm die zij verkiezen en die voor ons bevattelijk is. Het is altijd aan hen wanneer en hoe zij verschijnen. Zij weten wat voor ons het beste is, want zij kennen ons verleden, ons heden en onze toekomst. God heeft altijd het laatste woord en Zijn woorden zijn Zuivere Liefde.

Door alle eeuwen heen, en vooral nu in deze overgangstijd, zijn er vele Meesters in incarnatie, in diverse landen. Zij zijn direct vanuit het oorzakelijke geïncarneerd en helpen de mensheid verder in de evolutie. Zij werken veelal in stilte, op een onopvallende manier, zonder ons in onze vrije wil aan te tasten.

Levenskoorden zijn energetische draden die de astrale aura met de stoffelijke aura verbinden. Tijdens het gewone dagelijkse leven zijn deze koorden niet nodig. De beide aura's en ook de chakra's zijn dan hecht met elkaar verbonden. Tijdens het dagelijks leven ligt de stoffelijke aura in de astrale aura geborgen, zoals een schip in een dok. Zodra men gaat uittreden zijn deze koorden wel van essentieel belang. Deze koorden of levensaders zijn dan nodig om te voorkomen dat men op drift raakt. Zijn de koorden verbroken, dan kan iemand niet meer terug in het lichaam. Dit betekent dat men overlijdt, zoals bij wiegendood. Overigens wordt het begrip uittreden vaak te pas en te onpas gebruikt. Tijdens een meditatie is het bijvoorbeeld goed mogelijk dat iemand het een en ander waarneemt van het astrale, of soms van het oorzakelijke gebied. Dit wil nog niet zeggen dat zo iemand is uitgetreden. Maar het bewustzijn heeft zich dan zodanig verfijnd dat het uitdijt in die gebieden, terwijl het centrum van het bewustzijn toch in de stoffelijke aura blijft. Iemand maakt dus niet zozeer een astrale reis, maar hij kan zich afstemmen op datgene waar men belangstelling voor heeft.

Kübler-Ross, Elisabeth Stervenden werden vroeger, nog meer dan nu, weggestopt op achteraf-kamertjes. Kübler Ross haalde eind jaren zestig het sterven uit de taboesfeer door in Amerika stervende patiënten openlijk voor de camera of voor een zaal met toehoorders te interviewen. Hierover verscheen een artikel met foto's in het toenmalige wereldwijd vermaarde tijdschrift *LIFE*. Ik kan iedereen aanraden haar klassieke werk te lezen: *Lessen voor levenden, gesprekken met stervenden.*

Meditatie Het begrip meditatie is zo veelomvattend, dat een definitie hiervan niet mogelijk is. We kunnen wel proberen het te omschrijven. Meditatie kan voortkomen uit concentratie op liefde, barmhartigheid, licht of de grootsheid van de Schepping. Men richt zich tot datgene wat is, om te verzinken in het goddelijke. Dit bewust verzinken in God, of in licht, liefde of gelukzaligheid, noemt men in meditatie zijn.

De meditatie die ik iedereen kan aanraden is het langzaam en aandachtig herhalen van Gods naam. Door innig God.., God.., God.., te reciteren en daarbij een warm, liefdevol gouden licht in ons te zien, verzinken we in onze eigen natuur. God is voor ons een zeer geladen woord. Wanneer we beginnen met het reciteren van Zijn Naam, komt er vaak eerst veel negatieve energie vrij.

Iedere stichter van een godsdienst heeft het aanbevolen om de Naam van God te reciteren of te zingen.

Tijdens het mediteren kunt u opgaan in Gods Licht en kunnen er prachtige diepe gedachten-visioenen naar boven komen. Maar u zult ook merken dat tijdens een meditatie allerlei gedachten-visioenen door het hoofd kunnen gaan spoken die ons afleiden van onze gerichtheid. Dit is niet erg; als u merkt dat dit het geval is, ga dan rustig weer naar de God-mantra terug. Zie uw gedachten komen en gaan, hecht hier verder geen waarde aan. Hoe meer u op uw gedachten let, hoe meer u ze voedt.

Het is prima als iemand de discipline heeft om dagelijks een half uurtje te mediteren. Maar wekelijks een kwartiertje mediteren is ook goed. Na een meditatie moet men zich wel altijd prettig voelen.

Bij de één kan men gemakkelijker praten over mediteren, bij de ander praten we eerder over bidden. Bidden is net zo goed communiceren en af-stemmen. Als we in gebed iets vragen, kunnen we het visualiseren, alsof het er al is. De energie volgt de gedachten. Als we tijdens een gebed verzinken in goddelijke creativiteit (het oorzakelijke gebied), dan moeten we wel we-ten wat we visualiseren. Maar we kunnen ook in gebed aan de Meester of aan onze persoonlijke intelligentie vragen ons te helpen.

Mediteren maakt ons bewust van datgene wat we zijn en waarin we wil-len verzinken. We kunnen al ons werk overgeven aan God en zeggen: 'Doet u maar met mijn werk wat U wilt.' Zo wordt de mens van 'doener', iemand die overeenkomstig zijn ware aard 'is'. De Meester duidde hierop toen Hij zei: 'Kijk naar de leliën in het veld, hoe zij groeien: zij arbeiden niet en spinnen niet; en Ik zeg u dat zelfs Salomo in al zijn heerlijkheid niet be-kleed was als een van deze.' Als we overeenkomstig onze Ware Aard zijn, hoeven we ons ook geen zorgen te maken, God zorgt voor ons: 'Kijk naar de vogelen des hemels, zij zaaien niet en maaien niet en brengen niet bijeen in schuren, zij worden door de Hemelse Vader gevoed en gaat de mens deze vogels niet verre te boven?' (Matth. 6:25-34) Om deze staat te bereiken en onze geest in Gods handen te leggen is de kruisdood van het ego nodig.

Wanneer de hele schepping in en rondom ons een gelukzalige ervaring wordt die liefde en licht uitstraalt, verliezen we het beperkte bewustzijn van onze individuele afgescheidenheid; dan overschrijden we de grenzen van de kleine persoonlijkheid om voortaan met al onze zinnen de gelukzalige im-manente goddelijkheid te ervaren die altijd latent in ons aanwezig was.

Sai Baba Letterlijk de Ware Moeder-Vader. Een incarnatie van zuiver goddelij-ke liefde. Sai Baba is geboren in 1926, in een klein dorpje in Zuid-India.

Stoffelijk lichaam Eigenlijk moeten we spreken van het grofstoffelijk lichaam, omdat de aura van dit lichaam bestaat uit fijne, etherische stof (etherisch niet te verwarren met esoterisch, hetgeen innerlijk betekent). Ook al kunnen we deze aura niet met onze stoffelijke ogen zien, toch behoort deze aura tot de stoffelijke wereld.

Sommige auteurs noemen deze aura het subtiele lichaam, of het etherisch lichaam, of ook wel het etherisch dubbel. Omdat het hier echter wel degelijk om een aura gaat en omdat we verwarring willen voorkomen, gebruiken wij de term aura van het (grof)stoffelijk lichaam. N.B. In dit boek hebben we het over drie lichamen (stoffelijk, astraal en oorzakelijk) en ieder lichaam heeft een eigen aura.

Terminaal Van het Latijnse terminus = grens, eindpunt. Een terminale patiënt is een patiënt die het einde van zijn stoffelijke bestaan nadert. Een patiënt kan terminaal zijn, maar de mens, de persoon in deze situatie is transcendentaal. Transcendentaal = de zintuiglijke waarneming te boven gaande; het gaat hier om het overstijgen, het overschrijden van de stoffelijke werkelijkheid. De mens zelf (de ziel) is immers oneindig en eeuwig.

Website

http://www.stervensbegeleiding.nl